L’ÉDUCATION

DANS LA MÊME COLLECTION

L'Âme
L'Amitié
L'Amour
Autrui
La Conscience
Le Citoyen
Le Corps
La Démocratie
Le Désir
Dieu
Le Droit
L'Éducation
L'État
L'Expérience
L'Histoire
L'Identité
L'Illusion
L'Image
La Justice
La Laïcité
Le Langage
Le Libéralisme
La Liberté
La Loi
Le Mal
Les Mathématiques
La Matière
La Métaphysique
La Morale
La Mort
La Nature
Le Nihilisme
L'Œuvre d'art
La Paix
Les Passions
Le Pouvoir
La Religion
Le Scepticisme
La Sensation
La Société
Le Temps
La Tolérance
Le Travail
L'Utopie
La Vie
La Violence

L'ÉDUCATION

INTRODUCTION

CHOIX DE TEXTES

COMMENTAIRES

VADE-MECUM

ET BIBLIOGRAPHIE

par
Normand BAILLARGEON

GF Flammarion

ISBN : 978-2-0812-6429-8

SOMMAIRE

I
DÉFINITIONS DE L'ÉDUCATION : QUELQUES PARADIGMES FONDATEURS

II
ENSEIGNER ET APPRENDRE : SAVOIRS ET CURRICULUM

III
ÉTAT, SOCIÉTÉ ET ÉDUCATION : L'AUTORITÉ D'ÉDUQUER ET LES RESPONSABILITÉS DES ÉDUCATEURS

INTRODUCTION

La simple fréquentation de l'actualité permet de constater à quel point l'éducation est dans nos sociétés au cœur de débats, profanes ou savants, aussi incessants que passionnés et que rien, peut-être, n'est aussi universellement admis à tout moment que l'existence d'une crise de l'éducation. L'ambition, toute simple mais aussi fermement résolue du philosophe, est de prendre part à ces débats, en y contribuant cependant à sa manière propre, c'est-à-dire par un travail d'analyse s'inscrivant dans une perspective normative et devant conduire à la clarification des concepts mis en œuvre dans cette activité. Mais l'ambition de penser philosophiquement l'éducation voit couramment s'élever contre elle diverses séries convergentes de protestations qui invitent à conclure que l'on peut sans péril ignorer le questionnement philosophique et ses exigences spécifiques.

Le sens commun pose ainsi volontiers que l'expérience qu'a chacun de nous de l'éducation, jointe aux ressources du sens courant des mots, donne une vue suffisamment claire de ce qui est en jeu dans cette pratique pour en assurer la théorie. Il rejoint en cela la position plus ou moins explicitement adoptée par certains praticiens de ces nombreuses disciplines scientifiques – voire proto-scientifiques – qui prennent désormais l'éducation pour objet (sociologie, économie, psychologie et plus généralement sciences de l'éducation) et qui concluent, eux aussi, au caractère superfétatoire de la démarche du philosophe. Or il faut le dire avec insistance : l'exigence philosophique en éducation, et pour des raisons que le présent texte ne cessera de rappeler, est rigoureusement incontournable.

Il faut cependant convenir que les philosophes eux-mêmes ne peuvent sur ce plan être tenus pour quittes de tout blâme. Certes, l'éducation n'a cessé d'être un objet de réflexion pour la philosophie. Et si John Dewey a seul été jusqu'à soutenir que l'éducation n'était rien d'autre que la philosophie parvenue « à sa phase la plus générale », un nombre important de philosophes de la tradition occidentale – de Platon jusqu'à Rousseau et bien au-delà – avaient fait de l'éducation un objet sinon central du moins privilégié de leur réflexion.

Pourtant, la situation qui prévalait largement au milieu du XXe siècle paraissait, aux yeux de bien des philosophes, consacrer la philosophie de l'éducation comme un genre hybride et mineur. Oscillant trop souvent entre la fréquentation des écrits de quelques « grands philosophes » consacrés à l'éducation et celle des textes de « grands pédagogues » présumés avoir une portée philosophique, la philosophie de l'éducation, telle qu'elle était alors pratiquée, semblait condamnée à n'avoir ni grande substance philosophique ni grande pertinence pour l'éducation et être dès lors destinée à laisser insatisfait aussi bien le philosophe que le pédagogue ou le politique. On en vint ainsi à cette impasse dénoncée récemment par Marcel Gauchet qui « joue la mémoire de ce qui a été pensé contre la possibilité de penser aujourd'hui ».

Tout cela devait cependant commencer à changer radicalement avec des travaux menés à compter des années soixante du XXe siècle aux États-Unis et en Grande-Bretagne. Les noms d'Israel Scheffler (1923) aux États-Unis, et ceux de Richard S. Peters (1919) et Paul H. Hirst (1927) en Grande-Bretagne, incarnent cette renaissance contemporaine de la philosophie de l'éducation. Leurs travaux, et ceux qui ont été effectués dans le cadre qu'ils ont dessiné, n'ont malheureusement, pour le moment du moins, que trop peu trouvé d'écho dans le monde francophone, et cet ouvrage voudrait contribuer à corriger cette déplorable lacune en donnant à lire quelques textes de cette tradition. La présente anthologie entend donc donner accès aussi bien à l'incontournable héritage de la réflexion philosophique sur l'éducation qu'à ces débats et recherches actuellement menés et qui le prolongent et le renouvellent.

DÉFINITIONS DE L'ÉDUCATION : LES PARADIGMES FONDATEURS

> « Ne laissons pas [...] à ce que nous appelons éducation une signification vague. »
>
> Platon, *Les Lois*, Livre premier.

Le mot « éducation » est un de ces concepts dont la signification est contestée, et Platon ne saurait être accusé d'avoir ignoré le précieux conseil qu'il nous donne. Le riche legs qu'il nous laisse est celui d'une conception libérale de l'éducation. Pour en saisir la nature et la portée, il convient de la replacer dans son contexte historique et en particulier de la distinguer de la conception sophistique de l'éducation comme socialisation, qui la précède et contre laquelle elle s'est forgée. Ce modèle libéral, diversement réinterprété, restera jusqu'à nos jours une des plus influentes conceptions de l'éducation.

L'héritage platonicien et ses mutations : la conception libérale de l'éducation

En un geste remarquable par sa radicalité philosophique, la réflexion des Grecs sur l'éducation s'est très vite centrée sur la nature même de l'*arétè*, ou excellence humaine, et sur les vertus qui la définissent. Il s'agit de se demander en quoi consiste cette excellence et si elle peut être enseignée. L'opinion commune de l'aristocratie d'alors répond volontiers par la négative. Mais l'ancien idéal aristocratique ainsi que les moyens éducationnels qui lui étaient propres sont en déclin quand se développe la cité-État, laquelle, dans ses incarnations démocratiques, appelle un profond renouvellement de la problématique des fins et des moyens de l'éducation. S'engage ainsi en Grèce, vers le VIe siècle, un vaste débat, qui prend notamment la forme d'une reprise du questionnement sur l'*arétè* du citoyen et sur son possible enseignement.

Les idées et la pratique pédagogiques de ces professeurs radicalement nouveaux que sont les sophistes contribuent largement à ce débat. Dotant la civilisation grecque de sa première forme d'enseignement supérieur, ces professeurs itinérants sont des professionnels. Ils rompent avec le modèle affectif de la relation unissant le maître au disciple, l'adulte à l'éphèbe, en inaugurant une pratique inédite : contre une substantielle rétribution financière, ils promettent de dispenser un enseignement qui justifie la dépense, s'engageant même à enseigner l'*arétè*. Si le contenu et les méthodes de leur enseignement sont divers, tous les sophistes partagent un intérêt marqué pour la rhétorique, discipline récemment apparue, et qui est une composante essentielle de leur enseignement. Certains sophistes deviennent vite immensément célèbres et populaires, et une importante clientèle accepte de payer fort cher le privilège de les avoir pour professeurs.

La conception de l'éducation que déploie l'un d'entre eux, Protagoras (texte n° 1), est remarquable en ce qu'elle préfigure certaines des conclusions de la sociologie, notamment dans sa version fonctionnaliste, par exemple chez Durkheim. C'est principalement contre elle que Platon réagit en élaborant son modèle libéral de l'éducation.

Tout d'abord, Platon conteste le relativisme épistémologique que déploie la sophistique, qu'il juge avec raison contradictoire. Il développe un rationalisme et un idéalisme épistémologiques qui montrent que la connaissance est possible puisqu'elle porte sur des Idées éternelles et immuables. Platon conteste aussi l'idée de Protagoras selon laquelle l'éducation aurait un simple rôle d'adaptation fonctionnelle à une société contingente. Il assigne au contraire à l'éducation une fonction de moralisation et un rôle politique : elle permet la sélection progressive des philosophes-rois et la réorganisation de la Cité.

La République expose ces idées dans le cadre d'un exposé sur la justice, celle-ci étant présumée homomorphe dans la Cité et dans l'individu : elle résulte d'une harmonie entre sagesse, désir et volonté, qui correspondent aux trois parties de l'âme et aux trois classes sociales que l'utopie politique platonicienne distingue (travailleurs, gardiens, philosophes-rois). L'extrait cité (texte n° 2) est la très célèbre « allégorie de la caverne » : il propose une métaphore filée de la nature de l'éducation et de son rôle tant pour l'individu que pour la Cité.

Tant par la hauteur de vue sur l'éducation à laquelle il fait accéder que par la foisonnante multitude de problèmes qui y sont traités, envisagés, ou simplement aperçus, cet ouvrage demeure un des textes rigoureusement incontournables de la tradition occidentale sur l'éducation. Platon y décrit en détail le contenu et les moyens de cette éducation dont l'allégorie a donné le sens et met notamment en garde contre le danger d'une initiation trop hâtive à la rationalité (qui risque de produire des esprits rebelles et irrespectueux). Il recommande qu'on vise d'abord la formation du caractère, préconise le recours aux jeux et rappelle que « l'homme libre ne doit rien apprendre en esclave » et que « les leçons qu'on fait entrer de force dans l'âme n'y demeurent point ». En accédant au savoir, l'esprit éprouve sa liberté et conquiert son autonomie, achevant ainsi le parcours qui conduit à penser librement. L'ascension du prisonnier s'achève avec la contemplation du Soleil ; l'éducation, elle, culmine avec celle de l'Un-Bien. Mais un nouvel arrachement douloureux attend qui est parvenu à cette contemplation : il lui faudra en effet revenir dans la caverne où il sera la risée de ses anciens compagnons.

L'éducation des gardiens est décrite par Platon aux livres II et III de *La République* ; celle des philosophes-rois aux livres VI et VII. À l'âge de vingt ans, les plus prometteurs des citoyens ou citoyennes (Platon ne discrimine pas les femmes) sont sélectionnés et entreprennent alors des études de mathématiques (arithmétique, géométrie, astronomie, harmonie). À trente ans, les meilleurs abordent l'étude de la dialectique, à laquelle ils se consacrent durant cinq ans. À compter de trente-cinq ans, ils prennent part à la gestion des affaires publiques. À cinquante ans est complétée la formation des meilleurs d'entre eux, qui deviennent philosophes-rois.

Ce modèle libéral inspirera toute la tradition et s'avérera en ses grandes lignes suffisamment robuste pour préserver sa substance au cours de ses multiples incarnations. À compter de la Renaissance, l'humanisme et l'empirisme le modulent en des directions nouvelles, tant sur le plan éthique que sur le plan épistémologique : apparaît alors timidement une exigence de recentrement sur l'enfant et de reconnaissance de la spécificité de l'enfance, jointe à un souci de tenir compte de l'expérience et de partir d'elle. Peu à peu les pratiques pédagogiques assimilent ces idées et des innovateurs (Rabelais, Montaigne, Érasme, les pédagogues oratoriens ou ceux de Port-Royal, par exemple, et plus particulièrement Coménius, dont nous reparlerons) s'en inspirent pour proposer des méthodes, des techniques et procédés qui accomplissent une heureuse rupture avec une scolastique devenue sclérosante et dont la méthode d'enseignement largement pratiquée dans les universités médiévales donne une parfaite illustration : la lecture d'un texte (*Lectio*) qu'on expliquait en le lisant faisait surgir une question (*Questio*) que l'on discutait (*Disputatio*) en examinant le pour (*Pro*) et le contre (*Sed Contra*). La solution était ensuite proposée (*Determinatio*).

Une autre variante importante de l'idéal libéral dans le domaine de l'éducation survient au siècle des Lumières. Le « *sapere aude* », par lequel Kant définissait l'idéal de son temps, appelait irrésistiblement un projet politique arrimé à un idéal éducationnel : chacun doit pouvoir accéder aux savoirs et habiletés lui permettant de prendre part à une société démocratique. Sur le fond, cependant, comme le montre la définition kantienne de l'éducation qu'on lira ensuite (texte n° 3), le modèle libéral reste totalement présent : c'est l'extension qui lui est donnée et la finalité politique qu'elle est appelée à viser qui sont nouvelles, et non l'idée que l'éducation est émancipation, moralisation et humanisation par l'appropriation de savoirs. L'optimisme kantien est grand, mais le philosophe, on le verra, n'ignore rien des graves menaces qui entravent la marche vers cet idéal, et que Condorcet formule de manière inoubliable : « Tant qu'il y aura des hommes qui n'obéiront pas à leur raison seule, qui recevront leur opinion d'une raison étrangère, en vain toutes les chaînes auraient été brisées. Le genre humain resterait partagé en deux classes, celle des hommes qui raisonnent et celle des hommes qui croient, celle des maîtres et celle des esclaves. »

La « révolution copernicienne » de la pédagogie

C'est pourtant à la même époque qu'un changement de paradigme survient avec la fameuse « révolution copernicienne » de la pédagogie qu'accomplit Jean-Jacques Rousseau. Génie tourmenté, musicien, botaniste, écrivain, ce collaborateur de l'*Encyclopédie* a reçu une terrible et bouleversante révélation en allant visiter Diderot à la prison de Vincennes : la civilisation est corruptrice et le retour à l'état de nature est impossible. Avec l'apparition de la propriété privée, ou peut-être simplement par un funeste hasard, nous sommes passés de l'état de nature à la société. L'amour de soi, sain et indispensable, s'est alors mué en amour-propre ; nous vivons désormais sous le règne de l'artifice, du mensonge et de la dénaturation. L'éducation est, avec l'idée d'un nouveau contrat social, une voie vers un possible salut qu'explore Rousseau (texte nº 4). Mais cette éducation doit être *naturelle*. Ce mot-clé de la pensée de Rousseau, bien des commentateurs l'ont noté, est polysémique, problématique et peut-être même contradictoire : s'agit-il de ce qui est ? De ce qui doit être ? D'un trope opposant un indéfini posé comme juste et sain à une société d'emblée jugée malsaine et injuste ? Un peu tout cela, sans doute.

Certaines des réactions aux thèses de Rousseau seront virulentes : il s'en prend en effet aux idées dominantes de l'époque : à la raison, il oppose le sentiment ; au progrès, il oppose l'état de nature et l'idée que les arts et les sciences n'ont pas contribué à épurer les mœurs, mais bien plutôt engendré la corruption. Ces idées influencent fortement sa conception d'une éducation conforme à la nature, une éducation d'abord négative et dont le centre de gravité est complètement déplacé. Ce ne sont plus les savoirs, tenus au demeurant en suspicion, qui en sont le centre, mais bien l'enfant. Et la découverte de l'existence d'une nature de l'enfance et l'exhortation à la connaître et à la respecter ne sont pas les moindres des legs de Rousseau. « Hommes, soyez humains, c'est votre premier devoir ; soyez-le pour tous les états, pour tous les âges, pour tout ce qui n'est pas étranger à l'homme. Quelle sagesse y a-t-il pour vous hors de l'humanité ? Aimez l'enfance ; favorisez ses jeux, ses plaisirs, son aimable instinct. »

À la suite de Rousseau, nombre de philosophes et de pédagogues œuvrent dans le cadre qu'il a dessiné. Celui-ci est suffisamment vaste pour accueillir les pédagogies nouvelles qui se développent un peu partout dans le monde occidental à compter du XIXe siècle, mais aussi pour intégrer des critiques plus radicales de l'éducation et de l'école. La problématique de John Dewey pourra être comprise comme procédant de la volonté de conserver l'héritage de Rousseau, mais en lui donnant la dimension politique qui lui fait défaut en concevant l'éducation que demande une société démocratique.

La perspective instrumentaliste sur l'éducation et la démocratie

C'est en 1894, alors qu'il est professeur à l'université de Chicago, que Dewey a le projet d'une école expérimentale, projet qu'il exposera ainsi à sa femme :

> « J'ai à l'esprit, de plus en plus présente, l'image d'une école ; une école où quelque activité véritablement constructive sera le centre et la source de tout, et à partir de laquelle le travail se développera toujours dans deux directions : d'une part la dimension sociale de cette activité constructive, d'autre part, le contact avec la nature lui fournissant sa matière première. Je vois très bien, en théorie, comment l'activité de menuiserie mise en œuvre pour construire une maquette de maison, par exemple, sera le centre d'une formation sociale, d'une part, scientifique, de l'autre, tout cela dans le cadre d'un entraînement physique, concret et positif, de l'œil et de la main. »
>
> (Lettre à Alice Dewey, 1er novembre 1894.)

Deux ans plus tard, en 1896, Dewey et son épouse ouvrent leur célèbre École laboratoire : elle demeurera ouverte jusqu'en 1904 et sera le cadre de l'élaboration de conceptions pédagogiques, influencées notamment par quatre courants de pensée : l'hégélianisme, le darwinisme, le pragmatisme, et cet idéal politique démocratique qui n'a cessé d'animer la pensée de Dewey.

À Hegel, Dewey doit un mode de pensée dialectique qui caractérise sa manière d'aborder tous les problèmes dont il traite ; à Darwin, un naturalisme qu'il n'abandonnera jamais ; Dewey doit encore au pragmatisme de Charles Sanders Peirce et de William James une conception particulière de la nature et de la portée du travail philosophique : il entend en effet récuser les anciens dualismes hérités de la tradition – entre sujet et objet, théorie et pratique, matière et esprit – et s'en prend notamment à ce qu'il nomme « la conception spectatoriale du savoir ». Selon cette conception, dont Dewey dit qu'elle remonte à Platon et domine toute la tradition épistémologique, le savoir est présumé être contemplation passive d'un objet par un sujet. Nous sommes plutôt des organismes en interaction avec un environnement où nous évoluons, insiste Dewey, et le savoir, comme nos concepts, sont ces instruments, provisoires et révisables, que nous mettons en œuvre pour résoudre des problèmes.

Mais nous sommes aussi des êtres sociaux, et si l'éducation présente une dimension psychologique – « Les instincts et les capacités propres de l'enfant fournissent les matériaux et déterminent les points de départ de toute éducation » (*Mon credo pédagogique,* article 1) – elle doit l'harmoniser avec une dimension sociologique. Or, poursuit Dewey, l'avènement de la démocratie et des conditions industrielles modernes rendent impossible de prédire exactement ce que sera la civilisation dans vingt ans. « Il est donc impossible de préparer l'enfant pour un ensemble quelconque de conditions précises », et l'éducation devra donc « lui donner le pouvoir de se maîtriser, [pour] qu'il ait l'usage prêt et complet de toutes ses capacités, que ses yeux, ses oreilles et ses mains soient des instruments prêts à obéir à ses ordres, que son jugement soit capable de saisir les conditions dans lesquelles il doit travailler, et que ses forces soient entraînées à agir économiquement et efficacement. Il est impossible d'obtenir cette sorte d'ajustement, si ce n'est en convertissant complètement (ou constamment) l'éducation en termes psychologiques ». Dewey pense surmonter ainsi la dichotomie, ou si l'on préfère résoudre dialectiquement la tension, entre une éducation pour l'individu et une éducation pour la collectivité. Mais il ne donne cependant pas de définition précise et fixe de l'éducation.

Dans son *Credo pédagogique*, il dira : « Je crois que toute éducation se fait par la participation de l'individu à la conscience sociale de l'espèce. Ce processus commence sans qu'on en soit conscient, presque avant la naissance et conditionne continuellement les pouvoirs de l'individu, sature sa conscience, forme ses habitudes, élève ses idées et éveille ses sentiments et ses émotions. Par cette éducation inconsciente, l'individu arrive peu à peu à participer aux ressources intellectuelles et morales que l'humanité a réussi à accumuler. Il hérite du capital consolidé de la civilisation. » Plus tard, il définira l'éducation comme croissance, comme on le découvrira dans le texte cité (texte n° 5). Si ces idées ont été largement diffusées, le legs deweyien dans le domaine de l'éducation, tant sur le plan théorique que sur celui de la pratique, continue de faire l'objet d'appréciations nombreuses et contradictoires. Dewey lui-même, il faut le dire, a été bien loin de se reconnaître en plusieurs de ses disciples autoproclamés et, à la fin de sa vie, il consacrera quelques écrits à s'en distancer. Dans ces mêmes écrits, il reviendra également de façon critique sur ce qui se pratiquait alors communément sous l'appellation d'éducation progressiste.

La reformulation philosophique du modèle libéral et ses critiques

Une reformulation de la conception libérale s'imposait et il reviendra à Richard S. Peters, dans les années 1960, d'en proposer une. Son ambition est d'apporter à la réflexion philosophique sur l'éducation les bénéfices de la précision et de la rigueur que permet le recours aux méthodes et techniques de l'analyse conceptuelle et linguistique de la philosophie analytique. Israel Scheffler s'occupant déjà à cette époque, aux États-Unis, du concept d'enseignement, Peters s'attache à clarifier celui d'éducation, laissant à des collaborateurs le soin de mener à bien l'analyse des principaux concepts afférents – endoctrinement, croissance, compréhension, besoin, intérêt, etc.

Pour y parvenir, il importe avant tout de revenir sur le vaste héritage légué par Rousseau et ses nombreux continuateurs, jusqu'à Dewey et ses émules. Peters suggère que c'est sur le plan éthique que se trouve leur principale contribution : « Malgré ces confusions quant aux standards qu'on retrouve dans tant de discussions sur la "croissance" et l'"accomplissement de soi", ces caricatures de la situation éducationnelle ont un mérite et sont importantes sur un plan moral. C'est qu'elles font voir que les jugements de valeur, en éducation, peuvent aussi porter sur la *manière* – et pas seulement sur le contenu – de l'éducation. Elles nous invitent ainsi à mettre en évidence la place des principes *procéduraux*. Je veux dire par cela qu'elles nous rappellent l'importance de laisser les individus choisir pour eux-mêmes, apprendre par expérience, et diriger leurs propres vies. L'importance de ces principes, qui insistent sur l'importance de l'autodétermination des individus, avait souvent été négligée par les enseignants traditionnels » (« Education as Initiation », dans : Archambault, Reginald D., *Philosophical Analysis and Education*, Routledge, Londres, 1965, p. 95). Cependant, outre le fait que les progressistes ont souvent caricaturé l'école traditionnelle, l'idée de croissance, avancée sans préciser ni vers quoi l'on croît ni de quoi elle se nourrit, semble à Peters aussi confuse que dangereuse : « La discussion par Dewey du voleur qui croît comme voleur est un des passages les plus insatisfaisants de son œuvre », conclut-il. On lira dans le texte cité (texte n° 6) la définition de l'éducation comme initiation qu'il avance pour sa part, alors qu'il rappelle ce qui caractérise une personne éduquée.

Cependant, au moment même où l'idée libérale d'éducation est si remarquablement réarticulée, sa catégorie fondatrice la plus fondamentale, celle de savoir, se trouve radicalement remise en question. Ce n'est pas ici le lieu de supputer les raisons qui expliquent le profond changement de paradigme que connaît le monde des idées dans la deuxième moitié du XXe siècle et qui intéressera plus tard les historiens. Certainement, la coupure du monde en deux blocs antagonistes menaçant de s'exterminer mutuellement (tout en se prétendant héritiers de la Raison et d'un idéal d'émancipation), de même que le post-colonialisme et le développement de nouvelles et salutaires sensibilités à des formes jusque-là méconnues d'oppression, y ont joué un rôle.

Quoi qu'il en soit, en un mouvement qui par certains aspects n'est pas sans rappeler la sophistique ancienne dont nous sommes partis, la pensée de la fin du XXe siècle a vu les catégories de savoir, de raison et d'émancipation passées au crible d'une critique impitoyable et radicale. Celle-ci assure qu'il nous est impossible de connaître et que tout savoir est un pouvoir déguisé, sans se douter que Platon avait déjà montré la contradiction inhérente à une telle conclusion.

Conscients de ces travers, c'est avec deux textes qui donnent des versions fortes et possiblement crédibles de la critique du modèle libéral que nous concluons cette section. Le premier texte, féministe, s'en prend justement à l'androcentrisme inhérent à la vision que propose Peters de la personne éduquée (texte n° 7). Le deuxième, de Jean-François Lyotard (1924-1998), décrit comme un état de fait les inévitables transformations d'une éducation désormais uniquement soucieuse de performativité ; il explique ces transformations par la renonciation à ce qu'il appelle « les grands récits » (texte n° 8).

Il revient à qui pense toujours que l'idéal libéral reste défendable et même nécessaire, d'en articuler une nouvelle conception qui saurait résister à ces critiques. On verra dans les sections suivantes quelques-uns des nombreux défis qui attendent quiconque s'attellera à cette tâche.

ENSEIGNER ET APPRENDRE : SAVOIRS ET CURRICULUM

Comme l'a noté Dewey, les catégories d'enseignement et d'apprentissage, cruciales en éducation, sont conceptuellement liées l'une à l'autre : « On peut comparer l'enseignement à la vente. Personne ne vend à moins que quelqu'un n'achète. On tournerait en ridicule un marchand qui dirait avoir vendu quantité de biens alors que personne n'aurait acheté quoi que ce soit. Mais il y a peut-être des professeurs qui pensent avoir fait une bonne journée d'enseignement sans se soucier de savoir ce qui a été appris. Il y a entre enseigner et apprendre exactement la même relation qu'il y a entre vendre et acheter » (*How we Think*, Henry Regnery, Chicago, 1933, p. 35-36).

Israel Scheffler le sait bien et propose de définir le concept d'enseignement à l'aide de trois critères. Il y a enseignement, suggère-t-il, lorsque :

1. Le professeur se propose de faire apprendre (critère d'intentionnalité).
2. Il serait déraisonnable de penser que les stratégies choisies par lui ne sont pas susceptibles d'atteindre le but recherché (critère de plausibilité raisonnable).
3. Ce que fait le professeur est limité par des considérations relatives à la manière (critère de la manière). (« The concept of teaching », dans : MacMillan, C. J. B. et Nelson, Thomas, *Concepts of Teaching*, Rand McNally, Chicago, 1968, p. 27.)

Si ces critères sont ceux qui définissent la vente, qu'en est-il de l'achat ? La contribution de la philosophie aux vastes débats soulevés par cette simple question passe de manière prépondérante par l'épistémologie, entendue comme théorie de la connaissance. Cette fois encore, le point de départ sera trouvé chez Platon.

Platon et la tradition rationaliste

Il n'y a connaissance, dit Platon, que si trois conditions sont satisfaites : si une opinion est adoptée ; si elle est vraie ; et si elle est épistémiquement justifiée, c'est-à-dire tenue pour vraie pour de bonnes raisons. Qui a appris aura donc acquis des opinions vraies justifiées. La théorie des Idées explique plus avant cette idée : qui sait a contemplé une (ou des) Idée(s) dont toutes les instances concrètes ne sont que des copies, des copies dont il n'aurait de toute façon rien pu saisir ou comprendre s'il n'en avait, au préalable, contemplé l'Idée. Il y a ici, on le pressent, une véritable philosophie de l'apprentissage, que Platon va explicitement déployer.

Un enjeu crucial surgit sitôt qu'on reconnaît une sorte d'énigme que Noam Chomsky a justement appelée le « problème de Platon ». Pour en apprécier la portée, il suffit de remarquer l'étendue du fossé qui sépare notre savoir de notre expérience : comment peut-on en savoir autant, alors que notre expérience du monde est si brève, si limitée, si imparfaite et si imprécise ? Les mathématiques sont évidemment ici un cas que Platon tient pour paradigmatique : comment est-il par exemple possible qu'alors que je ne croise dans le monde que des figures imparfaites, j'accède pourtant à un savoir géométrique universel et nécessaire ? Ce questionnement peut être radicalisé : comment une personne qui ne sait rien du tout pourrait-elle apprendre et en venir à savoir quoi que ce soit ? Il semble que non seulement l'expérience ne puisse combler le fossé qui existe entre savoir et ignorance mais, pis encore, qu'il soit logiquement impossible ne serait-ce que de commencer à apprendre.

Platon, dans l'extrait du *Ménon* cité (texte n° 9), pose précisément de cette manière le problème de la connaissance et suggère que si celle-ci est possible, c'est qu'elle est réminiscence, c'est-à-dire re-souvenir. Notre âme, pense Platon, est immortelle et elle a contemplé les Idées avant de s'incarner dans notre corps. Elle garde de cette vision un souvenir, plus ou moins net selon les individus – et la précision de ce souvenir marque les limites de l'éducabilité des sujets, une thèse de lourde portée politique. Nous apprenons donc par la réactivation de ces souvenirs. Cette thèse explique pourquoi il est logiquement possible d'apprendre – le fait est que nous n'*apprenons* jamais rien du tout, au sens usuel de ce mot –, et aussi pourquoi l'expérience ne joue finalement qu'un rôle mineur dans l'apprentissage : nous ne tirons pas notre savoir de l'expérience, mais nous appliquons plutôt à l'expérience notre savoir.

À la fin de son interrogation, qui porte sur la duplication d'un carré, Socrate soutient que l'esclave possède désormais, sur ce sujet, des opinions vraies ; mais il ajoute aussi que ces opinions vraies ne sont pas encore des savoirs (ou des connaissances). L'interrogation a certes suscité en l'esclave des opinions qui étaient en quelque sorte déjà en lui et qui s'y trouvent désormais « à la manière d'un rêve » ; mais celles-ci ne sont pas encore des savoirs et ne le deviendront, suggère Socrate, qu'avec le temps et à travers la multiplication des interrogations (*Ménon*, 85b-85c). Platon décrit ensuite – et ce passage ne peut manquer de fasciner quiconque a enseigné ou appris – cette profonde et subtile mutation par quoi l'opinion vraie, floue et mouvante, se fixe et, comme retenue par des câbles, devient savoir : « [...] les opinions vraies, aussi longtemps qu'elles demeurent en place, sont une belle chose [...]. Mais ces opinions ne consentent pas à rester longtemps en place, plutôt cherchent-elles à s'enfuir de l'âme humaine. Elles ne valent pas grand-chose tant qu'on ne les a pas reliées par un raisonnement. [...] Ainsi reliées, elles deviennent connaissance et ensuite, elles restent à leur place. Voilà précisément la raison pour laquelle la connaissance est plus précieuse que l'opinion droite, et sache que la science diffère de l'opinion vraie en ce que la connaissance est lien » (98a-98b).

Notons trois autres plans sur lesquels la réflexion de Platon sur l'apprentissage occupe une position toujours influente. Sur le plan métaphysique, Platon défend, avec la théorie des Idées, ce qu'on appellera le *réalisme* des concepts, c'est-à-dire l'existence réelle des catégories générales et abstraites que notre connaissance met en jeu. Sur le plan de la philosophie de l'esprit, il défend un dualisme – peut-être même formule-t-il le premier dualisme systématique et réflexif de la tradition occidentale – et un innéisme des concepts. Sur le plan pédagogique, enfin, la position platonicienne engage une conception de la relation entre « enseignant » et « enseigné » que Platon explicite sous le concept de maïeutique (texte n° 10).

Cette conception de l'apprentissage a une très forte cohérence. Elle implique en outre une pratique de l'enseignement selon laquelle apprendre résulte d'une sorte d'illumination intérieure que l'enseignant peut contribuer à faire advenir par la parole ou par des signes, et qui exige effort, attention et répétition pour être durablement acquis.

Les possibles travers et limites d'une telle conception n'ont pas manqué d'être notés. On lui fera grief de ne traiter la question de l'intérêt que selon un point de vue intellectualiste ; de n'aborder que les savoirs propositionnels – les *savoir que* au détriment des *savoir comment*, pour reprendre une distinction proposée par Gilbert Ryle – et aussi, dès lors que le contact épistémique entre enseignant et enseigné est rompu, de conduire à ce qu'on pourra appeler, à la suite de Sébastien Faure, le « perroquettisme ». Montaigne analyse magnifiquement ce travers possible de tout enseignement dans le texte n° 11. Mais à compter du XVIIe siècle, une nouvelle théorie de la connaissance, l'empirisme, renouvelle en profondeur toutes ces questions. Elle aura un grand impact sur l'ensemble de l'éducation.

L'apport de l'empirisme

L'empirisme est une épistémologie développée en Grande-Bretagne aux XVIIe et XVIIIe siècles par John Locke (1632-1704), George Berkeley (1685-1753) et David Hume (1711-1776). Il présente l'esprit comme un tableau vierge sur lequel l'expérience, par les impressions, vient inscrire des idées que l'esprit relie ensuite entre elles.

Il est d'emblée une conception novatrice de l'apprentissage et un programme pour l'éducation : jointe aux intuitions de ces pédagogues novateurs que nous avons évoquées plus haut et tout particulièrement du Tchèque Jan Amos Komensky, dit Coménius (1592-1670), elle vont conduire à affirmer l'exigence du recours dans l'enseignement au sens et à l'expérience. Ces idées, à travers l'œuvre du remarquable éducateur des enfants pauvres et abandonnés que fut Johann Heinrich Pestalozzi (1746-1827), seront ensuite incorporées à la tradition pédagogique sous la catégorie d'intuition sensible – la fameuse *Anschuung*, point de départ de tout apprentissage devant procéder du concret à l'abstrait et s'élever graduellement du simple au complexe. De telles idées ont indéniablement du mérite, tout spécialement à l'âge des premiers apprentissages, celui pour lesquels elles ont au demeurant été développées.

Mais son fort attrait ne doit pas interdire d'en marquer les limites. Il convient pour commencer de rappeler que nombre de concepts – à l'instar de ceux de justice, de périodisation historique, de vérité et d'innombrables autres – sont irréductibles à des perceptions : l'opération intellectuelle par laquelle on les saisit ne saurait donc émaner d'elles seules. De plus, même quand il s'agit de concepts dont l'acquisition s'appuie sur l'expérience, le passage des percepts aux concepts est loin d'être aussi simple et immédiat que peut le laisser penser une certaine naïveté empiriste. Nombre de concepts scientifiques, par exemple, et comme l'enseignait Gaston Bachelard, se caractérisent en effet par la rupture que leur saisie exige avec l'expérience courante. Celle-ci présente en fait divers obstacles qui rendent difficile leur appréhension, et qui demandent pour être surmontés un effort d'arrachement à l'expérience et une rupture avec ses trompeuses évidences.

Ces analyses bachelardiennes marquent, on le voit, de sévères bornes au séduisant programme didactique qui nous enjoint de « fournir des expériences » à l'enfant.

D'autres apparaissent encore sitôt qu'on réfléchit à ceci que le fait de simplement *voir* est bien différent de *voir comme* : je vois certes aisément deux personnes échanger des sons en gesticulant ; mais il s'agit de voir ce qu'il se passe réellement, à savoir un débat entre adversaires et partisans d'une thèse donnée. De même, voir comme des unités, comme des dizaines et comme des nombres un assemblage de ces blocs de Dienes un temps utilisés pour l'apprentissage des mathématiques, c'est déjà ne plus les voir comme un simple amas de blocs de bois de formes et de couleurs variées. C'est qu'il faut être bien savant pour observer un fait, comme le disait Alain ; et cela limite sévèrement l'idée selon laquelle une expérience vécue procurerait immédiatement, par intuition sensible, un savoir durable.

Ces remarques constituent autant de mises en garde contre le tâtonnement expérimental et contre les activités d'exploration et d'éveil prônées par ces pédagogies inductives qui postulent, parfois avec une déconcertante candeur, que l'on peut sans rupture passer du percept au concept. Par le passé, une certaine sagesse pédagogique avait déjà conclu que, pour utiles que puissent être ces pédagogies de l'apprentissage, l'intuition tout autant que le recours à l'expérience sensible ne devraient être qu'une étape dans la route menant au concept. Tel est le sens du propos de Ferdinand Buisson (1841-1932). Après avoir salué l'apport des méthodes intuitives qui furent un bienheureux contrepoids aux procédés abstractifs et déductifs de la pédagogie antérieure, il conclut : « il ne faut [...] pas reculer trop tard le moment où l'on fera de l'abstraction la forme et la condition de tout l'enseignement : trouver pour chaque élève et pour chaque étude le moment précis où il convient de passer de la forme intuitive à la forme abstraite est le grand art d'un véritable éducateur » (« Abstraction », dans : *Dictionnaire de pédagogie et d'instruction primaire*, t. 1 de la première partie, p. 10, Hachette, Paris, 1887).

Certaines de ces difficultés étaient déjà apparues au cœur même de l'épistémologie empiriste avec le problème de l'origine et du statut des idées générales. Locke le résolvait en développant une théorie abstractionniste (car elle entend expliquer par abstraction leur genèse), et conceptualiste (car elle leur assigne le statut de concepts) des idées générales. Il écrit : « Les mots deviennent généraux lorsque nous en faisons les signes d'idées générales : et des idées deviennent générales quand nous les séparons de leurs circonstances de temps, de lieu et de toutes autres idées qui pourraient les consigner à telle ou telle existence. C'est de cette manière, par abstraction, qu'elles sont capables de représenter plus d'une chose individuelle. »

Mais cette réponse est insatisfaisante, comme les empiristes ultérieurs, à commencer par Berkeley, vont rapidement le noter, en insistant sur les incohérences du procédé invoqué. C'est que l'hypothèse abstractionniste demande que la catégorie générale *C* soit obtenue de l'isolement dans l'expérience du fait que divers objets singuliers – *a*, *b*, *c* et ainsi de suite – possèdent, outre diverses propriétés qui les distinguent, cette propriété commune *C*. Mais cette réponse présuppose ce qu'on demandait d'expliquer, puisqu'elle nécessite la possession de *C* afin de rendre compte de son acquisition.

À cet insatisfaisant abstractionnisme lockéen, la tradition empiriste tendra donc à préférer, sur la question des universaux, une théorie nominaliste. Une idée abstraite, tirée de l'expérience, est tout simplement impossible : elle exigerait de nous, par exemple, d'avoir à l'esprit une idée de triangle qui ne soit ni isocèle, ni rectangle, ni d'aucune forme triangulaire précise et qui les soit toutes à la fois. Nos concepts, insiste le nominaliste, ne sont en fait que des noms et s'attachent toujours à une idée particulière. C'est ainsi qu'au mot triangle, j'associe généralement un triangle isocèle ; mais, au besoin, par exemple quand on examinera en classe la démonstration du théorème de

Pythagore, j'invoquerai le mot et l'idée particulière d'un triangle rectangle.

L'empirisme trouve son aboutissement classique chez Hume, qui pose que l'expérience fournit à notre esprit des impressions et des idées. Les premières sont le matériau primitif de la connaissance et elles sont, soit des sensations (les couleurs, les sons, les odeurs, etc.), soit des réflexions (ressentir de la joie, de la peur, du plaisir, etc.). Les idées, produites soit par la mémoire, soit par l'imagination, sont des copies des impressions dont elles se distinguent par leur degré de vivacité. Ces idées peuvent être simples (rouge), ou complexes, quand des idées simples sont réunies (celle de pomme provient, disons, de rouge, rond et savoureux). Partant de ce point de départ, la connaissance est produite par trois principes d'association des idées : la ressemblance, la contiguïté et la causalité.

La psychologie moderne empruntera un temps cette voie tracée par Hume et la poursuivra jusqu'à l'abandon au moins méthodologique du concept d'esprit, recommandant de comprendre l'apprentissage en termes de liens entre stimuli et réponses, établis par renforcements et punitions. Cette école, béhavioriste, exercera une grande influence sur la pédagogie et plus généralement sur toute l'éducation contemporaines (*Vade-mecum* : Béhaviorisme et enseignement programmé).

Les pédagogies empiristes, on le voit, invitent le pédagogue à une méditation critique de la catégorie d'expérience. La position défendue par Rousseau, si elle s'inscrit elle aussi dans la tradition empiriste, se déploie de manière originale et invite à méditer sur les catégories de découverte et d'utilité.

La variante rousseauiste

L'empirisme auquel Rousseau adhère rend sa conception de l'apprentissage sujette aux critiques que nous venons de rappeler. En effet, si la célèbre leçon d'astronomie (texte n° 12), peut permettre d'apprendre certains aspects d'une astronomie ptoléméenne, Émile peut-il être dit savoir, au sens platonicien, ce que sont les mouvements des planètes et du soleil qui lui permettent de s'orienter ? Et pourra-t-il jamais, par ces mêmes méthodes, apprendre l'astronomie copernicienne ? Et est-ce bien de façon continue que l'on passe de l'expérience de s'orienter au savoir scientifique ? Cependant Rousseau ajoute au moins trois choses à l'empirisme de ses contemporains.

D'abord, on l'a vu, il entend diminuer la place des savoirs dans l'éducation (principe qui fera bien des émules). Il propose ensuite un idéal d'apprentissage par découverte. Enfin, il pose le critère de l'utile pour la sélection des savoirs dont il faut permettre la découverte. Ce sont ces deux derniers aspects que nous aborderons à présent.

Que peut bien signifier « découvrir » dans une pédagogie de la découverte ? Il nous faut distinguer deux sens de ce terme. En premier lieu, découvrir peut signifier « trouver par hasard, et en certains cas au moins sans le chercher, quelque chose dont on connaît la catégorie générique » ; c'est en ce sens qu'on pourra dire que des enfants ont découvert une grotte. Mais ce n'est manifestement pas ce qui est impliqué par l'idée d'apprendre par découverte, où, d'une part il s'agit d'appréhender la catégorie générale elle-même et où, d'autre part, les enfants ne sont pas laissés à eux-mêmes pour découvrir n'importe quoi. En deuxième lieu, par découvrir, on peut aussi signifier « faire en sorte que l'élève en vienne à voir et à saisir par lui-même ce qu'on cherche à lui faire voir et saisir » ; mais il s'agit alors du but que poursuit tout enseignement. Rien n'exclut que pour parvenir à ce résultat on procède de manière systématique, par étapes, en ayant recours au langage : diverses formes d'instruction, comme la leçon donnée dans le *Ménon*, aboutissent à la découverte et peuvent, en ce sens précis, être dites des pédagogies de la découverte. On devine que ce qu'on entend typiquement par cette expression ne renvoie à aucun de ces sens et se distingue aussi bien d'un certain laisser-faire didactique que de l'instruction plus ou moins directe. Il s'agit en fait d'une conception de l'apprentissage où la part de l'instruction verbale est sciemment limitée au profit de l'aménagement de l'environnement qui devra conduire celui qui apprend à voir ou à inférer de lui-même ce qu'il doit comprendre : la leçon d'astronomie de Rousseau en est le paradigme.

On argue souvent en sa faveur que ce qui est ainsi appris l'est mieux, et est plus durablement retenu. Mais cet argument est tout juste un rappel de ce que signifie apprendre, à savoir avoir vu et saisi par soi-même et ainsi retenir durablement. Mais apprendre peut se faire de bien des manières, par exemple par une instruction (plus ou moins directe) ou en se faisant dire les choses. C'est donc pour d'autres raisons qu'on voudra défendre un apprentissage par découverte, et en tenant compte pour ce faire de ce qu'il coûte en temps, en ressource et en ingéniosité de la part de qui conçoit l'environnement propice à la découverte. Qui lit *Émile* ne peut à cet égard manquer d'être frappé par le caractère profondément dirigiste, artificiel, voire en certains cas questionnable sur un plan éthique, de l'éducation et des apprentissages qui y sont présentés. Un moment particulièrement troublant concerne l'apprentissage de la notion de propriété, qui passe par l'encouragement donné à Émile de faire un jardin, auquel il travaille avec ardeur et dont il chérit les pousses, jusqu'au jour où il trouve son œuvre dévastée. Le jardinier en colère, complice du précepteur, lui apprend alors qu'il avait lui-même semé de précieuses graines sur ce sien terrain.

Mais parvenu à ce stade de l'analyse, le philosophe doit laisser la place à la recherche empirique et se contenter de noter que, globalement, celle-ci tend à montrer que des méthodes d'instruction centrées sur l'enseignant s'avèrent plus efficaces que des méthodes de découverte centrées sur l'élève.

Rousseau, on l'a vu, recommande aussi que ce qui est enseigné soit utile et reconnu comme tel par celui qui apprend. Fonder l'éducation des enfants sur ce qui leur est utile (ou sur leurs besoins, comme on le dira parfois), est une proposition extrêmement attrayante : non seulement pense-t-on être par là en mesure de décider du curriculum, qui sera composé de ce qui est utile aux enfants, mais de surcroît, que la question de leur motivation ne pourra manquer d'être largement résolue puisque les enfants ne sauraient se désintéresser de ce qui leur est utile.

Ces belles évidences sont pourtant trompeuses, comme le découvre le regard philosophique sitôt qu'il s'y attarde. Pour commencer, l'utilité est relative à une fin, et ne peut se penser hors d'elle. Une hache m'est utile si je veux abattre un arbre, et il m'est utile de connaître l'anglais élisabéthain si je désire lire Shakespeare dans le texte. Il est donc illusoire de croire avoir résolu la question du curriculum par la seule considération de l'utilité. Poser que telle ou telle chose est utile, loin d'être un simple énoncé descriptif et neutre, revient, plus ou moins implicitement, à admettre comme légitime la fin que cette chose utile permet d'atteindre. Il va sans dire qu'il y a des fins qu'on ne souhaite pas rendre possibles et donc des choses utiles que l'on ne voudra pas fournir, comme une arme pour le meurtrier ou des antisèches pour réussir un examen.

De plus, ce qui est nécessaire pour l'atteindre une fin, même légitime, peut parfaitement ne pas faire défaut : c'est le cas de l'air que nous respirons pour vivre. D'autre part, il est encore possible que nous ignorions qu'une chose nous est utile ou même indispensable. Un enfant, à l'instar du diabétique qui ignore sa condition et qui a besoin d'insuline, peut ne pas savoir qu'il a besoin de lunettes. Enfin, il est tout à fait possible que nous n'ayons pas spontanément envie, compte tenu de ce que son acquisition requiert, de ce qui nous sera utile (par exemple la compréhension du vocabulaire du barde de

Stratford-upon-Avon), ou vital (une opération à cœur ouvert).

Finalement, comme le suggère Hegel (texte n° 13), cet appel à l'expérience immédiate et à l'intérêt qu'elle est présumée susciter fait peu de cas de cette tendance centrifuge de l'esprit sur laquelle l'éducation peut compter. Partant de là, Hegel remarque très judicieusement combien peut s'avérer contre-productive et éthiquement condamnable une pédagogie du jeu prétendant se centrer sur l'enfant et ses intérêts présumés. Alain a également souvent insisté sur cette idée : « Je sens que l'homme est un animal fier et difficile. Et là-dessus, l'enfant est plus homme que l'homme. […] Que veut-il donc, et que veut l'homme ? Il vise au difficile, non à l'agréable, et, s'il ne peut garder cette attitude d'homme, il veut qu'on l'y aide. Il pressent d'autres plaisirs que ceux qui coulent au niveau de ses lèvres ; il veut d'abord se hausser jusqu'à apercevoir un autre paysage de plaisirs ; enfin il veut qu'on l'élève ; voilà un très beau mot. […] Au niveau de l'enfant, pensez-y, vous n'intéressez déjà que son être d'hier ; il se rapetisse alors un peu, afin que vous puissiez lui plaire ; mais gare au mépris » (*Propos sur l'éducation*, PUF, Paris, 1963, p. 12).

L'épistémologie classique, on le sait, est parachevée par l'œuvre d'Emmanuel Kant (1724-1804), dont l'idéalisme transcendantal, exposé dans la *Critique de la raison pure* (1781), cherche à réaliser une synthèse de l'empirisme et du rationalisme. Kant montre essentiellement que, pour qu'il y ait connaissance, il faut que les données reçues par la sensibilité soient mises en forme, ce qui se produit quand intervient l'entendement, qui comprend le monde par l'entremise des concepts et dont les catégories sont présumées innées et universelles. Selon les travaux de Jean Piaget (1896-1980) ces catégories ont en outre une genèse qu'on peut chercher à retracer depuis la prime enfance jusqu'à l'âge adulte. Les recommandations de Piaget aux éducateurs s'inscrivent quant à elles dans une perspective qui est celle de l'éducation nouvelle, nettement inspirée de l'héritage de Rousseau. (*Vademecum* : Épistémologie et psychologie génétiques.)

C'est donc du côté du pragmatisme américain et de l'instrumentalisme de Dewey qu'il faut nous tourner pour trouver un effort conscient et résolu de rompre avec la perspective classique et fondationnaliste en épistémologie, ce qui ouvre des avenues neuves sur la question de l'apprentissage.

L'instrumentalisme

L'épistémologie de Dewey peut être dite naturaliste en ce qu'elle pose le problème de la connaissance par l'examen de la relation d'un organisme avec son environnement. Celle-ci fournit la matrice à partir de laquelle pourront se comprendre, par complexifications progressives, l'ensemble de ce que le philosophe appelle très judicieusement nos « actes de pensée », depuis ceux que nous déployons quotidiennement, jusqu'à ceux caractérisent nos théories scientifiques les plus abstraites. Chaque fois, un processus dynamique est mis en œuvre, par lequel le savoir est activement recherché. Ce qui le met en branle est la perception d'une difficulté, d'un déséquilibre, d'une rupture du cours jusque-là relativement harmonieux des relations de l'organisme à son environnement. Un problème est alors défini et pour le résoudre des hypothèses sont imaginées et testées dans l'expérience. Leur éventuelle adoption ajoute au bagage d'instruments dont nous disposerons ensuite pour résoudre des problèmes

Dewey décrit le schéma de ces divers actes de pensée comme comprenant cinq moments. Pour commencer, (i) une difficulté est perçue ; (ii) celle-ci est ensuite située et définie ; (iii) puis, une solution possible est mise de l'avant ; (iv) solution dont, par le raisonnement, on développe ce qu'elle implique ; (v) de nouvelles observations et expériences conduisent à son acceptation ou à son rejet.

Cette épistémologie anti-spectatorielle invite, on le devine, à concevoir l'enseignement sur le modèle de la résolution de problèmes par des sujets qui y sont activement engagés. Et c'est précisément ce que Dewey expose dans le texte cité (texte n° 14). Ces conclusions seront vulgarisées et largement diffusées par un de ses disciples, W. H. Kilpatrick (1871-1965), sous l'appellation de « méthode des projets », qui exercera une immense influence sur l'éducation américaine. Elle favorisera le décloisonnement des disciplines ; plutôt que de concevoir l'apprentissage comme la contemplation par un sujet d'un objet de connaissance, elle ambitionnera de fonder et de maintenir par l'intérêt une relation entre des sujets et un projet qui permette leur croissance.

Le progressisme pédagogique qui en résulte en partie sera à compter des années 1950 l'objet de virulentes critiques, et Dewey lui-même en soulèvera quelques-unes. Sans doute ne pouvait-on obtenir, en appliquant ses idées à un système scolaire national tout entier, des résultats semblables à ceux obtenus dans le contexte extrêmement privilégié de son École laboratoire. Mais il reste que le programme de Dewey, redoutablement exigeant, peut faire l'objet de plusieurs critiques. On peut ainsi mettre en cause l'illusion épistémologique qui consiste à croire en l'existence de compétences génériques qui, par l'exercice, se développeraient en elles-mêmes, qui seraient indépendantes du contexte disciplinaire et qui, une fois acquises, seraient aisément transférables à tout contexte.

La critique de McPeck (texte n° 15) porte justement sur l'une de ces compétences, à savoir la prétendue habileté à penser de manière critique. Son analyse est aussi une mise en garde contre le danger qu'il y aurait à réduire la place du savoir dans l'éducation, danger que le progressisme américain n'aurait justement pas su éviter. Hannah Arendt, comme on le verra, est de cet avis, tout comme E. D. Hirsch, qui nomme *formalisme* cette dérive. De telles critiques conduisent à poser à nouveaux frais la question du curriculum et invitent à l'aborder philosophiquement.

Les formes de savoir

La conception de l'éducation développée par Peters nécessite que soient précisés ces savoirs devant permettre qu'adviennent compréhension, transformation mélioratve, autonomie et perspective cognitive chez la personne éduquée. Parmi le nombre indéfini des savoirs qu'il serait possible de choisir, lesquels l'éducation ainsi conçue doit-elle retenir et selon quels critères est-il légitime de procéder à leur sélection ? Paul Hirst répond à ces questions par sa théorie des « formes de savoir » exposée dans le texte n° 16. Rappelons que ces formes de savoir ne sont pas les disciplines scolaires. Hirst n'ignore rien du long et parfois tortueux parcours qui mène des formes aux disciplines, puis des disciplines aux disciplines scolaires. Il distingue donc soigneusement les « formes de savoir » de ce qu'il appelle les « champs de savoir », lesquels peuvent naître de la conjonction de plusieurs formes (la géographie, par exemple, fait appel aux sciences physiques et aux sciences humaines). Enfin, il ne nie pas que l'existence même des disciplines (scolaires ou non) peut dépendre de considérations extrinsèques de toutes sortes – rentabilité économique, utilité sociale conjoncturelle, présence de ressources et ainsi de suite. Par ailleurs, Hirst ne se prononce pas non plus sur les contenus précis du curriculum, sur son mode de transmission ou sur la séquence de cette transmission : sa conception du curriculum se veut et reste philosophique et n'est ni une pédagogie ni une didactique. Mais elle énonce bien le fondement d'un curriculum académique s'assignant comme objectif le développement d'un esprit rationnel.

In fine, à la question de savoir pourquoi le développement de la rationalité doit être retenu comme finalité cardinale de l'éducation, Hirst répond par un argument que l'on dira « transcendantal » et selon lequel le simple fait de poser cette question revient justement à présupposer ce dont on demande la justification, puisque c'est demander que l'on donne des raisons justifiant la poursuite et le développement de la rationalité.

Dilemmes du curriculum : culture suspecte et savoir inquiété

Nous vivons un moment historique de contestation particulièrement aiguë de l'idée même d'éducation libérale. La liaison conceptuelle posée entre éducation et transmission de savoirs vrais et de contenus intrinsèquement valables est en effet devenu un idéal qui souffre de ce qu'on peut appeler un déficit de crédibilité et de fondation philosophiques. Le postmodernisme, le postcolonialisme et le poststructuralisme ont, entre autres, contribué à entretenir une profonde suspicion à l'égard des savoirs et de la culture et leur capacité à transformer pour le mieux qui les acquiert est, dès lors, vigoureusement contestée sur bien des plans.

Ce qu'on a appelé aux États-Unis la « querelle du canon » (*cf. Vade-mecum*) constitue un épisode récent et particulièrement retentissant de ces vastes débats : ce sont certains savoirs et contenus culturels transmis qui ont alors radicalement été remis en question. Mais c'est au cœur même de l'acte d'éduquer que des formes insoupçonnées de pouvoir et de domination sont aussi mises à jour par l'analyse philosophique, comme le montre bien ce concept de curriculum caché qu'analyse Jane Roland Martin (texte n° 17). C'est alors la question de l'autorité dans l'éducation et celle de sa légitimation qui se trouvent posées.

État, société et éducation

L'autorité : l'État et l'éducation

Ce n'est qu'au XIXe siècle, dans le cadre du libéralisme classique, que l'idée qu'il revient à l'État de proposer une offre d'éducation publique universelle et gratuite et de la réguler sera assez généralement admise pour être finalement mise en pratique. L'ambition du libéralisme classique sera ici de trouver un équilibre entre les droits et revendications légitimes des parents, des enfants et de la collectivité, en imaginant un modèle d'autorité dans l'éducation qui reconnaisse un rôle prépondérant à l'État, plutôt qu'à l'Église ou à la seule initiative privée. Ce rôle inédit est profondément différent de celui légué par l'exemple de Sparte qui, s'il fit bien, de Platon à Rousseau, quelques émules parmi les théoriciens de l'éducation, suscitait aussi d'importantes réserves tant il niait l'individu et sa liberté au profit de la collectivité. (On notera que la diffusion du protestantisme et la notion d'individu qui s'y façonne joueront un rôle important dans la préparation de la conception libérale de l'autorité d'éduquer – et on se souviendra qu'en un texte qui fait date Martin Luther enjoignait déjà aux magistrats des villes allemandes d'ouvrir et de financer des écoles, afin que la Bible puisse être lue par tous.)

Cet idéal libéral aura cependant de nombreux contradicteurs, certains parmi les courants les plus conservateurs, voire réactionnaires, de la société, mais aussi parmi ses courants libéraux, voire révolutionnaires. Ce sont surtout les critiques et objections de ces derniers qui méritent encore d'être méditées. La principale crainte qui motive la méfiance libérale ou libertaire devant une éducation dispensée par l'État est qu'en lui confiant cette autorité, il en usera pour promouvoir ses propres intérêts. Sera ainsi limitée la possibilité pour chacun de choisir et de poursuivre sa propre conception d'une vie bonne, mais aussi la possibilité collective de transformer la société en des directions que l'État réprouverait. L'anarchiste William Godwin a donné de ces idées une formulation exemplaire : « La réunion de l'influence du gouvernement avec celle de l'éducation, est d'une nature plus formidable que l'alliance antique des deux puissances de l'Église et de l'État. Il faut réfléchir profondément avant de confier à des mains justement suspectes un si terrible instrument. […] Le gouvernement ne manquera pas d'en profiter pour étendre sa force et perpétuer ses institutions en donnant à toutes les idées la même direction et en jetant tous les esprits dans le même moule » (*De la justice politique*, livre VI, chapitre VIII). Si cet argumentaire s'inscrit dans le cadre du libéralisme politique, la méfiance libérale a également d'autres motifs, inspirés cette fois de son volet économique.

Adam Smith, le principal théoricien du libéralisme économique classique, soutient ainsi que l'éducation, avec les grands travaux et l'armée, est un domaine qui ne saurait être laissé au marché et à la seule initiative individuelle, et où l'intervention de l'État est dès lors nécessaire. Il la justifie notamment en arguant que cette éducation doit s'adresser à « la foule du peuple » et donc à ceux qui ne peuvent se la procurer autrement. Son second argument consiste à dire que la collectivité (adoucie par la propagation de la connaissance), autant que les employeurs (qui voient par l'éducation la valeur de la force de travail qu'ils emploient accrue), bénéficieront de la diffusion de cette éducation. Mais il minore aussi cette intervention de l'État et insiste pour dire que les coûts de l'éducation ne sauraient être entièrement assumés par lui : si l'État doit établir « dans chaque paroisse ou district une petite école où les enfants soient instruits pour un salaire si modique, que même un simple ouvrier puisse le donner », le maître qui y œuvre recevra son salaire « en partie, mais non en totalité [de] l'État, parce que, s'il l'était en totalité ou même pour la plus grande partie, il pourrait bientôt prendre l'habitude de négliger son métier » (*La Richesse des nations*, « Idées », Gallimard, Paris, p. 376).

Nous proposons dans l'anthologie deux réflexions libérales originales et fortes sur la place de l'État dans l'éducation. La première (texte n° 18) est de John Stuart Mill qui, dans ce classique du libéralisme qu'est *De la liberté* (1859), suggère que l'État doit obliger les parents à fournir une éducation à leurs enfants, et s'assurer ensuite, par des examens, que cette obligation a été remplie. Une éducation « instituée et contrôlée par l'État », assure-t-il, ne devrait exister « qu'à titre d'expérience parmi d'autres en compétition, et n'être entreprise qu'à titre d'exemple et de stimulant dans le but de maintenir un certain niveau de qualité dans les autres expériences ». La deuxième réflexion proposée est de Condorcet (texte n° 19), qui est, sinon l'inventeur, du moins le plus brillant et profond défenseur de l'idée d'instruction publique. Il conçoit une école vouée à la transmission de savoirs (d'abord élémentaires), entendus comme des vérités des faits ou de raison, une école formatrice de citoyens éclairés, mais qui se refuse à prendre en charge leur éducation. C'est que le concept d'éducation est infiniment plus large que celui d'instruction : et ce n'est qu'à s'en tenir à cette idée d'instruction que l'État peut assumer ce « devoir de la société » de la donner à tous – et à toutes.

Ces débats, qui se poursuivent, sont en outre aujourd'hui repris à nouveaux frais par deux séries principales de théorisations et de pratiques correspondantes. La première est celle, de plus en plus courante dans un grand nombre de pays mais en particulier aux États-Unis, de l'éducation à domicile, qui exige de repenser, sur la question de l'autorité, les droits et responsabilités respectifs des parents, des enfants et de l'État (*Vademecum* : Droits des enfants, droits des parents). Notons simplement qu'issue de travaux d'une certaine gauche libertaire, par exemple dans le cadre du projet de déscolarisation de la société mis en avant par Ivan Illich, l'idée d'éducation à domicile (texte n° 20) a depuis été reprise et mise en pratique par des franges plus conservatrices de la société, voire par des groupes fondamentalistes, du moins aux États-Unis. La deuxième tendance actuelle concerne ces multiples modalités par lesquelles on ambitionne de privatiser l'éducation et de la soumettre à une logique de marché (*Vade-mecum* : Bons d'éducation, capital humain et marchandisation de l'éducation).

Les labyrinthes de l'égalité

De grandes espérances avaient été placées au XIXe siècle dans la création de systèmes scolaires gratuits et universels qui devaient contribuer à réaliser une société plus juste et plus égalitaire. Ces espérances se sont hélas heurtées à une formidable persistance des inégalités et à la forme que prend dans l'éducation la loi des rendements décroissants. Cette loi se traduit par le fait que la valeur des diplômes tend à diminuer à proportion que leur acquisition se généralise. Ce sont dès lors d'autres diplômes qui permettent d'obtenir certains des avantages liés à la scolarisation, et notamment ces biens positionnels ; en outre, ces nouveaux diplômes sont de nouveau obtenus de manière massivement prévalente par les enfants des classes favorisées. Cet état de fait heurte profondément notre sens de la justice et de la démocratie, celui-là même qui faisait écrire à Dewey dans *The School and Society* : « La communauté tout entière doit vouloir pour tous ses enfants ce que les meilleurs et plus sages parents veulent pour leurs enfants. Tout autre idéal serait peu élevé et peu aimant : dussions-nous en faire la maxime de nos actions que celle-ci serait fatale à notre démocratie » (University of Chicago Press, Chicago, 1900, p. 3).

Divers travaux de sociologie ont tenté de percer cette énigme. Le philosophe n'a évidemment pas à se prononcer sur ces recherches empiriques et son apport ne saurait être que conceptuel (*Vade-mecum* : École et reproduction), mais il peut néanmoins constater que les explications retenues sont fortement liées à la vision ontologique de la société de leurs promoteurs. Dans la perspective d'une ontologie holiste de la société, par exemple chez Bourdieu, la persistance de l'inégalité scolaire est ainsi analysée en termes d'adaptation différenciée aux exigences scolaires selon les habitus intégrés par les enfants de classes sociales différentes. Une ontologie individualiste conduit au contraire Raymond Boudon à les penser en termes de choix rationnels effectués par les individus avec l'information dont ils disposent. Notons aussi, pour mémoire, que la sociologie de l'éducation a également exploré la perspective d'une explication mettant en cause les effets de pédagogies douces, puérocentriques, spécialement en raison de leur mise en œuvre au primaire. Résumant cette idée, Jean-Pierre Terrail avance notamment (*De l'inégalité scolaire*, La Dispute, Paris, 2002) que par ces méthodes les élèves d'origine populaire, qui ont particulièrement besoin d'une transmission explicite des codes de base et des repères théoriques essentiels, sont tout particulièrement pénalisés : non seulement parce qu'ils n'ont guère pré-intégré ces codes et repères, mais aussi parce qu'ils ne disposent pas, hors de l'école, de l'aide qui pourrait les aider à surmonter les difficultés spécifiques qu'induisent spécialement pour eux de telles pédagogies.

Si la philosophe ne peut que constater ces faits et ces désaccords entre théories, l'analyse des concepts d'égalité et de justice que ces idéaux mettent en œuvre est en revanche bien de son ressort. Elle rappellera ainsi volontiers qu'il convient de distinguer entre l'égalité de résultats (très peu attrayante), l'égalité de traitement (qui ne doit pas exclure de traiter diversement des inégaux là où l'équité l'exige) et l'égalité des chances – ce qui suffit à laisser soupçonner l'opacité des concepts d'égalité et de justice derrière la transparence des exigences.

Cette égalité des chances est un idéal communément professé dans les démocraties libérales et auquel on souscrit volontiers dans le domaine de l'éducation (c'est cet idéal qu'exprime la célèbre formule voulant que les carrières soient ouvertes au talent). Son interprétation minimale est que des facteurs non pertinents (tels le genre, la « race », l'origine culturelle, par exemple, mais aussi des handicaps de toutes sortes) n'influeront pas sur la réussite et la persévérance scolaires, qui seront dès lors uniquement fonction du talent possédé et de l'effort consenti. Cette conceptualisation méritocratique de l'égalité des chances peut être en pratique diversement modulée, mais, on le sait, elle a déjà transformé l'école et la distribution des ressources à laquelle on procède en éducation.

D'autres arguent cependant que la justice et l'équité des systèmes d'éducation n'a jamais été leur véritable finalité et n'est, au mieux, qu'un masque idéologique qu'il convient d'arracher. C'est ce que rappelle Marx dans des analyses qui sont à ce point connues que nous proposons ici plutôt deux textes qui, s'ils s'inscrivent *mutatis mutandis* dans une perspective critique, le font de manière originale. Le premier (texte n° 22) est de Michel Foucault qui déploie, à propos de l'éducation, ses célèbres thèses sur la société disciplinaire ; le deuxième est de Kevin Harris qui, dans une perspective marxienne, s'en prend précisément aux idées de Peters et le fait dans les termes mêmes où elles ont été avancées (texte n° 23).

C'est justement ici que la fameuse théorie de la justice de Rawls est parfois invoquée pour suggérer que la véritable équité dans le domaine de l'éducation demande plus que cette seule égalité des chances : elle exige que soient favorisés les plus désavantagés. Nous laisserons de côté ici l'examen des diverses modalités par lesquelles cette voie peut ou doit être poursuivie, pour nous tourner plutôt vers de nouvelles formes des exigences de justice et d'égalité portées par les politiques de la différence. (*Vademecum* : Pluralisme, multiculturalisme et communautarisme.)

Politique de la différence

Prendre au sérieux les demandes formulées par les politiques de la différence a en effet, potentiellement, de lourdes et profondes implications pour l'éducation – sur le curriculum, sur les politiques éducationnelles et sur nombre de pratiques scolaires, même en apparence les plus anodines. C'est qu'elles commandent des pratiques d'inclusion qui diffèrent de celles qui se sont progressivement déployées dans l'histoire des institutions éducatives. Ces dernières, en effet, réclamaient simplement soit un traitement égal pour des groupes et des personnes qui recevaient, sans raison valable, un traitement inégal (ainsi des femmes, des groupes sociaux ou des communautés exclus de certains parcours académiques), soit la mise en place, au bénéfice de personnes spécifiques, de pratiques distinctes afin de neutraliser les effets de circonstances qui affectent injustement leur parcours scolaire (des lunettes pour contrer un handicap visuel, un ordinateur pour lutter contre la dyslexie, et ainsi de suite). Ce que demandent les politiques de la différence va nettement plus loin. Comme l'écrit Charles Taylor : « Par la politique de la différence, ce dont on demande la reconnaissance, c'est l'identité unique de ce groupe ou de cet individu qui les distingue de tous les autres. L'idée est que c'est précisément cette distinction qui a été ignorée, gommée ou assimilée à l'identité dominante ou majoritaire. Et cette assimilation constitue le péché le plus grave contre l'idéal d'authenticité » (*Multiculturalisme*, p. 38).

Ces analyses suggèrent d'abord d'élargir le curriculum afin de donner voix à ces traditions qui en sont absentes ou, pire, qui y sont ou y ont été dénigrées. Sur le plan des politiques éducatives, le calendrier scolaire lui-même et les fêtes qui y sont célébrées pourront être repensés, tout comme les politiques en matière d'habillement, voire celles relatives à l'admission dans certains programmes contingentés, pour lesquels on pourra vouloir mettre en œuvres des procédures de traitement préférentiel (ou de discrimination positive) favorisant certaines communautés ayant subi de lourdes discriminations. Sur le plan de la vie quotidienne de l'école, enfin, elles pourront par exemple conduire à autoriser, dans une université, la formation d'une association étudiante séparée, regroupant uniquement des membres d'une même confession religieuse ; à diversifier l'offre alimentaire à la cantine ; ou à programmer, pour des raisons religieuses, des leçons de natation séparées pour les filles et les garçons dans les écoles.

Si on reconnaît habituellement à ces analyses et aux pratiques qu'elles suggèrent le grand mérite d'avoir montré que la neutralité, contrairement à une conception naïve qu'on s'en fait parfois, n'est pas elle-même neutre, et ceci en raison de ses effets différenciés selon les groupes concernés, elles restent néanmoins hautement polémiques. La discrimination positive, par exemple, n'est-elle pas une déplorable manière de prétendre corriger une injustice passée en en commettant une nouvelle aujourd'hui, à l'encontre de qui n'est nullement responsable de la première ? Par ailleurs, est-il légitime de faire des communautés et non plus des individus les détenteurs de droits ? Et ces pratiques, loin de favoriser l'intégration des groupes, ne conduisent-elles pas au contraire à leur ghettoïsation ? Enfin, n'y a-t-il pas un risque, dans cette célébration du pluralisme, de renonciation à un certain idéal universaliste et, partant, celui d'un glissement nous portant de la saine reconnaissance de la valeur de l'égalité à l'impasse relativiste de l'égalité des valeurs ? Ces questions restent ouvertes et débattues.

Former des citoyens ?

Le concept de curriculum caché ; la persistance des inégalités et le soupçon que les systèmes scolaires œuvrent *de facto* non à leur diminution mais à leur maintien et à leur accroissement ; la remise en question de la neutralité des savoirs et la prise de conscience des effets différenciés de pratiques se donnant pour neutres ; la remise en question d'un certain universalisme des valeurs en même temps que la montée contemporaine d'un fort individualisme ; la conviction de l'existence d'un effritement du tissu social, aggravé par l'exclusion de nombre de personnes d'une pleine participation aux institutions économiques et politiques : tout cela a contribué à remette à l'ordre du jour cette idée de former, ou d'instituer le citoyen, telle qu'elle a pu apparaître notamment dans la réflexion de Condorcet.

Nous proposons deux textes qui indiquent deux voies pour penser la formation du citoyen. L'un est typiquement libéral et pose la question en termes d'endoctrinement – ce crime capital contre une éducation digne de ce nom et dont la propagande est, sur le plan politique, l'exacte contrepartie. Mais encore faut-il, tâche exemplairement philosophique, être en mesure de la reconnaître et pour cela l'avoir explicitement définie : c'est ce que propose le texte de Robin Barrow (texte n° 25).

La réflexion de Dewey (texte n° 24) procède quant à elle dans une toute autre direction : elle suggère que l'école, jusque dans les manières d'apprendre qu'elle met en œuvre, doit être une initiation à la vie démocratique, entendue au sens très particulier que l'auteur donne à cette expression.

Mais ne risque-t-on pas alors de confondre apprentissage scolaire et apprentissages sociaux et de la vie courante, et de délaisser les premiers au profit des seconds ? Cet enjeu a été au cœur de la crise du progressisme américain, accusé de minorer le savoir scolaire et académique au profit de savoirs (ou de compétences) utiles et mis en œuvre hors de l'école. Hannah Arendt (texte n° 21) proposait justement une analyse aujourd'hui incontournable de la crise de la culture, de l'éducation et donc du progressisme américain et de l'œuvre de Dewey – ou à tout le moins de celle de ses épigones.

Perspectives philosophiques sur la crise de l'éducation

Mais une telle crise est vaste et plurielle, et ses causes, tout autant que ses manifestations, sont multiples et ne se laissent certainement pas entièrement cerner par ces analyses, auxquelles, au demeurant, on n'a pas manqué de reprocher de déboucher sur une forme ou une autre de cécité à l'endroit des dimensions politiques de l'éducation. L'intérêt de la réflexion et du diagnostic de Jean-Claude Michéa est entre autres d'échapper à cette critique et d'analyser cette crise de l'éducation en la rapportant au capitalisme global (texte n° 26).

Si la contribution propre de la philosophie à ces débats est bien entendu d'abord d'aider à en saisir la nature, peut-elle aussi contribuer à dessiner des voies de sortie en contribuant à concevoir l'éducation selon des perspectives neuves ?

Les deux derniers textes de cette anthologie ont ces ambitions. Le premier, de Nel Noddings (texte n° 27), transporte dans le domaine de l'éducation les analyses féministes du vaste chantier de l'éthique du *care* (*Vademecum* : De Kohlberg à l'éthique du *care*). E. D. Hirsch Jr. argue quant à lui, en s'inspirant notamment des résultats de la recherche empirique sur l'apprentissage et des travaux des sciences cognitives, en faveur d'un recentrement de l'action de l'école sur la transmission par l'instruction de ce « capital culturel » sans lequel la participation à la vie de la communauté politique est sérieusement compromise. Cette perspective, qui n'est pas sans rejoindre celle déployée par Arendt en ce qu'elle fait d'un certain conservatisme pédagogique la condition d'une politique émancipatrice, pourrait bien contenir quelques-uns des concepts les plus utiles et des analyses les plus fécondes, voire indispensables, pour une reformulation de l'idéal libéral en éducation.

INTRODUCTION

I

DÉFINITIONS DE L'ÉDUCATION : QUELQUES PARADIGMES FONDATEURS

I

PLATON

LE SOPHISTE COMME PROFESSEUR

Platon, *Protagoras*, 316d-328c,
GF-Flammarion, 1997,
trad. Frédéric Ildefoux, p. 79-95.

Protagoras s'étant présenté comme professeur de vertu et plus précisément comme professeur « d'excellence politique », Socrate a soulevé deux objections contre cette prétention. La première se fonde sur la distinction entre compétence technique et compétence politique que les Athéniens semblent admettre en pratique. Si dans les assemblées politiques, ils consultent le détenteur d'un savoir technique là où un tel savoir existe ou est présumé exister – par exemple, l'ingénieur s'il s'agit de construire un pont –, et accordent un grand prix à son point de vue, en revanche, ils tiennent compte de l'opinion de chacun sitôt qu'il s'agit du politique. Dans le premier cas, un savoir et un enseignement sont ainsi présupposés ; mais dans le second, on ne requiert ni l'un ni l'autre : ce qui invite à penser, suggère Socrate, qu'il n'y a pas d'enseignement de l'excellence politique.

Cette première objection se place sur le terrain de la délibération publique ; la deuxième concerne la sphère privée. Socrate remarque en effet qu'il arrive couramment que des gens illustres et réputés pour leur vertu – il nomme Périclès – ne sachent pas transmettre cette dernière à leurs propres enfants. N'est-ce pas justement parce que cette excellence ne s'enseigne pas, parce qu'elle n'est pas une technique – comme l'écriture – qu'on pourrait transmettre dans le cadre d'un enseignement ? Socrate réitère donc sa demande : qu'enseigne donc précisément Protagoras, sous les noms de « sophistique » et « d'excellence politique » ?

Protagoras a répondu à la première objection de Socrate en racontant le mythe de Prométhée et d'Épiméthée. Épiméthée s'est chargé de la mission que les dieux avaient confiée à Prométhée et qui consistait à répartir équitablement les différentes facultés entre les vivants : à l'un il donne la force, à l'autre la vitesse, au troisième l'agilité et ainsi de suite. Mais sa répartition terminée, il s'aperçoit qu'il a oublié l'être humain. Son oubli est corrigé par Prométhée, qui vole le feu et le savoir-faire technique aux dieux pour en faire don aux hommes : ce don est celui de la culture, qui permet de pallier aux carences de ces animaux démunis. Mais cela ne suffit pas à les sauver, d'une part parce que ces arts sont inégalement répartis entre eux, d'autre part parce que leur survie dépend encore, crucialement, de leur capacité à vivre ensemble et à collaborer. Zeus leur fait alors don de la pudeur et de la justice, par quoi s'institue un ordre politique qui double l'ordre technique et culturel. Si l'on peut consulter tout le monde sur des questions relevant du politique, argue dès lors Protagoras, c'est précisément parce que tous ont part à cette vertu qui définit l'espèce et qui fonde la possibilité du vivre ensemble.

Dans l'extrait cité ci-après, Protagoras répond à la seconde objection socratique ; il précise à cette occasion en quoi consiste l'éducation qu'il propose et quels sont la possibilité et le sens de qu'il dispense. La conception protagorienne de l'éducation, remarquablement moderne, est on va le voir à la fois sociologique et relativiste : sociologique puisque l'éducation est une fonction sociale accomplie par l'ensemble de la cité et visant l'intégration de chacun à celle-ci ; relativiste, parce que les normes selon lesquelles elle se réalise, régule et apprécie, sont diversement définies au sein de chacune des cités où elle s'incarne. Un tel enseignement vise donc l'adaptation fonctionnelle de l'individu à sa société et revendique hautement sa dimension utilitaire – la rhétorique occupant à cet égard un place qui semble avoir été centrale chez tous les sophistes, quelles qu'aient pu être par ailleurs les différences de leurs enseignement respectifs.

Mais il reste encore une difficulté, celle que tu soulèves à propos des hommes de valeur : comment se fait-il que ces hommes de valeur instruisent leurs propres fils dans les matières pour lesquelles il y a des maîtres, et font d'eux des savants dans ces matières, alors qu'ils sont incapables de leur assurer la moindre supériorité dans cette vertu même qui fait leur propre excellence ? Sur ce point, Socrate, je ne te répondrai plus par un mythe, mais par un discours. Réfléchis en effet : y a-t-il, ou n'y a-t-il pas, quelque chose d'unique à quoi tous les citoyens doivent nécessairement prendre part, s'il doit y avoir une cité ? C'est bien ici, et nulle part ailleurs, que la difficulté que tu soulèves peut trouver sa solution. Car si cette chose existe, et si cette chose unique n'est ni l'art du charpentier, ni celui du forgeron ou du cordonnier, mais la justice, la sagesse, le fait d'être pieux, en un mot, cette chose unique que j'appelle la vertu de l'homme ; si c'est là ce à quoi tous doivent prendre part, ce qui doit accompagner l'action de chacun, s'il veut apprendre quoi que ce soit, ou agir d'une quelconque manière, et sans quoi il ne peut rien faire, s'il faut instruire celui qui n'y a point part, enfant, homme ou femme, et le châtier, jusqu'à ce que le châtiment l'améliore, et s'il faut chasser de la cité et mettre à mort comme incurable celui qui, malgré l'enseignement reçu et les peines infligées, demeure récalcitrant ; s'il en est bel et bien ainsi, et si, alors qu'il en est naturellement ainsi, les hommes de valeur instruisent leurs fils en tout, sauf précisément en cela, considère à quel point ces hommes de valeur vont se révéler étonnants ! Nous avons démontré en effet qu'ils pensent que la vertu peut s'enseigner, dans les affaires privées comme dans les affaires publiques. Alors que la vertu peut s'enseigner, qu'on peut la cultiver, ils font enseigner tout le reste à leurs fils, tout ce dont l'ignorance ne saurait leur faire encourir la mort comme châtiment, et pour ce qui fait encourir à leurs enfants, faute d'un enseignement et d'une pratique assidue de la vertu, la mort ou l'exil comme châtiment, et outre la mort, la confiscation de leurs biens et, pour le dire en un mot, la destruction de leur famille, cela donc, ils ne le leur font pas enseigner et n'y consacrent pas tous leurs soins ? Doit-on vraiment penser cela, Socrate ?

En réalité, on commence quand les enfants sont petits, et on continue leur vie durant à leur prodiguer enseignements et admonestations. Dès que l'enfant comprend ce qu'on lui dit, sa nourrice, sa mère, son pédagogue, son père lui-même rivalisent d'efforts pour le rendre le meilleur possible ; à chacune de ses paroles, à chacun de ses actes, ils lui apprennent et lui expliquent que ceci est juste, cela est injuste, ceci est beau, cela laid, ceci pieux, cela impie, et fais ceci, ne fais pas cela ! S'il obéit de son plein gré, très bien ; sinon, comme on redresse un bâton tordu et recourbé, ils le redressent par des menaces et par des coups. Ensuite, quand ils envoient les enfants à l'école, ils recommandent bien davantage aux maîtres de veiller à leur bonne conduite qu'à leur connaissance des lettres et de la cithare ; les maîtres y veillent donc, et lorsque les enfants connaissent l'alphabet et doivent désormais comprendre les écrits, comme auparavant ce qu'ils entendaient, ils leur donnent à lire, assis sur leurs bancs, les poèmes des grands poètes, et les forcent à les apprendre par cœur, car ils sont riches en avertissements, mais aussi en descriptions, louanges et éloges des héros anciens, afin que l'enfant brûle de les imiter et aspire à devenir comme eux. Quant aux citharistes, ils poursuivent, sur un plan différent, le même dessein : ils veillent à la sagesse des jeunes gens, et cherchent à les détourner de mal agir ; en outre, dès qu'ils savent jouer de la cithare, ils leur apprennent les poèmes d'autres grands poètes lyriques, qu'ils leur font jouer sur leur cithare, et, sous leur contrainte, rythmes et harmonies deviennent familiers aux âmes des enfants, afin qu'ils se civilisent, et que les progrès qu'ils font dans les rythmes et dans les harmonies favorisent la qualité de leurs paroles comme de leurs actes ; car la vie des hommes tout entière a besoin de rythme et d'harmonie. Encore plus tard, on les envoie chez le pédotribe, afin de mettre un corps plus sain au service de leur esprit désormais en éveil, et afin d'éviter qu'ils ne se trouvent réduits à la lâcheté par leur faiblesse physique, dans les combats comme dans toute autre action. Ceux qui ont le plus de moyens procèdent ainsi, et ce sont les plus riches qui ont le plus de moyens ; et leurs fils, qui vont à l'école depuis leur plus jeune âge, sont également ceux qui la quittent le plus tard. Quand ils ont quitté l'école, c'est cette fois la cité qui les contraint à apprendre ses lois, et à vivre en se conformant à leur modèle, afin qu'ils ne soient pas laissés à eux-mêmes et n'agissent pas à l'aventure ; mais, exactement comme les maîtres d'écriture esquissent avec leur stylet le tracé des lettres pour les enfants qui ne savent pas encore écrire, puis leur remettent la tablette et les contraignent à écrire en suivant l'esquisse des lettres, la cité trace l'esquisse des lois, qui sont les découvertes des bons législateurs de jadis, et contraint chacun, qu'il commande ou qu'il soit commandé, à vivre en les respectant ; elle châtie celui qui s'en écarte, et ce châtiment, chez nous comme partout ailleurs, porte le nom de redressement, parce que la justice redresse. Et après tout ce soin apporté à la vertu, en privé comme en public, tu t'étonnes, Socrate, et tu te demandes si la vertu peut s'enseigner ! Il ne faut pas s'en étonner, ce qui serait beaucoup plus étonnant, ce serait qu'elle ne s'enseigne pas !

Comment se fait-il donc que d'excellents pères aient si souvent des fils médiocres ? Je vais te l'apprendre – il n'y a là rien d'étonnant en effet, si ce que j'ai dit tout à l'heure est vrai : car j'ai dit qu'en cette matière, la vertu, personne ne doit être profane, si l'on veut qu'une cité existe. S'il en va effectivement comme je le dis – et il en va ainsi au plus haut point –, considère n'importe quelle autre occupation, n'importe quelle matière d'enseignement, à ton choix. Imagine qu'il ne puisse y avoir de cité à moins que nous ne soyons tous flûtistes, chacun dans la mesure de ses capacités ; qu'en privé comme en public, chacun enseigne cet art à chacun, reprenne celui qui joue mal et ne refuse cet enseignement à personne, pas plus que maintenant personne ne refuse à personne l'enseignement de ce qui est juste et conforme aux usages ni n'en fait un mystère, à la différence de ce qui se passe pour les tours de main des autres métiers (car il me semble que nous avons tous avantage à pratiquer entre nous la justice et la vertu, et c'est pour cette raison que chacun expose et apprend à chacun ce qui est juste et conforme aux usages), si donc nous mettions le plus vif empressement et la meilleure volonté à nous enseigner les uns aux autres l'art de la flûte, penses-tu, Socrate, dit-il, que ce sont plutôt les fils des bons flûtistes que des mauvais qui seraient bons flûtistes ? Moi, je ne le pense pas ; au contraire, quel que soit son père, c'est le fils le mieux doué pour la flûte qui deviendrait illustre, tandis que, quel que soit son père, c'est le moins doué qui resterait obscur ; souvent le fils du bon flûtiste se révélerait médiocre, et à l'inverse, souvent aussi, le fils du mauvais flûtiste se révélerait talentueux ; mais tous, indistinctement, s'y connaîtraient un tant soit peu dans l'art de la flûte, par rapport à des profanes et à des gens qui n'y entendent rien.

De même, songe à présent que l'homme qui te paraît le plus injuste de tous ceux qui ont été élevés parmi des hommes soumis à des lois serait encore juste, et compétent en la matière, s'il fallait le comparer à des hommes qui n'auraient ni éducation, ni tribunaux, ni lois, et qui n'auraient été contraints d'aucune manière de se soucier de la vertu, mais seraient de vrais sauvages, du genre de ceux que le poète Phérécrate a mis en scène l'année dernière aux Lénéennes. Je te garantis que si tu te retrouvais au milieu d'hommes tels que les misanthropes dont il avait formé son chœur, tu serais bien content de rencontrer Eurybate et Phrynondas, et tu regretterais amèrement la méchanceté des gens d'ici ! En fait tu es trop gâté, Socrate, parce que tout le monde ici est maître de vertu, dans la mesure de ses possibilités ; et toi tu n'en vois aucun ! Et donc, de même que si tu cherchais qui est maître de grec, il ne s'en trouverait pas un seul ; de même, à mon avis, que si tu cherchais qui pourrait enseigner aux fils de nos artisans précisément le métier que leur père leur a bel et bien appris (dans la mesure où leur père et les amis de leur père qui pratiquent le même métier en étaient capables) ; ou encore qui pourrait l'enseigner à ces derniers, je crois qu'il ne serait pas facile, non plus, Socrate, qu'il se trouve un maître pour eux, alors que ce serait tout à fait facile pour ceux qui n'ont aucune expérience – eh bien, il en va de même pour la vertu et pour tout le reste ; mais qu'il existe un homme qui nous soit supérieur un tant soit peu pour nous faire progresser sur le chemin de la vertu, nous devons être satisfaits.

Pour ma part je pense être un de ces hommes et pouvoir, plus que personne, rendre à quelqu'un le service d'en faire un homme de bien, et mériter par là le salaire que je pratique, voire davantage, au point que l'élève lui-même ne peut qu'en tomber d'accord. Pour cette raison, j'ai établi de la façon suivante la manière dont ils me règlent : ceux qui suivent mon enseignement me payent, s'ils le veulent bien, au prix que je pratique. Sinon, ils se rendent au temple, déclarent, sous la foi du serment, le prix auquel ils estiment mon enseignement, et n'y déposent pas plus.

Voilà, Socrate, dit-il, le mythe et le discours par lesquels j'ai essayé de te montrer que la vertu peut s'enseigner et que c'est bien là l'avis des Athéniens ; qu'il n'y a rien d'étonnant à ce que les pères excellents aient des fils médiocres, et les pères médiocres des fils excellents [...]

II

PLATON

D'UNE CAVERNE ET DE SES PRISONNIERS

Platon, *La République*, 514a-521b,
GF-Flammarion, 2004,
trad. Georges Leroux, p. 358-368.

Dans *La République*, Platon pose le problème de la justice et fait la description de la cité idéale et de l'éducation (*paideia*) qui y est dispensée, laquelle permet notamment de sélectionner puis de former les philosophes-rois qui en sont les dirigeants. Mais l'œuvre est consacrée à l'éducation en un sens plus profond encore, dans la mesure où tout ce qui y est dit de la cité et de son organisation peut également s'interpréter comme valant pour l'individu lui-même et son éducation, puisque le politique est pensé par analogie avec l'âme individuelle. Le passage cité expose le mythe de la caverne et il convient de lire ce texte, ainsi que Platon nous y invite, comme une profonde et admirable métaphore filée de l'éducation. Celle-ci est décrite comme arrachement, ascension, conversion et moralisation débouchant sur l'acceptation d'une mission. L'éducation est pour commencer un arrachement, douloureux, au paresseux confort de l'erreur, de l'ignorance, du pseudo-savoir et de l'illusion, à leurs séductions comme à leurs forces d'inerties. Le parcours qu'entreprend le premier prisonnier libéré de la caverne est donc d'abord pénible, et il le sera pour chacun des prisonniers qui l'entreprendra. Ce prisonnier, il faut l'imaginer souffrant, s'indignant, résistant : il doit pour cela être « forcé soudain de se lever », forcé aussi de « regarder la lumière elle-même », et c'est encore de force qu'on le traîne « tout au long de la montée rude, escarpée ». (On notera au passage ce qu'on pourrait appeler un « mystère originel » de l'éducation, mystère que Platon choisit ici de laisser dans l'ombre en taisant aussi bien l'identité du premier éducateur, qui force le prisonnier à sortir de la caverne, que l'origine de sa propre éducation.)

Cet arrachement, quoique douloureux, est cependant possible, puisque, rappelle Platon, la « faculté d'apprendre et l'organe à cet usage résident dans l'âme de chacun ». Mais il suppose pour s'accomplir cette profonde conversion, que Platon décrit comme un détournement du regard et une progressive ascension vers le savoir et la vertu. Conformément à la doctrine de la réminiscence que nous examinerons plus loin dans cette anthologie (texte n° 9), apprendre c'est se remémorer ce qui en nous est déjà su : cet organe que nous possédons, nous dit Platon, « il ne s'agit pas de lui procurer la vue – il l'a déjà – mais comme il n'est pas correctement tourné et qu'il ne regarde pas là où il faudrait, de tout faire pour qu'il y parvienne ». La maïeutique, nous le verrons également plus loin, est le concept de cet art pédagogique qui amène à regarder là où et comme il faut.

Cette ascension mène progressivement à la contemplation des Formes (ou Idées), et Platon décrit le long parcours de l'âme qui s'achemine du monde sensible au monde intelligible, des ombres de l'intérieur de la caverne jusqu'aux objets extérieurs et au Soleil qui les éclaire. À la métaphore de la sortie de la caverne correspond, point pour point, dans *La République*, une autre métaphore, celle de la ligne segmentée, par quoi Platon décrit une nouvelle fois les divers degrés de clarté et de vérité au sein des mondes sensible et intelligible. En suivant cette ligne, nous passons des objets d'opinion (*doxa*) du monde sensible, aux objets de science (*épistémê*) du monde intelligible. D'abord nous regardons, au sein du monde sensible, les images, objets d'imagination (*eïkaria*) ; puis les êtres réels, objets de croyance (*pistis*). Enfin nous tournons notre regard vers le monde intelligible : d'abord nous y contemplons les êtres mathématiques, objets d'intelligence hypothétique (*dianoia)* ; puis les Formes elles-mêmes, objets d'intelligence anhypothétique (*noesis*).

« Eh bien, après cela, dis-je, compare notre nature, considérée sous l'angle de l'éducation et de l'absence d'éducation, à la situation suivante. Représente-toi des hommes dans une sorte d'habitation souterraine en forme de caverne. Cette habitation possède une entrée disposée en longueur, remontant de bas en haut tout le long de la caverne vers la lumière. Les hommes sont dans cette grotte depuis l'enfance, les jambes et le cou ligotés de telle sorte qu'ils restent sur place et ne peuvent regarder que ce qui se trouve devant eux, incapables de tourner la tête à cause de leurs liens. Représente-toi la lumière d'un feu qui brûle sur une hauteur loin derrière eux et, entre le feu et les hommes enchaînés, un chemin sur la hauteur, le long duquel tu peux voir l'élévation d'un petit mur, du genre de ces cloisons qu'on trouve chez les montreurs de marionnettes et qu'ils érigent pour les séparer des gens. Par-dessus ces cloisons, ils montrent leurs merveilles.

– Je vois, dit-il.

– Imagine aussi, le long de ce muret, des hommes qui portent toutes sortes d'objets fabriqués qui dépassent le muret, des statues d'hommes et d'autres animaux, façonnées en pierre, en bois et en toute espèce de matériau. Parmi ces porteurs, c'est bien normal, certains parlent, d'autres se taisent.

– Tu décris là, dit-il, une image étrange et de bien étranges prisonniers.

– Ils sont semblables à nous, dis-je. Pour commencer, crois-tu en effet que de tels hommes auraient pu voir quoi que ce soit d'autre, d'eux-mêmes et les uns des autres, si ce ne sont les ombres qui se projettent, sous l'effet du feu, sur la paroi de la grotte en face d'eux ?

– Comment auraient-ils pu, dit-il, puisqu'ils ont été forcés leur vie durant de garder la tête immobile ?

– Qu'en est-il des objets transportés ? N'est-ce pas la même chose ?

– Bien sûr que si.

– Alors, s'ils avaient la possibilité de discuter les uns avec les autres, n'es-tu pas d'avis qu'ils considéreraient comme des êtres réels les choses qu'ils voient ?

– Si, nécessairement.

– Et que se passerait-il si la prison recevait aussi un écho provenant de la paroi d'en face ? Chaque fois que l'un de ceux qui passent se mettrait à parler, crois-tu qu'ils penseraient que celui qui parle est quelque chose d'autre que l'ombre qui passe ?

– Par Zeus, non, dit-il, je ne le crois pas.

– Mais alors, dis-je, de tels hommes considéreraient que le vrai n'est absolument rien d'autre que les ombres des objets fabriqués.

– De toute nécessité, dit-il.

– Examine dès lors, dis-je, la situation qui résulterait de la libération de leurs liens et de la guérison de leur égarement, dans l'éventualité où, dans le cours des choses, il leur arriverait ce qui suit. Chaque fois que l'un d'entre eux serait détaché et contraint de se lever subitement, de retourner la tête, de marcher et de regarder vers la lumière, à chacun de ces mouvements il souffrirait, et l'éblouissement le rendrait incapable de distinguer ces choses dont il voyait auparavant les ombres. Que crois-tu qu'il répondrait si quelqu'un lui disait que tout à l'heure il ne voyait que des lubies, alors que maintenant, dans une plus grande proximité de ce qui est réellement, et tourné davantage vers ce qui est réellement, il voit plus correctement ? Surtout si, en lui montrant chacune des choses qui passent, on le contraint de répondre à la question : qu'est-ce que c'est ? Ne crois-tu pas qu'il serait incapable de répondre et qu'il penserait que les choses qu'il voyait auparavant étaient plus vraies que celles qu'on lui montre à présent ?

– Bien plus vraies, dit-il.

– Et de plus, si on le forçait à regarder en face la lumière elle-même, n'aurait-il pas mal aux yeux et ne la fuirait-il pas en se retournant vers ces choses qu'il est en mesure de distinguer ? Et ne considérerait-il pas que ces choses-là sont réellement plus claires que celles qu'on lui montre ?

– C'est le cas, dit-il.

– Si par ailleurs, dis-je, on le tirait de là par la force, en le faisant remonter la pente raide et si on ne le lâchait pas avant de l'avoir sorti dehors à la lumière du soleil, n'en souffrirait-il pas et ne s'indignerait-il pas d'être tiré de la sorte ? Et lorsqu'il arriverait à la lumière, les yeux éblouis par l'éclat du jour, serait-il capable de voir ne fût-ce qu'une seule des choses qu'à présent on lui dirait être vraies ?

– Non, il ne le serait pas, dit-il, en tout cas pas sur le coup.

– Je crois bien qu'il aurait besoin de s'habituer, s'il doit en venir à voir les choses d'en-haut. Il distinguerait d'abord plus aisément les ombres, et après cela, sur les eaux, les images des hommes et des autres êtres qui s'y reflètent, et plus tard encore ces êtres eux-mêmes. À la suite de quoi, il pourrait contempler plus facilement, de nuit, ce qui se trouve dans le ciel, et le ciel lui-même, en dirigeant son regard vers la lumière des astres et de la lune, qu'il ne contemplerait de jour le soleil et sa lumière.

– Comment faire autrement ?

– Alors, je pense que c'est seulement au terme de cela qu'il serait enfin capable de discerner le soleil, non pas dans ses manifestations sur les eaux ou dans un lieu qui lui est étranger, mais lui-même en lui-même, dans son espace propre, et de le contempler tel qu'il est.

– Nécessairement, dit-il.

– Et après cela, dès lors, il en inférerait au sujet du soleil que c'est lui qui produit les saisons et les années, et qui régit tout ce qui se trouve dans le lieu visible, et qui est cause d'une certaine manière de tout ce qu'ils voyaient là-bas.

– Il est clair, dit-il, qu'il en arriverait là ensuite.

– Mais alors quoi ? Ne crois-tu pas que, se remémorant sa première habitation, et la sagesse de là-bas, et ceux qui étaient alors ses compagnons de prison, il se réjouirait du changement, tandis qu'eux il les plaindrait ?

– Si, certainement.

– Les honneurs et les louanges qu'ils étaient susceptibles de recevoir alors les uns des autres, et les privilèges conférés à celui qui distinguait avec le plus d'acuité les choses qui passaient et se rappelait le mieux celles qui défilaient habituellement avant les autres, lesquelles après et lesquelles ensemble, celui qui était le plus capable de deviner, à partir de cela, ce qui allait venir, celui-là, es-tu d'avis qu'il désirerait posséder ces privilèges et qu'il envierait ceux qui, chez ces hommes-là, reçoivent les honneurs et auxquels on confie le pouvoir ? Ou bien crois-tu qu'il éprouverait ce dont parle Homère, et qu'il préférerait de beaucoup,

> étant aide-laboureur, être aux gages d'un autre homme, un sans terre,

et subir tout au monde plutôt que de s'en remettre à l'opinion et de vivre de cette manière ?

– C'est vrai, dit-il, je crois pour ma part qu'il accepterait de tout subir plutôt que de vivre de cette manière-là.

– Alors, réfléchis bien à ceci, dis-je. Si, à nouveau, un tel homme descendait pour prendre place au même endroit, n'aurait-il pas les yeux remplis d'obscurité, ayant quitté tout d'un coup le soleil ?

– Si, certainement, dit-il.

– Alors, s'il lui fallait de nouveau concourir avec ceux qui se trouvent toujours prisonniers là-bas, en formulant des jugements pour discriminer les ombres de là-bas, dans cet instant où il se trouve alors aveuglé, avant que ses yeux ne se soient remis et le temps requis pour qu'il s'habitue étant loin d'être négligeable, ne serait-il pas l'objet de moqueries et ne dirait-on pas de lui : "Comme il a gravi le chemin qui mène là-haut, il revient les yeux ruinés", et encore : "Cela ne vaut même pas la peine d'essayer d'aller là-haut ?" Quant à celui qui entreprendrait de les détacher et de les conduire en haut, s'ils avaient le pouvoir de s'emparer de lui de quelque façon et de le tuer, ne le tueraient-ils pas ?

– Si, absolument, dit-il.

– Eh bien, c'est cette image, dis-je, mon cher Glaucon, qu'il faut rattacher tout entière à ce que nous disions auparavant : en assimilant l'espace qui se révèle grâce à la vue à l'habitation dans la prison, et le feu qui s'y trouve à la puissance du soleil, et en rapportant la remontée vers le haut et la contemplation des choses d'en-haut à l'ascension de l'âme vers le lieu intelligible, tu ne risques pas de te tromper sur l'objet de mon espérance, puisque c'est sur ce sujet que tu désires m'entendre. Seul un dieu sait peut-être si cette espérance coïncide avec le vrai. Voilà donc comment m'apparaissent les choses qui se manifestent à moi : dans le connaissable, ce qui se trouve au terme, c'est la forme du bien, et on ne la voit qu'avec peine, mais une fois qu'on l'a vue, on doit en conclure que c'est elle qui constitue en fait pour toutes choses la cause de tout ce qui est droit et beau, elle qui dans le visible a engendré la lumière et le seigneur de la lumière, elle qui dans l'intelligible, étant elle-même souveraine, procure vérité et intellect ; et que c'est elle que doit voir celui qui désire agir de manière sensée, soit dans sa vie privée, soit dans la vie publique.

– Je partage moi aussi ta pensée, dit-il, en tout cas autant que j'en suis capable.

– Alors va, repris-je, partage aussi ma pensée sur ceci et ne t'étonne pas que ceux qui sont allés là-bas ne consentent pas à s'adonner aux affaires des hommes, mais que leurs âmes n'éprouvent toujours d'attirance que pour ce qui est en-haut. Qu'il en soit ainsi n'est sans doute rien que de naturel, si vraiment là aussi les choses se passent conformément à l'image que nous venons d'esquisser.

– Tout à fait naturel, en effet, dit-il.

– Mais alors, trouves-tu là quelque raison de t'étonner si quelqu'un, qui est passé des contemplations divines aux malheurs humains, se montre malhabile et apparaît bien ridicule, lorsque encore ébloui et avant d'avoir pu s'habituer suffisamment à l'obscurité ambiante, il se trouve forcé, devant les tribunaux ou dans quelque autre lieu, de polémiquer au sujet des ombres de ce qui est juste, ou encore des figurines dont ce sont les ombres, et d'entrer en compétition sur la question de savoir comment ces choses peuvent être comprises par ceux qui n'ont jamais vu la justice elle-même ?

– Ce n'est d'aucune manière étonnant, dit-il.

– Mais justement, quelqu'un de réfléchi, dis-je, se souviendrait qu'il y a deux sortes de troubles des yeux, et qu'ils se produisent suivant deux causes : lorsque les yeux passent de la lumière à l'obscurité, et de l'obscurité à la lumière. Prenant en considération que les mêmes transformations se produisent pour l'âme, chaque fois qu'il verrait une âme troublée et rendue impuissante à distinguer quelque chose, il ne rirait pas de manière stupide, mais il examinerait si, venant d'une vie plus lumineuse, c'est par manque d'habitude qu'elle se trouve dans l'obscurité, ou si, passant d'une ignorance considérable à un état plus lumineux, elle a été frappée d'éblouissement par l'éclat supérieur de la lumière. Pour lui, dès lors, la première serait remplie de bonheur par cette expérience et par cette vie, tandis que l'autre serait à plaindre, et dans le cas où il éprouverait le désir de se moquer de cette dernière, son rire serait moins ridicule que s'il prenait pour cible l'âme qui vient d'en haut, de la lumière.

– Ce que tu dis là, dit-il, est certainement très juste.

– Il faut donc, dis-je, si cela est vrai, que nous en venions à la position suivante sur ces questions : l'éducation n'est pas telle que la présentent certains de ceux qui s'en font les hérauts. Ils affirment, n'est-ce pas, que la connaissance n'est pas dans l'âme et qu'eux l'y introduisent, comme s'ils introduisaient la vision dans des yeux aveugles.

– Oui, c'est ce qu'ils affirment, dit-il.

– Mais notre discussion de maintenant, dis-je, montre précisément que cette puissance réside dans l'âme de chacun, ainsi que l'instrument grâce auquel chacun peut apprendre : comme si un œil se trouvait incapable de se détourner de l'obscurité pour se diriger vers la lumière autrement qu'en retournant l'ensemble du corps, de la même manière c'est avec l'ensemble de l'âme qu'il faut retourner cet instrument hors de ce qui est soumis au devenir, jusqu'à ce qu'elle devienne capable de s'établir dans la contemplation de ce qui est et de ce qui, dans ce qui est, est le plus lumineux. Or cela, c'est ce que nous affirmons être le bien, n'est-ce pas ?

– Oui.

– Il existerait dès lors, dis-je, un art pour cela, un art de ce retournement, un art consacré à la manière dont cet instrument peut être retourné le plus facilement et le plus efficacement possible, non pas l'art de produire en lui la puissance de voir, puisqu'il la possède déjà sans être toutefois correctement orienté, ni regarder là où il faudrait, mais l'art de mettre en œuvre ce retournement.

– Oui, apparemment, dit-il.

– Dès lors, les autres vertus qu'on appelle vertus de l'âme risquent bien d'être assez proches de celles du corps, car en réalité elles n'y sont pas d'abord présentes, elles sont produites plus tard par l'effet des habitudes et des exercices. La vertu qui s'attache à la pensée appartient toutefois apparemment plus que tout à quelque principe divin, quelque chose qui ne perd jamais sa puissance, mais qui, en fonction du retournement qu'il subit, devient utile et bénéfique, ou au contraire inutile et nuisible. N'as-tu jamais réfléchi à propos de ceux qu'on dit méchants, mais aussi habiles, à quel point leur âme médiocre possède une vue perçante et distingue avec acuité ce vers quoi elle s'est orientée ? Cette âme n'a pas la vue faible, mais elle est néanmoins contrainte de se mettre au service de la méchanceté, de sorte que plus elle regarde avec acuité, plus elle commet d'actions mauvaises.

– Oui, exactement, dit-il.

– Toutefois cette âme médiocre, dis-je, elle qui appartient à une telle nature, si dès l'enfance on la taillait et qu'on coupait les liens qui l'apparentent au devenir, comme des poids de plomb qui se sont ajoutés à sa nature sous l'effet de la gourmandise et des plaisirs et convoitises de ce genre et qui tournent la vue de l'âme vers le bas ; si elle s'en trouvait libérée et se retournait vers ce qui est vrai, cette même partie des mêmes êtres humains verrait ce qui est vrai avec la plus grande acuité, de la même manière qu'elle voit les choses vers lesquelles elle se trouve à présent orientée.

– Apparemment, dit-il.

– Mais dis-moi, que dire de ceux qui sont dépourvus d'éducation et ne possèdent aucune expérience de la vérité ? N'est-il pas probable – et je dirais même fatal, tenant compte de ce qui a été dit auparavant – qu'ils ne gèrent jamais une cité de manière satisfaisante, pas plus que ceux qu'on laisse passer leur temps jusqu'à la fin de leur vie à s'éduquer ? Les premiers, parce qu'ils n'ont pas dans la vie un but unique qu'ils doivent viser pour faire tout ce qu'ils accomplissent dans leur vie privée ou publique ; les autres, parce qu'ils n'accompliront rien de tel de leur plein gré, convaincus qu'ils sont de s'être établis de leur vivant dans les îles des Bienheureux.

– C'est vrai, dit-il.

– C'est donc notre tâche, dis-je, à nous les fondateurs, que de contraindre les naturels les meilleurs à se diriger vers l'étude que nous avons déclarée la plus importante dans notre propos antérieur, c'est-à-dire à voir le bien et à gravir le chemin de cette ascension, et, une fois qu'ils auront accompli cette ascension et qu'ils auront vu de manière satisfaisante, de ne pas tolérer à leur égard ce qui est toléré à présent.

– De quoi s'agit-il ?

– De demeurer, dis-je, dans ce lieu, et de ne pas consentir à redescendre auprès de ces prisonniers et à prendre part aux peines et aux honneurs qui sont les leurs, qu'il s'agisse de choses ordinaires ou de choses plus importantes.

– Alors, dit-il, nous serons injustes à leur égard, et nous rendrons leur vie pire, alors qu'elle pourrait être meilleure pour eux ?

– Une fois de plus, mon ami, dis-je, tu as oublié qu'il n'importe pas à la loi qu'une classe particulière de la cité atteigne au bonheur de manière distinctive, mais que la loi veut mettre en œuvre les choses de telle manière que cela se produise dans la cité tout entière, en mettant les citoyens en harmonie par la persuasion et la nécessité, et en faisant en sorte qu'ils s'offrent les uns aux autres les services dont chacun est capable de faire bénéficier la communauté. C'est la loi elle-même qui produit de tels hommes dans la cité, non pas pour que chacun se tourne vers ce qu'il souhaite, mais afin qu'elle-même mette ces hommes à son service pour réaliser le lien politique de la cité.

– C'est vrai, dit-il, j'avais oublié, en effet.

– Observe alors, Glaucon, dis-je, que nous ne serons pas injustes à l'endroit de ceux qui chez nous deviennent philosophes, mais que nous leur tiendrons un discours juste en les contraignant, en plus du reste, à se soucier des autres et à les garder. Nous leur dirons en effet qu'il est normal que ceux qui en viennent à occuper leur position dans les autres cités ne participent pas aux tâches qu'on y assume. Ils s'y développent en effet de par leur propre initiative, sans l'agrément de la constitution politique qui se trouve dans chacune de ces cités, et il est juste que ce qui se développe par soi-même, ne devant sa subsistance à personne, n'ait aucunement à cœur de payer à quiconque le prix de son entretien. “Mais dans votre cas, leur dirons-nous, c'est nous qui, pour vous-mêmes comme pour le reste de la cité, comme cela se passe dans les essaims d'abeilles, vous avons engendrés pour être des chefs et des rois, en vous donnant une éducation meilleure et plus parfaite qu'aux autres, et en vous rendant plus aptes à participer à l'un et l'autre modes de vie. Il vous faut donc redescendre, chacun à son tour, vers l'habitation commune des autres et vous habituer à voir les choses qui sont dans l'obscurité. Quand vous y serez habitués, en effet, vous verrez dix mille fois mieux que ceux de là-bas, et vous saurez identifier chacune des figures : ce qu'elles sont, de quoi elles sont les figures, parce que vous aurez vu le vrai concernant les choses belles, justes et bonnes. De cette manière, la cité sera administrée en état de vigilance par vous et par nous, et non en rêve, comme à présent, alors que la plupart sont administrées par des gens qui se combattent les uns les autres pour des ombres et qui deviennent factieux afin de prendre le pouvoir, comme s'il y avait là un bien de quelque importance. Car voici en quoi consiste le vrai là-dessus : la cité au sein de laquelle s'apprêtent à gouverner ceux qui sont le moins empressés à diriger, c'est celle-là qui est nécessairement administrée de la meilleure façon et la plus exempte de dissension, tandis que celle que dirigent ceux qui sont dans l'état contraire se trouve dans la situation opposée."

– Oui, exactement, dit-il.

– Crois-tu dès lors que ceux dont nous avons assuré la subsistance, quand ils entendront ce discours, ne se laisseront pas persuader et qu'ils ne consentiront pas à peiner comme les autres dans la cité, chacun à son tour, tout en résidant la majeure partie de leur temps entre eux dans la région pure ?

– C'est impossible, dit-il, car nous prescrirons des règles justes à des hommes justes. Par ailleurs, c'est avant tout comme vers un devoir que chacun d'eux se portera vers le pouvoir, contrairement à ceux qui dirigent maintenant dans chaque cité.

– Voilà bien la situation, mon camarade, dis-je. Si tu peux découvrir, pour ceux qui s'apprêtent à diriger, une vie meilleure que le pouvoir, tu peux alors faire advenir une cité bien administrée. C'est en effet dans cette cité seulement que dirigeront ceux qui sont réellement riches : riches non pas d'or, mais de cette richesse qui est nécessaire à l'homme heureux, c'est-à-dire une vie bonne et remplie de sagesse. Mais si ce sont des mendiants et des gens que leur vénalité porte vers des biens privés qui s'emparent des affaires publiques, croyant qu'il se trouve là du bien qu'il faut accaparer, alors ce ne sera pas possible. Si le pouvoir, en effet, devient l'objet d'un affrontement, une guerre de ce genre, parce qu'elle est intérieure et qu'elle fait s'affronter ceux qui sont apparentés, les détruit eux-mêmes autant que le reste de la cité.

– C'est tout à fait vrai, dit-il.

– Or, repris-je, conçois-tu une autre vie susceptible de faire mépriser les charges politiques, si ce n'est la vie de la philosophie véritable ?

– Non, par Zeus, dit-il.

– Mais par ailleurs, il faut que ce ne soient pas des amoureux du pouvoir qui se portent vers lui, sinon, ceux qui en sont les amoureux rivaux se combattront certainement.

– Comment faire autrement ?

– Alors qui d'autre contraindras-tu à se diriger vers la garde de la cité, sinon ceux qui sont les plus sages quant aux meilleurs moyens d'administrer une cité, eux qui sont titulaires d'autres honneurs que les honneurs politiques, et qui mènent une vie meilleure que la vie politique ?

– Il n'y a personne d'autre », dit-il.

III

KANT

CULTURE ET DISCIPLINE

Kant, *Traité de pédagogie*,
Hachette, 1981, trad. P.-J. About, p. 35-47.

En 1746, à la mort de son père, Emmanuel Kant (1724-1804) doit provisoirement interrompre ses études et se faire précepteur. Il le restera neuf années durant, mais jugera cependant très sévèrement ce qu'il aura accompli, estimant être meilleur théoricien que praticien. Ce verdict était peut-être excessif, du moins à en juger par les succès que Kant remportera comme professeur à l'université de Königsberg, où il entre en 1755. Il y a donné à quelques reprises, entre 1776 et 1787, des cours de pédagogie qui furent publiés en 1803 par les soins de F. T. Rink.

Qu'est-ce que l'éducation ? Kant répond qu'elle est pour l'homme la nécessaire sortie de la nature et il précise dès les premières lignes de l'extrait qui suit : « Par éducation l'on entend les soins (le traitement, l'entretien) que réclame son enfance, la discipline qui le fait homme, enfin l'instruction avec la culture. Sous ce triple rapport, [un être humain] est nourrisson, élève et écolier. » La discipline, premier moment de la culture, occupe une place centrale dans la réflexion de Kant, et lui-même n'a pas manqué d'en relever le caractère à première vue problématique, voire paradoxal. C'est que le moyen (la discipline) semble ici contredire la fin visée (la liberté et l'autonomie). On comprend dès lors qu'aux yeux de Kant « un des plus grands problèmes de l'éducation [soit] de concilier sous une contrainte légitime la soumission avec la faculté de se servir de sa liberté ». Cette discipline est condition de l'accès à l'instruction et à la culture qui rendent possible l'autonomie (« il importe surtout, dira Kant, [que les enfants] apprennent à penser ») et la moralité. Et cette généralisation à tous de l'instruction est à son tour un préalable à la constitution de cet espace public dont les Lumières espèrent l'avènement. Kant n'ignore rien des obstacles qui entravent sa réalisation : « premièrement, les parents n'ont ordinairement souci que d'une chose, c'est que leurs enfants fassent bien leur chemin dans le monde, et deuxièmement, les princes ne considèrent leurs sujets que comme des instruments pour leurs desseins ». Mais il pense aussi que c'est dans l'éducation que gît le grand secret du perfectionnement sans limites de l'humanité. C'est l'inscription du modèle libéral d'éducation dans ce cadre politique qui singularise la pensée de Kant, et son idéal à la fois pédagogique et politique qui définit la modernité.

L'homme est la seule créature qui soit susceptible d'éducation. Par éducation l'on entend les soins (le traitement, l'entretien) que réclame son enfance, la discipline qui le fait homme, enfin l'instruction avec la culture. Sous ce triple rapport, il est nourrisson, élève et écolier.

Aussitôt que les animaux commencent à sentir leurs forces, ils les emploient régulièrement, c'est-à-dire d'une manière qui ne leur soit point nuisible à eux-mêmes. Il est curieux en effet de voir comment, par exemple, les jeunes hirondelles, à peine sorties de leur œuf et encore aveugles, savent s'arranger de manière à faire tomber leurs excréments hors de leur nid. Les animaux n'ont donc pas besoin d'être soignés, enveloppés, réchauffés et conduits, ou protégés. La plupart demandent, il est vrai, de la pâture, mais non des soins. Par soins, il faut entendre les précautions que prennent les parents pour empêcher leurs enfants de faire de leurs forces un usage nuisible. Si, par exemple, un animal, en venant au monde, criait comme font les enfants, il deviendrait infailliblement la proie des loups et des autres bêtes sauvages qui seraient attirées par ses cris.

La discipline nous fait passer de l'état d'animal à celui d'homme. Un animal est par son instinct même tout ce qu'il peut être ; une raison étrangère a pris d'avance pour lui tous les soins indispensables. Mais l'homme a besoin de sa propre raison. Il n'a pas d'instinct, et il faut qu'il se fasse à lui-même son plan de conduite. Mais, comme il n'en est pas immédiatement capable, et qu'il arrive dans le monde à l'état sauvage, il a besoin du secours des autres.

L'espèce humaine est obligée de tirer peu à peu d'elle-même par ses propres efforts toutes les qualités naturelles qui appartiennent à l'humanité. Une génération fait l'éducation de l'autre. On en peut chercher le premier commencement dans un état brut ou dans un état parfait de civilisation ; mais, dans ce second cas, il faut encore admettre que l'homme est retombé ensuite à l'état sauvage et dans la barbarie.

La discipline empêche l'homme de se laisser détourner de sa destination, de l'humanité, par ses penchants brutaux. Il faut, par exemple, qu'elle modère, afin qu'il ne se jette pas dans le danger comme un être indompté ou un étourdi. Mais la discipline est purement négative, car elle se borne à dépouiller l'homme de sa sauvagerie ; l'instruction au contraire est la partie positive de l'éducation.

La sauvagerie est l'indépendance à l'égard de toutes les lois. La discipline soumet l'homme aux lois de l'humanité, et commence à lui faire sentir la contrainte des lois. Mais cela doit avoir lieu de bonne heure. Ainsi, par exemple, on envoie d'abord les enfants à l'école, non pour qu'ils y apprennent quelque chose, mais pour qu'ils s'y accoutument à rester tranquillement assis et à observer ponctuellement ce qu'on leur ordonne, afin que dans la suite ils sachent tirer à l'instant bon parti de toutes les idées qui leur viendront.

Mais l'homme a naturellement un si grand penchant pour la liberté, que quand on lui en laisse prendre d'abord une longue habitude, il lui sacrifie tout. C'est précisément pour cela qu'il faut de très-bonne heure, comme je l'ai déjà dit, avoir recours à la discipline, car autrement il serait très difficile ensuite de modifier l'homme. Il suivra alors tous ses caprices. On ne voit pas que les sauvages s'accoutument jamais à la manière de vivre des Européens, si longtemps qu'ils restent à leur service. Ce n'est pas chez eux, comme Rousseau et d'autres le pensent, l'effet d'un noble penchant pour la liberté, mais une certaine rudesse, qui vient de ce qu'ici l'homme ne s'est pas encore en quelque sorte dégagé de l'animal. Nous devons donc nous accoutumer de bonne heure à nous soumettre aux préceptes de la raison. Quand on a laissé l'homme faire toutes ses volontés pendant sa jeunesse et qu'on ne lui a jamais résisté en rien, il conserve une certaine sauvagerie pendant toute la durée de sa vie. Il ne lui sert de rien d'être ménagé pendant sa jeunesse par une tendresse maternelle exagérée, car plus tard il n'en rencontrera que plus d'obstacles de toutes parts, et il recevra partout des échecs lorsqu'il s'engagera dans les affaires du monde.

C'est une faute où l'on tombe ordinairement dans l'éducation des grands, que de ne jamais leur opposer de véritable résistance dans leur jeunesse, sous prétexte qu'ils sont destinés à commander. Chez l'homme, le penchant pour la liberté fait qu'il est nécessaire de polir sa rudesse ; chez l'animal, au contraire, l'instinct dispense de cette nécessité.

L'homme a besoin de soins et de culture. La culture comprend la discipline et l'instruction. Aucun animal, que nous sachions, n'a besoin de la dernière. Car aucun n'apprend quelque chose de ceux qui sont plus âgés, excepté les oiseaux qui apprennent leur chant. Les oiseaux, en effet, sont instruits en cela par leurs parents, et c'est une chose touchante de voir, comme dans une école, les parents chanter de toutes leurs forces avant leurs petits et ceux-ci s'efforcer de tirer les mêmes sons de leurs tendres gosiers. Si l'on veut se convaincre que les oiseaux ne chantent pas par instinct, mais apprennent réellement à chanter, il y a un moyen décisif : c'est d'enlever à des serins la moitié de leurs œufs et d'y substituer des œufs de moineau, ou encore de mêler avec leurs petits des moineaux tout jeunes. Qu'on les mette dans une cage d'où ils ne puissent entendre les moineaux du dehors ; ils apprendront le chant des serins et l'on aura ainsi des moineaux chantants. Il est dans le fait très étonnant que chaque espèce d'oiseaux conserve à travers toutes les générations un certain chant principal ; la tradition du chant est bien la plus fidèle qui soit au monde.

L'homme ne peut devenir homme que par l'éducation. Il n'est que ce qu'elle le fait. Il est à remarquer qu'il ne peut recevoir cette éducation que d'autres hommes, qui l'aient également reçue. Aussi le manque de discipline et d'instruction chez quelques hommes en fait-il de très mauvais maîtres pour leurs élèves. Si un être d'une nature supérieure se chargeait de notre éducation, on verrait alors ce qu'on peut faire de l'homme. Mais, comme l'éducation, d'une part, apprend quelque chose aux hommes, et, d'autre part, ne fait que développer en eux certaines qualités, il est impossible de savoir jusqu'où vont nos dispositions naturelles. Si du moins on faisait une expérience avec l'assistance des grands et en réunissant les forces de plusieurs, cela nous éclairerait déjà sur la question de savoir jusqu'où l'homme peut aller dans cette voie. Mais c'est une chose aussi digne de remarque pour un esprit spéculatif que triste pour un ami de l'humanité, de voir la plupart des grands ne jamais songer qu'à eux et ne prendre aucune part aux importantes expériences que l'on peut pratiquer sur l'éducation, afin de faire faire à la nature un pas de plus vers la perfection.

Il n'y a personne qui, ayant été négligé dans sa jeunesse, ne soit capable d'apercevoir dans l'âge mûr en quoi il a été négligé, soit dans la discipline, soit dans la culture (car on peut nommer ainsi l'instruction). Celui qui n'est point cultivé est brut ; celui qui n'est pas discipliné est sauvage. Le manque de discipline est un mal pire que le défaut de culture, car celui-ci peut encore se réparer plus tard, tandis qu'on ne peut plus chasser la sauvagerie et corriger un défaut de discipline. Peut-être l'éducation deviendra-t-elle toujours meilleure, et chacune des générations qui se succéderont fera-t-elle un pas de plus vers le perfectionnement de l'humanité ; car c'est dans le problème de l'éducation que gît le grand secret de la perfection de la nature humaine. On peut marcher désormais dans cette voie. Car on commence aujourd'hui à juger exactement et à apercevoir clairement ce qui constitue proprement une bonne éducation. Il est doux de penser que la nature humaine sera toujours mieux développée par l'éducation et que l'on peut arriver à lui donner la forme qui lui convient par excellence. Cela nous découvre la perspective du bonheur futur de l'espèce humaine.

L'esquisse d'une théorie de l'éducation est un noble idéal, et qui ne nuirait en rien, quand même nous ne serions pas en état de le réaliser. Il ne faut pas regarder l'Idée comme chimérique et la donner pour un beau rêve parce que des obstacles en arrêtent la réalisation.

Un idéal n'est autre chose que la conception d'une perfection qui ne s'est pas encore rencontrée dans l'expérience. Telle est, par exemple, l'idée d'une république parfaite, gouvernée d'après les règles de la justice. Est-elle pour cela impossible ? Seulement il faut d'abord que notre idée ne soit pas fausse, et ensuite qu'il ne soit pas absolument impossible de vaincre tous les obstacles qui peuvent s'opposer à son exécution. Si, par exemple, tout le monde mentait, la franchise serait-elle pour cela une pure chimère ? L'idée d'une éducation qui développe dans l'homme toutes ses dispositions naturelles est vraie absolument.

Avec l'éducation actuelle les hommes n'atteignent pas du tout le but de leur existence, car quelle diversité n'y a-t-il pas dans leur manière de vivre ! Il ne peut y avoir d'uniformité parmi eux qu'autant qu'ils agissent d'après les mêmes principes et que ces principes deviennent pour eux comme une seconde nature. Nous pouvons du moins travailler au plan d'une éducation conforme au but qu'on doit se proposer, et laisser à la postérité des instructions qu'elle pourra réaliser peu à peu. Voyez, par exemple, les oreilles d'ours : quand on les tire du pied même de la plante, elles ont toutes la même couleur ; quand au contraire on en sème la graine, on obtient des couleurs toutes différentes et les plus variées. La nature a donc mis en elles certains germes, et il suffit, pour les y développer, de semer et de planter convenablement ces fleurs. Il en est de même chez l'homme.

Il y a beaucoup de germes dans l'humanité, et c'est à nous à développer proportionnellement nos dispositions naturelles, à donner à l'humanité tout son déploiement et à faire en sorte que nous remplissions notre destination. Les animaux remplissent la leur spontanément et sans la connaître. L'homme au contraire est obligé de chercher à atteindre la sienne, mais il ne peut le faire qu'autant qu'il en a une idée. L'accomplissement de cette destination est même entièrement impossible pour l'individu. Si l'on admet, un premier couple réellement cultivé, il faut encore savoir comment il a formé ses élèves. Les premiers parents donnent à leurs enfants un premier exemple ; ceux-ci l'imitent, et ainsi se développent quelques dispositions naturelles. Mais toutes ne peuvent être cultivées de cette manière, car la plupart du temps les exemples ne s'offrent aux enfants que par occasion. Les hommes n'avaient autrefois aucune idée de la perfection dont la nature humaine est capable ; nous-mêmes nous ne la possédons pas encore dans toute sa pureté. Aussi bien est-il certain que tous les efforts individuels qui ont pour but la culture de nos élèves ne pourront jamais faire que ceux-ci viennent à remplir leur destination Ce ne sont pas les individus, mais l'espèce seule qui peut arriver à ce but.

L'éducation est un art dont la pratique a besoin d'être perfectionnée par plusieurs générations. Chaque génération, munie des connaissances des précédentes, est toujours plus en mesure d'arriver à une éducation qui développe dans une juste proportion et conformément à leur but toutes nos dispositions naturelles, et qui conduise ainsi toute l'espèce humaine à sa destination.

IV

ROUSSEAU

ÉDUQUER SELON LA NATURE

Rousseau, *Émile ou De l'éducation*,
Livre premier, GF-Flammarion, 2009, p. 45-52.

Rousseau présente *Émile, ou De l'éducation* comme les « rêveries d'un visionnaire sur l'éducation », et comme « un recueil de réflexions et d'observations, sans ordre et presque sans suite », mais aussi comme la clé de voûte de toute sa pensée. L'ouvrage parut la même année que le *Contrat social* et ces deux écrits présentent une cohérence et une complémentarité profondes. Le *Contrat social*, partant de ce que sont devenus les êtres humains, cherche à définir une organisation politique et sociale pouvant favoriser l'avènement d'une société juste. Dans *Émile*, au contraire, Rousseau envisage les institutions sociales et politiques telles qu'elles sont, et montre que l'éducation est ce qui doit permettre à l'être humain de vivre sainement dans une telle société. L'ouverture de l'ouvrage est célèbre : « Tout est bien sortant des mains de l'Auteur des choses, tout dégénère dans les mains de l'homme », et en pose d'emblée un des thèmes centraux, celui de la nature. Pour les besoins de sa « rêverie », Rousseau se donne un élève imaginaire : Émile est riche et noble, orphelin, d'intelligence moyenne et son gouverneur, que Rousseau souhaiterait jeune et qui aura toute latitude pour l'éduquer, s'occupera exclusivement de lui, depuis sa naissance jusqu'à ce moment où, « devenu homme fait, [Émile] n'aura plus besoin d'autre guide que lui-même ». Ces conventions narratives sont posées tout de suite après la mémorable définition de l'éducation citée ci-après, et dans laquelle Rousseau fait remarquer que notre éducation a trois sources – la nature, les hommes et les choses. Il préconise ensuite ce qui est le maître mot de toute sa pédagogie, une éducation naturelle. Celle-ci est d'abord fondée sur le respect de la nature propre de l'enfant. Rousseau a souligné en pionnier, avec force, la spécificité de la nature de l'enfant, examiné son progressif déploiement et réclamé qu'on respecte l'une et l'autre. L'éducation commence, entre la naissance et deux ans (l'âge de la nature), par favoriser l'épanouissement physique de l'enfant (liberté de mouvements, abolition du maillot) et l'exercice de « son corps, ses organes, ses sens, ses forces ». Elle se fait ensuite négative (deuxième âge de la nature, entre deux et douze ans) en ce qu'elle vise à préserver la nature de l'enfant, à empêcher sa corruption au contact des artifices qui engendrent le développement de l'amour-propre – perversion par et dans l'état de société de cet amour de soi qui existe dans l'état de nature. On cherche ainsi avant tout à mettre l'enfant à l'abri du vice et de l'erreur, en visant toujours à empêcher que « les préjugés, l'autorité, la nécessité, l'exemple, toutes les institutions sociales » ne défigurent la nature. L'éducation intellectuelle et technique (entre douze et quinze ans, l'âge de la force) se réalise selon un apprentissage qui devra lui aussi être naturel ; l'enfant apprend au contact des choses et du monde dans des situations naturelles où le besoin d'apprendre suffit à faire apprendre (voir texte n° 12). Entre quinze et vingt ans (l'âge des passions), Émile reçoit une éducation morale et religieuse. Le dernier livre de l'*Émile* est consacré à l'éducation de sa compagne, Sophie et il est, il faut le dire, tout entier traversé d'un sexisme désolant, même pour l'époque : « Toute l'éducation des femmes doit être relative aux hommes. Leur plaire, leur être utiles, se faire aimer et honorer d'eux, les élever jeunes, les soigner grands, les conseiller, les consoler, leur rendre la vie agréable et douce : voilà les devoirs des femmes dans tous les temps, et ce qu'on doit leur apprendre dès l'enfance. » Ajoutons encore qu'une nette tension transparaît dans la pensée de

Rousseau entre romantisme pédagogique et radicalisme politique, qui sont deux directions par lesquelles son œuvre ne cessera d'être extraordinairement influente. Cet héritage, à la fois riche et paradoxal, donnera naissance, en pédagogie comme en politique, à des courants de pensée et d'action divers, voire, en certains cas du moins, profondément divergents.

Tout est bien sortant des mains de l'Auteur des choses, tout dégénère entre les mains de l'homme. Il force une terre à nourrir les productions d'une autre, un arbre à porter les fruits d'un autre ; il mêle et confond les climats, les éléments, les saisons ; il mutile son chien, son cheval, son esclave ; il bouleverse tout, il défigure tout, il aime la difformité, les monstres ; il ne veut rien tel que l'a fait la nature, pas même l'homme ; il le faut dresser pour lui, comme un cheval de manège ; il le faut contourner à sa mode, comme un arbre de son jardin.

Sans cela, tout irait plus mal encore, et notre espèce ne veut pas être façonnée à demi. Dans l'état où sont désormais les choses, un homme abandonné dès sa naissance à lui-même parmi les autres serait le plus défiguré de tous. Les préjugés, l'autorité, la nécessité, l'exemple, toutes les institutions sociales, dans lesquelles nous nous trouvons submergés, étoufferaient en lui la nature, et ne mettraient rien à la place. Elle y serait homme un arbrisseau que le hasard fait naître au milieu d'un chemin, et que les passants font bientôt périr, en le heurtant de toutes parts et le pliant dans tous les sens.

C'est à toi que je m'adresse, tendre et prévoyante mère, qui sus t'écarter de la grande route, et garantir l'arbrisseau naissant du choc des opinions humaines ! Cultive, arrose la jeune plante avant qu'elle meure : ses fruits feront un jour tes délices. Forme de bonne heure une enceinte autour de l'âme de ton enfant ; un autre en peut marquer le circuit, mais toi seule y dois poser la barrière.

On façonne les plantes par la culture, et les hommes par l'éducation. Si l'homme naissait grand et fort, sa taille et sa force lui seraient inutiles jusqu'à ce qu'il eût appris à s'en servir ; elles lui seraient préjudiciables, en empêchant les autres de songer à l'assister ; et, abandonné à lui-même, il mourrait de misère avant d'avoir connu ses besoins. On se plaint de l'état de l'enfance ; on ne voit pas que la race humaine eût péri, si l'homme n'eût commencé par être enfant.

Nous naissons faibles, nous avons besoin de force ; nous naissons dépourvus de tout, nous avons besoin d'assistance ; nous naissons stupides, nous avons besoin de jugement. Tout ce que nous n'avons pas à notre naissance et dont nous avons besoin étant grands, nous est donné par l'éducation.

Cette éducation nous vient de la nature, ou des hommes ou des choses. Le développement interne de nos facultés et de nos organes est l'éducation de la nature ; l'usage qu'on nous apprend à faire de ce développement est l'éducation des hommes ; et l'acquis de notre propre expérience sur les objets qui nous affectent est l'éducation des choses.

Chacun de nous est donc formé par trois sortes de maîtres. Le disciple dans lequel leurs diverses leçons se contrarient est mal élevé, et ne sera jamais d'accord avec lui-même ; celui dans lequel elles tombent toutes sur les mêmes points, et tendent aux mêmes fins, va seul à son but et vit conséquemment. Celui-là seul est bien élevé.

Or, de ces trois éducations différentes, celle de la nature ne dépend point de nous ; celle des choses n'en dépend qu'à certains égards. Celle des hommes est la seule dont nous soyons vraiment les maîtres ; encore ne le sommes-nous que par supposition ; car qui est-ce qui peut espérer de diriger entièrement les discours et les actions de tous ceux qui environnent un enfant ?

Sitôt donc que l'éducation est un art, il est presque impossible qu'elle réussisse, puisque le concours nécessaire à son succès ne dépend de personne. Tout ce qu'on peut faire à force de soins est d'approcher plus ou moins du but, mais il faut du bonheur pour l'atteindre.

Quel est ce but ? c'est celui même de la nature ; cela vient d'être prouvé. Puisque le concours des trois éducations est nécessaire à leur perfection, c'est sur celle à laquelle nous ne pouvons rien qu'il faut diriger les deux autres. Mais peut-être ce mot de nature a-t-il un sens trop vague ; il faut tâcher ici de le fixer.

La nature, nous dit-on, n'est que l'habitude. Que signifie cela ? N'y a-t-il pas des habitudes qu'on ne contracte que par force, et qui n'étouffent jamais la nature ? Telle est, par exemple, l'habitude des plantes dont on gêne la direction verticale. La plante mise en liberté garde l'inclinaison qu'on l'a forcée à prendre ; mais la sève n'a point changé pour cela sa direction primitive ; et, si la plante continue à végéter, son prolongement redevient vertical. Il en est de même des inclinations des hommes. Tant qu'on reste dans le même état, on peut garder celles qui résultent de l'habitude, et qui nous sont le moins naturelles ; mais, sitôt que la situation change, l'habitude cesse et le naturel revient. L'éducation n'est certainement qu'une habitude. Or, n'y a-t-il pas des gens qui oublient et perdent leur éducation, d'autres qui la gardent ? D'où vient cette différence ? S'il faut borner le nom de nature aux habitudes conformes à la nature, on peut s'épargner ce galimatias.

Nous naissons sensibles, et, dès notre naissance, nous sommes affectés de diverses manières par les objets qui nous environnent. Sitôt que nous avons pour ainsi dire la conscience de nos sensations, nous sommes disposés à rechercher ou à fuir les objets qui les produisent, d'abord, selon qu'elles nous sont agréables ou déplaisantes, puis, selon la convenance ou disconvenance que nous trouvons entre nous et ces objets, et enfin, selon les jugements que nous en portons sur l'idée de bonheur ou de perfection que la raison nous donne. Ces dispositions s'étendent et s'affermissent à mesure que nous devenons plus sensibles et plus éclairés ; mais, contraintes par nos habitudes, elles s'altèrent plus ou moins par nos opinions. Avant cette altération, elles sont ce que j'appelle en nous la nature.

C'est donc à ces dispositions primitives qu'il faudrait tout rapporter ; et cela se pourrait, si nos trois éducations n'étaient que différentes : mais que faire quand elles sont opposées ; quand, au lieu d'élever un homme pour lui-même, on veut l'élever pour les autres ? Alors le concert est impossible. Forcé de combattre la nature ou les institutions sociales, il faut opter entre faire un homme ou un citoyen : car on ne peut faire à la fois l'un et l'autre.

Toute société partielle, quand elle est étroite et bien unie, s'aliène de la grande. Tout patriote est dur aux étrangers : ils ne sont qu'hommes, ils ne sont rien à ses yeux. Cet inconvénient est inévitable, mais il est faible. L'essentiel est d'être bon aux gens avec qui l'on vit. Au-dehors le Spartiate était ambitieux, avare, inique ; mais le désintéressement, l'équité, la concorde régnaient dans ses murs. Défiez-vous de ces cosmopolites qui vont chercher loin dans leurs livres des devoirs qu'ils dédaignent de remplir autour d'eux. Tel philosophe aime les Tartares, pour être dispensé d'aimer ses voisins.

L'homme naturel est tout pour lui ; il est l'unité numérique, l'entier absolu, qui n'a de rapport qu'à lui-même ou à son semblable. L'homme civil n'est qu'une unité fractionnaire qui tient au dénominateur, et dont la valeur est dans son rapport avec l'entier, qui est le corps social. Les bonnes institutions sociales sont celles qui savent le mieux dénaturer l'homme, lui ôter son existence absolue pour lui en donner une relative, et transporter le moi dans l'unité commune ; en sorte que chaque particulier ne se croie plus un, mais partie de l'unité, et ne soit plus sensible que dans le tout. […]

Celui qui, dans l'ordre civil, veut conserver la primauté des sentiments de la nature ne sait ce qu'il veut. Toujours en contradiction avec lui-même, toujours flottant entre ses penchants et ses devoirs, il ne sera jamais ni homme ni citoyen ; il ne sera bon ni pour lui ni pour les autres.

Ce sera un de ces hommes de nos jours, un Français, un Anglais, un bourgeois ; ce ne sera rien.

Pour être quelque chose, pour être soi-même et toujours un, il faut agir comme on parle ; il faut être toujours décidé sur le parti que l'on doit prendre, le prendre hautement, et le suivre toujours. J'attends qu'on me montre ce prodige pour savoir s'il est homme ou citoyen, ou comment il s'y prend pour être à la fois l'un et l'autre.

De ces objets nécessairement opposés viennent deux formes d'institutions contraires : l'une publique et commune, l'autre particulière et domestique.

Voulez-vous prendre une idée de l'éducation publique, lisez la *République* de Platon. Ce n'est point un ouvrage de politique, comme le pensent ceux qui ne jugent des livres que par leurs titres : c'est le plus beau traité d'éducation qu'on ait jamais fait.

Quand on veut renvoyer au pays des chimères, on nomme l'institution de Platon : si Lycurgue n'eût mis la sienne que par écrit, je la trouverais bien plus chimérique. Platon n'a fait qu'épurer le cœur de l'homme ; Lycurgue l'a dénaturé.

L'institution publique n'existe plus, et ne peut plus exister, parce qu'où il n'y a plus de patrie, il ne peut plus y avoir de citoyens. Ces deux mots *patrie* et *citoyen* doivent être effacés des langues modernes. J'en sais bien la raison, mais je ne veux pas la dire ; elle ne fait rien à mon sujet.

Je n'envisage pas comme une institution publique ces risibles établissements qu'on appelle collèges. Je ne compte pas non plus l'éducation du monde, parce que cette éducation tendant à deux fins contraires, les manque toutes deux : elle n'est propre qu'à faire des hommes doubles paraissant toujours rapporter tout aux autres, et ne rapportant jamais rien qu'à eux seuls. Or ces démonstrations, étant communes à tout le monde, n'abusent personne. Ce sont autant de soins perdus.

De ces contradictions naît celle que nous éprouvons sans cesse en nous-mêmes. Entraînés par la nature et par les hommes dans des routes contraires, forcés de nous partager entre ces diverses impulsions, nous en suivons une composée qui ne nous mène ni à l'un ni à l'autre but. Ainsi combattus et flottants durant tout le cours de notre vie, nous la terminons sans avoir pu nous accorder avec nous, et sans avoir été bons ni pour nous ni pour les autres.

Reste enfin l'éducation domestique ou celle de la nature, mais que deviendra pour les autres un homme uniquement élevé pour lui ? Si peut-être le double objet qu'on se propose pouvait se réunir en un seul, en ôtant les contradictions de l'homme on ôterait un grand obstacle à son bonheur. Il faudrait, pour en juger, le voir tout formé ; il faudrait avoir observé ses penchants, vu ses progrès, suivi sa marche ; il faudrait, en un mot, connaître l'homme naturel. Je crois qu'on aura fait quelques pas dans ces recherches après avoir lu cet écrit.

Pour former cet homme rare, qu'avons-nous à faire ? Beaucoup, sans doute : c'est d'empêcher que rien ne soit fait. Quand il ne s'agit que d'aller contre le vent, on louvoie ; mais si la mer est forte et qu'on veuille rester en place, il faut jeter l'ancre. Prends garde, jeune pilote, que ton câble ne file ou que ton ancre ne laboure, et que le vaisseau ne dérive avant que tu t'en sois aperçu.

Dans l'ordre social, où toutes les places sont marquées, chacun doit être élevé pour la sienne. Si un particulier formé pour sa place en sort, il n'est plus propre à rien. L'éducation n'est utile qu'autant que la fortune s'accorde avec la vocation des parents ; en tout autre cas elle est nuisible à l'élève, ne fût-ce que par les préjugés qu'elle lui a donnés. En Égypte, où le fils était obligé d'embrasser l'état de son père, l'éducation du moins avait un but assuré ; mais, parmi nous, où les rangs seuls demeurent, et où les hommes en changent sans cesse, nul ne sait si, en élevant son fils pour le sien, il ne travaille pas contre lui.

Dans l'ordre naturel, les hommes étant tous égaux, leur vocation commune est l'état d'homme ; et quiconque est bien élevé pour celui-là ne peut mal remplir ceux qui s'y rapportent. Qu'on destine mon élève à l'épée, à l'église, au barreau, peu m'importe. Avant la vocation des parents, la nature l'appelle à la vie humaine. Vivre est le métier que je lui veux apprendre. En sortant de mes mains, il ne sera, j'en conviens, ni magistrat, ni soldat, ni prêtre ; il sera premièrement homme : tout ce qu'un homme doit être, il saura l'être au besoin tout aussi bien que qui que ce soit ; et la fortune aura beau le faire changer de place, il sera toujours à la sienne. *Occupavi te, Fortuna, atque cepi ; omnesque aditus tuos interclusi, ut ad me aspirare non posses.*

Notre véritable étude est celle de la condition humaine. Celui d'entre nous qui sait le mieux supporter les biens et les maux de cette vie est à mon gré le mieux élevé ; d'où il suit que la véritable éducation consiste moins en préceptes qu'en exercices. Nous commençons à nous instruire en commençant à vivre ; notre éducation commence avec nous ; notre premier précepteur est notre nourrice. [...] Ainsi l'éducation, l'institution, l'instruction, sont trois choses aussi différentes dans leur objet que la gouvernante, le précepteur et le maître. Mais ces distinctions sont mal entendues ; et, pour être bien conduit, l'enfant ne doit suivre qu'un seul guide.

V

DEWEY

L'ÉDUCATION COMME CROISSANCE

Dewey, *Démocratie et éducation*, chap. IV,
sect. 3, trad. Gérard Deledalle,
L'Âge d'homme, 1983, p. 72-77.

John Dewey (1859-1952) a le plus souvent simplement défini l'éducation comme croissance (*growth*). Cette métaphore biologique, volontairement maintenue ouverte et imprécise – on ne sait pas notamment vers quoi tend cette croissance –, est sans doute cohérente avec l'ensemble des positions philosophiques qui sous-tendent la théorie deweyenne de l'éducation : son refus des dualismes hérités de la tradition philosophique (théorie et pratique, corps et esprit, sujet et objet) ; son naturalisme inspiré de Darwin ; son pragmatisme instrumentaliste ; son attachement à un idéal démocratique ; une manière dialectique de penser, apprise de Hegel ; enfin, sa conviction que la philosophie peut et doit contribuer à la résolution des problèmes que rencontrent *hic et nunc* les êtres humains. La croissance biologique est une fin en soi, et n'a d'autre but qu'elle-même, d'autre but que toujours davantage de croissance ; de même, le but de l'éducation ne saurait être que toujours davantage d'éducation. L'éducation n'est donc pas préparation à la vie dont elle serrait coupée, mais la vie même. Dewey veut donc que l'école soit pour l'enfant le prolongement de sa vie au sein de sa famille, dans le quartier et au terrain de jeux. Il place encore au cœur de son projet pédagogique, non un curriculum, mais les activités sociales de l'enfant : l'éducation doit être une continuelle reconstruction de l'expérience à laquelle contribuent aussi bien les activités manuelles que l'activité intellectuelle. Le point de départ de ces activités est l'intérêt de l'enfant, notion centrale mais souvent mal comprise par certains émules de Dewey qui confondent aisément faux intérêts ou simples désirs et véritables besoins. Enfin, travaillant ensemble à des projets, les enfants font déjà l'expérience de cette conversation démocratique à laquelle ils participeront comme citoyens. À des objecteurs qui demandaient en quoi il faudrait refuser de dire qu'un voleur devient peu à peu plus éduqué au fur et à mesure qu'il exerce son métier, s'y fait plus habile et croît, Dewey repond en indiquant deux critères qui permettent d'identifier une expérience comme étant véritablement éducative : l'interaction et la continuité. Le premier est un rappel de cette fusion organique, dans l'intérêt correctement compris, du sujet au projet qu'il poursuit. Le second rappelle que l'expérience réellement éducative se rattache à l'expérience antérieure et conduit à plus d'expérience encore et à une expérience qui enrichie : ce que fait le voleur ne satisfait pas ce dernière critère, comme le fait, par exemple, l'apprentissage de la lecture. On notera que dans le texte qui suit Dewey parle de *growth* et que j'ai remplacé le mot développement, par lequel le traducteur avait le plus souvent rendu ce concept, par croissance.

Nous avons, jusqu'ici, dit fort peu de choses concernant l'éducation. Nous nous sommes surtout occupés des conditions et des conséquences de la croissance. Si les conclusions sont justifiées, elles impliquent cependant des conséquences éducatives définies. Quand on dit que l'éducation est croissance, tout dépend de *la manière* dont la croissance est conçue. Pour nous, la vie est croissance, et se développer, croître, c'est la vie. Traduit dans ses équivalents éducatifs, cela signifie 1) que le processus éducatif n'a pas de fin en dehors de lui-même ; il est sa propre fin ; et 2) que le processus éducatif est un processus de réorganisation, de reconstruction et de transformation continues.

La croissance interprétée en termes *comparatifs*, c'est-à-dire par rapport aux traits particuliers de la vie d'un enfant et de l'adulte, implique l'orientation des capacités dans des voies particulières : la formation des habitudes requérant l'habileté d'exécution, la détermination de l'intérêt et les objets spécifiques de l'observation et de la pensée. Mais le point de vue comparatif n'est pas ultime. L'enfant a ses capacités particulières : ignorer ce fait, c'est atrophier ou déformer les organes dont sa croissance dépend. L'adulte utilise ses capacités pour transformer son environnement, occasionnant par là de nouveaux stimuli qui réorientent ses capacités et leur permettent de continuer à se développer. Ne pas tenir compte de ce fait signifie un arrêt de la croissance, une adaptation passive. En d'autres termes, l'enfant normal et l'adulte normal sont l'un et l'autre en pleine croissance. La différence qui les distingue n'est pas une différence entre croissance et non-croissance, mais entre des modes de croissance appropriés à leurs conditions différentes. Par rapport au développement des capacités mises en œuvre pour faire face aux problèmes spécifiques, tant scientifiques qu'économiques, nous pouvons dire que l'enfant devrait croître comme un homme. Par rapport à la curiosité bienveillante, à la réaction sans préjugés, et à l'ouverture d'esprit, nous pouvons dire que l'adulte devrait croître comme un enfant. La première affirmation est aussi vraie que la seconde.

Trois idées que nous avons critiquées, à savoir la nature purement restrictive de l'immaturité, l'adaptation statique à un environnement fixe et la rigidité de l'habitude, sont toutes liées à une fausse conception de la croissance ou du développement considéré comme un mouvement vers un but fixe. On considère la croissance non comme *étant* une fin, mais comme *ayant* une fin. Dans le domaine de l'éducation, ces idées fallacieuses ont les conséquences suivantes. Premièrement, on néglige les capacités instinctives ou naturelles des jeunes. Deuxièmement, on omet de développer l'initiative pour faire face à de nouvelles situations. Troisièmement, on donne trop d'importance à la répétition et autres inventions du même genre pour faire acquérir des savoir-faire automatiques au détriment de la perception personnelle. Dans tous les cas, l'environnement adulte est accepté comme un modèle pour l'enfant. Il faut élever l'enfant *jusqu'*à lui.

1. Les instincts naturels sont soit négligés, soit considérés comme des obstacles – comme des traits nuisibles à supprimer ou, en tout cas, à mettre en conformité avec les modèles externes. Puisque la conformité est le but, tout trait nettement personnel chez le jeune est mis de côté ou considéré comme une source de mal ou d'anarchie. « Conformité » devient synonyme d' « uniformité ». En conséquence, on encourage à penser que la nouveauté manque d'intérêt, qu'il faut éviter le progrès et se méfier de ce qui est ni sûr ni connu. Puisque la fin de la croissance est en dehors et au-delà du processus de croissance, des agents extérieurs sont requis pour y conduire. Chaque fois qu'on stigmatise une méthode d'éducation parce qu'elle est mécanique, on peut être sûr qu'une pression extérieure est exercée pour atteindre une fin extérieure.

2. Puisque, en réalité, il n'y a rien à quoi la croissance soit relative sinon plus de croissance, il n'y a rien à quoi l'éducation doive être subordonnée sinon plus d'éducation. C'est un lieu commun de dire que l'éducation ne devrait pas cesser à la sortie de l'école. Ce qui est important dans ce lieu commun est que le but de l'éducation scolaire est d'assurer la continuité de l'éducation en organisant les capacités qui assurent la croissance. Le penchant à apprendre à partir de la vie elle-même et à rendre les conditions de vie telles que tous apprennent en vivant est le meilleur résultat de la scolarisation.

Quand nous abandonnons la tentative de définir l'immaturité par comparaison avec les réalisations des adultes, nous sommes contraints de cesser de la considérer comme l'absence de qualités qu'il serait souhaitable d'acquérir.

Si nous abandonnons cette notion, nous sommes également forcés d'abandonner notre habitude de concevoir l'instruction comme une méthode pour suppléer à ce manque en versant la connaissance dans un trou mental et moral qui attend d'être rempli. Puisque la vie signifie croissance, une créature vivante vit aussi réellement et positivement à un stade qu'à un autre avec la même plénitude intrinsèque et les mêmes exigences absolues. Par conséquent, l'éducation est l'entreprise qui procure les conditions assurant la croissance ou permettant de mener une vie satisfaisante, indépendamment de l'âge. Nous sommes tout d'abord agacés par l'immaturité en estimant qu'il faut s'en débarrasser le plus rapidement possible. Puis, l'adulte formé par ces méthodes éducatives se retourne sur son passé et considère avec un regret agacé son enfance et sa jeunesse comme étant le lieu des occasions perdues et des capacités gâchées. Cette situation ironique durera tant que l'on ne reconnaîtra pas que le fait de vivre possède sa propre qualité intrinsèque et que la tâche de l'éducation porte précisément sur cette qualité.

Le fait de se rendre compte que la vie est croissance protège contre cette prétendue idéalisation de l'enfance qui n'est, en fait, rien de plus qu'un abandon à la paresse. Il ne faut pas identifier la vie avec tout acte et intérêt superficiels. Même s'il n'est pas toujours facile de savoir si ce qui paraît être une simple fantaisie n'est pas le signe de quelque aptitude naissante non encore formée, il faut se rappeler que les manifestations ne doivent pas être considérées comme des fins en elles-mêmes. Elles indiquent la possibilité de croissance. Elles doivent être transformées en moyen de croissance, en moyen de faire progresser une capacité, et non cultivées pour elles-mêmes. L'attention excessive aux phénomènes de surface (même sous la forme de réprimande ou d'encouragement) peut conduire à leur fixation et partant, arrêter la croissance de l'enfant. C'est la direction vers laquelle tendent les impulsions, non ce qu'elles ont été qui compte pour les parents et les enseignants. Le vrai principe du respect de l'immaturité ne peut trouver de meilleure expression que dans les paroles d'Emerson : « Respectez l'enfant. Ne jouez pas trop à être ses parents. Ne violez pas sa solitude. J'entends les cris de protestation qui répondent en écho à cette suggestion : "Abandonneriez-vous vraiment les rênes de la discipline publique et privée ; laisseriez-vous le jeune enfant donner libre cours à ses passions et à ses caprices et appelleriez-vous cette anarchie le respect de la nature de l'enfant ?" Je réponds : "Respectez l'enfant, respectez-le jusqu'au bout, en gardant aussi le respect de vous-même... Les deux principes essentiels de la formation d'un enfant sont premièrement de garder son *naturel*, mais deuxièmement d'éliminer tout le reste : de garder son *naturel*, mais de l'empêcher de crier, de faire l'imbécile et de se livrer à des jeux de mains ; de garder sa nature et de *l'armer de la connaissance nécessaire pour qu'elle poursuive son chemin dans la direction vers laquelle elle tend*." » Comme Emerson le montre par la suite, ce respect de l'enfance et de la jeunesse, au lieu d'ouvrir un chemin facile pour les enseignants, « implique tout à la fois des exigences immenses qui accaparent le temps, la pensée, la vie de l'éducateur. Il requiert temps, expérience, intuition, événements, toutes les grandes leçons et aides de Dieu, le simple fait de penser à l'utiliser implique personnalité et profondeur ».

VI

PETERS

L'ÉDUCATION COMME INITIATION

Peters, « Education as initiation »
dans Archambault, *Philosophical Analysis and Education,* Routledge, 1965,
trad. N. Baillargeon, p. 90-110.

La critique que fait Richard Stanley Peters de l'idée de croissance a été rappelée dans l'introduction (p. 20). Sa propre définition de l'éducation renoue avec le modèle libéral qu'elle renouvelle en demandant ce qui caractérise une personne éduquée. Le texte qui suit rappelle très clairement ces caractéristiques. Peters a commencé par noter que le verbe *éduquer* est un terme générique qui ne renvoie pas à une activité particulière, mais plutôt à un ensemble d'activités. En ce sens, le mot éduquer ressemble au mot *jardiner*, qui réfère à une variété d'activités (retourner la terre, semer, récolter et ainsi de suite) et, comme lui, il doit donc se comprendre en prenant en compte les intentions de ceux qui sont engagés dans une telle pratique plutôt que les seuls résultats effectivement atteints par eux. La grammaire du mot éduquer, suggère Peters, est celle des mots-activités (comme *chercher*) plutôt que celle des mots-succès (comme *trouver*). Peters avance ensuite trois célèbres critères devant être satisfaits pour que l'on puisse parler d'éducation ou de personne éduquée. Il affirme d'abord que le concept d'éducation est laudatif, en ce sens qu'il a des « implications normatives » et suppose « que quelque chose de valable est ou a été intentionnellement transmis ». Ce serait, suggère Peters, une contradiction logique de dire qu'une personne a été éduquée mais qu'elle n'a d'aucune manière changé pour le mieux, ou qu'en éduquant son enfant une personne ne visait à accomplir rien qui ait de la valeur. En outre, la valeur de ce qui est transmis est intrinsèque à la pratique de l'éducation et n'est pas instrumentale : en d'autres termes, l'éducation implique la poursuite pour elles-mêmes d'activités ayant en soi une valeur positive. Peters avance ensuite que l'acquisition simultanée de savoirs et de compréhension est nécessaire pour que l'on puisse parler d'éducation. C'est que les savoirs dont il est question dans l'éducation ne sont aucunement réductibles à de simples habiletés, à de simples savoir-faire, ou à des catalogues d'informations inertes. La personne éduquée comprend, non seulement ces savoirs mais aussi les principes qui les sous-tendent et pour lesquels elle manifeste un véritable intérêt, qui se traduit par une préoccupation pour les normes et standards inhérents aux domaines de savoirs concernés. Cette compréhension, en retour, transforme sa vision du monde qui se caractérise par ce que Peters appellera ailleurs « perspective cognitive » : son savoir n'étant pas limité à une spécialité ou à une discipline, la personne éduquée est capable de relier entre elles, avec pertinence, les diverses perspectives qui constituent son répertoire cognitif. Un scientifique, en ce sens, peut être ou ne pas être éduqué, selon qu'il est ou non capable de perspective cognitive, par exemple par rapport à sa propre pratique et à ses dimensions historiques, sociales, politiques, etc. Finalement, Peters soutient que le concept d'éducation suppose un certain degré de participation volontaire de la personne éduquée, ce qui exclut nécessairement certaines pratiques, manières ou procédés tels l'endoctrinement, la propagande, le lavage de cerveau, la manipulation et ainsi de suite, toutes incompatibles avec cette exigence de consentement.

[Le concept d'] « éducation » renvoie à diverses manières par lesquelles un état mental désirable est développé. Ce serait une contradiction de dire qu'un homme a été éduqué alors qu'aucun changement désirable n'est survenu – tout autant que de dire qu'une personne a été réformée mais n'a pas été changée pour le mieux. L'éducation, bien entendu, diffère de la réforme en ceci qu'il n'est pas sous-entendu qu'un homme a été tiré d'un état de turpitude dans lequel il avait sombré. Mais elle s'en approche par le fait qu'elle implique un changement mélioratif. De plus, on présume généralement que le changement en éducation est intentionnel. C'est consciemment et en toute connaissance de cause que nous nous mettons nous-mêmes – ou nous mettons les autres – dans les circonstances appropriées. Je sais bien que Rousseau a affirmé que l'éducation nous vient de la nature, des hommes ou des choses. Mais c'est là cet usage dérivatif du concept d'éducation, par lequel à peu près n'importe quoi peut être considéré comme en faisant partie – peut-être même visiter un bordel. Mais les usages typiques du terme désignent des moments où, de manière délibérée, nous nous mettons nous-mêmes ou mettons les autres dans des situations censées conduire à l'acquisition d'états mentaux désirables. […]

Pour approfondir cette idée, qui est centrale dans ma thèse, je dirai que le concept d'éducation ne désigne pas un processus particulier comme la formation ou une activité spécifique comme donner un cours ; il désigne plutôt des critères auxquels doit se conformer un processus comme la formation. Un de ces critères est que quelque chose de valable doit être transmis. C'est ainsi que l'on peut bien éduquer quelqu'un en le formant ; mais ce n'est pas nécessairement le cas – on peut par exemple le former comme bourreau. D'un autre côté cependant, la demande que quelque chose de valable soit transmis ne devrait pas être comprise comme signifiant que l'éducation elle-même doit conduire à ou produire quelque chose de valable. Pour reprendre la comparaison utilisée plus haut, ce serait comme dire que la réforme doit rendre l'homme meilleur. En fait, rendre un homme meilleur n'est pas un objectif extrinsèque à la réforme : c'est un critère auquel doit se conformer tout ce qui peut prétendre être une réforme. C'est de cette manière qu'une caractéristique nécessaire de l'éducation est souvent posée comme un fin extrinsèque. On pense alors que l'éducation doit viser quelque chose d'extrinsèque et de valable, alors que la vérité est que le fait d'être valable est une composante de l'idée même d'éducation. Penser l'éducation dans une perspective instrumentale [...] est un cas extrême [de cette confusion]. [...]

Ma deuxième remarque conceptuelle [est que] bien que l'éducation ne prescrive aucun processus spécifique, elle prescrit toutefois, en sus de l'exigence que quelque chose de valable soit transmis, des critères auxquels doivent satisfaire les processus. Tout d'abord, la personne éduquée doit être sensible et soucieuse des choses valables dont il est question et elle aura à cœur d'atteindre les normes impliquées. On ne dirait pas d'un homme qui connaît des choses concernant les sciences qu'il est éduqué s'il ne tient pour rien la vérité ou s'il ne la considère qu'un moyen d'obtenir de l'eau chaude ou des hot-dogs. De même, ce critère implique que qui est initié au contenu d'une activité ou aux formes de savoir doit l'être de manière signifiante, de telle sorte qu'il soit conscient de ce qu'il est en train de faire. On peut conditionner quelqu'un à éviter les chiens, on peut l'induire par suggestion hypnotique à faire des choses. Mais rien de cela ne mériterait d'être appelé éducation si le sujet n'a pas conscience d'apprendre pendant qu'il apprend. Diverses formes d'exercices fondés sur la répétition intensive peuvent également être exclues sur la base de ce critère : celles où l'on fait machinalement répéter des séquences étroitement conçues de gestes stéréotypés. Pour que l'on puisse parler d'éducation, un minimum de compréhension doit être impliqué. Ceci est entièrement compatible avec le fait de dire aux enfants quoi faire durant les premières étapes : c'est qu'en ce cas, ils savent, au moins de manière embryonnaire, ce qu'ils vont accomplir et comprennent les standards qu'on veut les voir atteindre. De plus, il y a un sens minimal par lequel on peut affirmer qu'ils agissent comme des sujets libres : ils peuvent en effet se révolter et refuser de faire ce qu'on leur demande. Ces conditions ne s'appliquent pas là où on aura eu recours à l'hypnose, aux drogues, au lavage de cerveau. [...]

Tant chez Platon que chez les théoriciens de la croissance, l'accent est mis sur le fait de « voir » et de « saisir » par soi-même et cela suggère un troisième critère conceptuel à propos de l'éducation, en sus des deux précédents [...]. Celui-ci a trait à l'aspect cognitif du contenu de l'éducation.

On dit souvent qu'un homme est très bien formé, mais qu'il n'est pas éduqué. Qu'y a-t-il derrière cette condamnation ? Ce n'est pas que cet homme maîtrise une habileté que nous désapprouvons et nous pourrions d'ailleurs parfaitement le dire d'un médecin ou même d'un philosophe qui aurait maîtrisé certaines astuces ou ripostes argumentatives – et nous ne ferions pas grand cas de son expertise. Ce n'est même pas qu'il utiliserait ces astuces de manière machinale, et cette personne pourrait même fort bien avoir un attachement passionnel à ces habiletés, en user avec intelligence et détermination. Ce qui est problématique, ici, est que cette personne a une conception très limitée de ce qu'elle accomplit, ne le relie à rien et ne le resitue pas dans un ensemble cohérent. Il s'agit, pour elle, d'une activité cognitive qui n'est rattachée à rien. [...]

C'est ce lien entre « éducation » et contenu cognitif qui explique pourquoi ce sont certaines activités plutôt que d'autres qui sont tenues pour importantes du point de vue éducationnel. C'est que peu d'habiletés ont un important contenu cognitif. Il y a peu de choses à connaître à propos de la conduite d'un vélo, de la natation ou du golf. On a ici affaire à des « savoir-comment » plutôt qu'à des « savoir-que », de tours de main plutôt que de compréhension. De plus, ce qui est compris ne jette que peu de lumière sur quoi que ce soit d'autre. Par contre, en histoire, en science ou en littérature, il y a quantité de choses à apprendre et ce qui est appris, si c'est assimilé correctement, ne cesse d'éclairer, d'élargir et d'approfondir nos conceptions sur un nombre infini d'autres sujets. [...]

L'éducation [en somme], est essentiellement affaire de processus par lesquels sont intentionnellement transmises des choses valables d'une manière intelligible et consentie, lesquels créent, chez qui les apprend, un désir de s'y élever qui s'inscrit harmonieusement dans une forme de vie. Pour décrire les types de relations que cela implique, des mots comme « former », « instruire » et peut-être même « enseigner » sont trop limitatifs. L'éducation peut survenir en l'absence de ceux-ci et ils peuvent eux-mêmes avoir lieu sans que les critères définitoires de l'éducation soient tous satisfaits. Le concept d'« initiation », par contre est suffisamment large pour les englober tous, si du moins on précise que cette initiation introduit à des activités et à des conduites désirables. [...]

Le professeur, ayant lui-même été initié, est comme situé à l'intérieur de ces activités, de ces manières de penser et de se conduire. Il comprend, peut-être même de manière vive et sensible, que certains objets fabriqués sont beaux et d'autres non ; il sait reconnaître l'élégance d'une preuve ou d'un paragraphe, la validité d'un argument, la clarté d'un exposé, la finesse d'une remarque, le soin apporté à l'élaboration d'un schéma, la justice et la sagesse d'une décision. Il aura, par exemple, l'amour de la vérité, la passion pour la justice, une certaine répulsion pour le mauvais goût. Lui demander à quoi sert ou à quoi rime cette forme de vie dans laquelle lui-même a été initié semblerait une question oiseuse. À l'instar de Socrate, il sait que dès lors que l'on comprend ce qu'est le bien, alors, *ipso facto*, on est amené à le rechercher. Comment quelqu'un qui sait ce qu'est un argument valide, ce qu'est une décision juste et sage, peut se contenter de ce qui serait approximatif, fautif ou inexact ? De telles questions, pense-t-il, ne peuvent être posées que par des barbares qui se tiennent aux grilles. Il sait, bien sûr, que la science, les mathématiques et même l'histoire, *peuvent* être envisagées de manière instrumentale. Elles permettent la construction d'hôpitaux, aident à gagner des guerres, à cultiver la terre et à communiquer sur toute la surface de terre. Et après, demandera-t-il ? Une fois tous leurs besoins satisfaits, que feront les hommes, que penseront-ils, que vont-ils apprécier ? Ces hommes sont-ils donc indifférents à tout ce que signifie être civilisé ?

Les enfants, justement, le sont. Ce sont des barbares qui se tiennent aux grilles. Et il s'agit de les faire pénétrer dans la citadelle de la civilisation et de faire en sorte qu'ils comprendront et aimeront ce qu'ils verront quand ils y seront. Il ne s'agit pas de nier que les activités et les modes de pensée qui constituent une manière civilisée de vivre sont difficiles à maîtriser. C'est précisément la raison pour laquelle la tâche de l'éducation est si ardue et qu'il n'y a pas de raccourcis. L'insistance avec laquelle on affirme, dans les écoles américaines, que l'enfant doit être heureux, ignore ce fait incontournable. On peut être heureux en prenant un bain de soleil ; mais ce n'est pas le genre de bonheur qui intéresse un éducateur. Ce qu'on dit sur le « bien-être » provient de cette confusion entre être heureux et vivre une vie digne de ce nom. […]

L'éducation ne peut donc avoir de fin autre qu'elle-même. Sa valeur dérive de principes et de standards qui lui sont inhérents. Être éduqué, ce n'est pas être parvenu à destination : c'est continuer son voyage en ayant acquis de nouvelles perspectives. […]

VII

MARTIN

La personne éduquée selon Peters

Martin, « The Ideal of the Educated Person », *Educational Theory*, vol. 31, n° 2, printemps 1981. Repris dans Hirst et White, *Philosophy of Education. Major Themes in the Analytic Tradition*, vol. 1, Routledge, 1998, trad. N. Baillargeon, p. 313-317.

Parmi les nombreuses critiques qu'on a adressées à Peters et dont nous avons déjà fait état, nous évoquerons à présent celles issues du féminisme et dont Jane Roland Martin (1929) donne ici une formulation exemplaire. La perspective que déploie Peters, assure-t-elle, est masculine, exclusive de composantes de la vie de l'expérience des femmes ; elle incorpore en outre et perpétue des biais sexistes qu'on retrouve dans les diverses disciplines. Ce que Martin appelle le « sophisme androcentrique » est parachevé dans la philosophie analytique de l'éducation telle que Peters la pratique par l'attribution à la personne éduquée de traits et d'attributs que notre société décrits comme masculins, au détriment de ceux qu'elle attribue aux femmes et qui sont exclus de cette description.

Qu'est-ce qui caractérise cette manière de voir que finit par posséder la personne éduquée [au sens de Peters] ? Au cours des dernières années, il s'est développé une vaste production théorique qui montre comment les savoirs disciplinaires ignorent ou dénaturent l'expérience et la vie des femmes. [...] À travers quelques exemples, je voudrais essayer de vous faire sentir à quel point les disciplines intellectuelles incorporent une perspective cognitive masculine et, partant, à quel point la personne éduquée dont parle Peters voit les choses avec un regard de mâle.

Commençons par l'histoire. Lorsque l'université Johns Hopkins a lancé son programme de doctorat, on avait inscrit, sur les murs de la salle de séminaire, le slogan : « L'histoire est la politique du passé ». À la fin des années 1960, l'historien Richard Hofstaedter résumait son champ de recherche en disant : « La mémoire est le fil conducteur de l'identité personnelle ; l'histoire est celle de l'identité collective. » L'histoire se donne comme le registre où sont consignés les aspects collectifs et politiques du passé : en d'autres termes, un registre consacré au processus de reproduction de la société, laquelle en est la sphère masculine. Il n'est dès lors pas étonnant que les femmes ne soient que rarement mentionnées dans l'exposé des faits historiques ! Et il n'est pas étonnant non plus que jusqu'à tout récemment elles n'aient été l'objet ou le sujet d'études historiques ! Le processus de reproduction de la société, qui a traditionnellement été le fait des femmes, a *par définition* été exclu du champ disciplinaire.

De la même façon que la vie et les expériences des femmes ont été exclues de l'histoire, les œuvres produites par les femmes ont pour la plupart été exclues de la littérature et des beaux-arts. On n'a certes jamais nié qu'il y eut des femmes écrivains et artistes, mais il est rare que leurs œuvres aient été jugées suffisamment importantes ou significatives pour être étudiées par les critiques et les historiens. […]

Les disciplines sont coupables d'une variété de biais sexistes. Non seulement la littérature et les beaux-arts excluent-ils les œuvres des femmes de leur champ d'études, mais ils font place à des œuvres qui donnent des femmes une image construite selon une perspective masculine. On pourrait penser que cette manière de construire une image de la femme se limiterait aux arts, mais ce n'est pas le cas. Naomi Weisstein a montré que la psychologie construit la personnalité féminine de manière à ce qu'elle soit conforme aux préconceptions des praticiens, les praticiens acceptant volontiers des théories sans que des faits ne les soutiennent ou trouvant précisément dans leurs données ce qu'ils voulaient y trouver. Ruth Hubbard a montré que cette tendance se retrouvait jusqu'en biologie, alors que les praticiens projettent sur le règne animal l'image stéréotypée de la femelle passive.

Il y a en fait deux manières par lesquelles une discipline peut déformer les vies, les expériences et les personnalités des femmes. Alors que la psychologie construit la personnalité féminine à partir de nos stéréotypes culturels, elle érige le standard de développement que les femmes devraient atteindre à partir d'études conduites sur des sujets masculins. Il n'est dès lors pas étonnant qu'aussitôt qu'on a oublié l'origine de ces standards on en vienne à décréter que les femmes sont sous-développées et inférieures aux mâles – selon ces standards. C'est ainsi par exemple que Carol Gilligan a fait remarquer que si les femmes sont présumées en être au stade 3 des six que compte le développement moral selon Kohlberg, c'est que d'importantes différences entre le développement moral des femmes et celui des hommes n'ont pas été prises en compte.

Au cours de dernières décennies, des chercheuses ont entrepris d'étudier les femmes. C'est ainsi que des histoires concernant certains aspects du processus de reproduction de la société ont été publiées : histoire du contrôle des naissances ; histoire de l'accouchement ; histoire des sages-femmes, par exemple. Si leur existence n'est pas une garantie de leur intégration aux courants dominants de l'historiographie, elle est néanmoins un préalable à une initiation à la discipline qu'est l'histoire qui ne serait pas initiation à une perspective cognitive masculine. […] Il existe toujours un fossé entre les recherches féministes et les définitions reçues de ce qui rend significatives des œuvres artistiques et littéraires : en attendant qu'il soit comblé, l'initiation à ces disciplines que donne une éducation libérale restera une initiation à une perspective cognitive masculine.

En somme, les disciplines intellectuelles auxquelles une personne doit être initiée pour devenir une personne éduquée *excluent* les femmes et leurs travaux, *construisent* les femmes selon l'image qu'en ont les hommes et *dénient* les caractéristiques réellement féminines qui sont les leurs. […] La personne éduquée de Peters n'est pas quelqu'un qui étudie un ensemble idéal et non biaisé de formes de savoir ; au contraire, cette personne a été initiée aux formes de savoir particulières qui existent dans la société à un moment donné. À notre époque, les formes existantes incorporent une perspective masculine. […]

Mais la masculinité de la personne éduquée que dessine Peters ne tient pas seulement au curriculum disciplinaire. Considérez les traits et les attributs de cette personne. La sensibilité et les sentiments n'y entrent en jeu qu'en relation aux standards des entreprises auxquelles cette personne est attachée – par exemple des standards théoriques comme ceux de la science ou des standards pratiques comme ceux de l'architecture. L'attention aux autres, les relations interpersonnelles n'y jouent aucun rôle : la sensibilité de la personne éduquée concerne les standards immanents aux activités, pas les autres êtres humains. […] La personne éduquée que décrit Peters correspond à notre stéréotype culturel d'un être humain mâle selon lequel les hommes sont objectifs, analytiques, rationnels ; ils s'intéressent aux idées et aux choses ; ils n'ont guère d'aptitudes pour les relations interpersonnelles ; ils ne sont ni dévoués, ni attentifs aux autres, ni empathiques, ni sensibles : selon le stéréotype, ces caractéristiques sont féminines. Comme le serait aussi l'intuition. […]

Pourquoi les philosophes de l'éducation auraient-ils échappé au sophisme androcentrique ? Ne vous méprenez pas ! Les femmes *peuvent* acquérir les traits et les dispositions qui sont ceux de la personne éduquée de Peters ; ce dernier défend un idéal qui, s'il peut être atteint, peut l'être par les deux sexes. Mais notre culture associe ces traits et dispositions aux mâles. L'appliquer aux femmes, c'est leur imposer un moule masculin. [...] Peters a dessiné un idéal éducationnel qui n'incorpore que ces traits et dispositions que notre culture attribue au sexe masculin et exclut les traits que notre culture attribue au sexe féminin.

VIII

LYOTARD

La condition postmoderne de l'éducation

Lyotard, *La Condition postmoderne*,
Minuit, 1979, p. 78-84.

À défaut d'être toujours limpide, le vocable « postmoderne » (et ses dérivés) est aujourd'hui très répandu dans l'ensemble des humanités et jusque dans le vocabulaire courant. À compter des années 1950, il est d'abord progressivement apparu dans le lexique de l'architecture, des arts plastiques et de la critique littéraire, où il était déjà nettement polysémique. À compter des années 1970, il est importé en philosophie et en sciences humaines. Jean-François Lyotard (1924-1998) fera énormément pour le populariser dans le célèbre ouvrage dont le texte qui suit est extrait. Or, même si on tend aujourd'hui à l'oublier, cet ouvrage était un rapport sur le savoir commandé par le ministère de l'Enseignement supérieur et de la Science du gouvernement du Québec et qui devait l'aider dans sa réflexion et guider son action. La question de l'éducation de même que celle de la recherche y occupent donc, tout naturellement, une place de choix. Lyotard définit la condition postmoderne comme un état de la civilisation et de la pensée caractérisé par « l'incrédulité à l'égard des grands récits ». Ces grands récits seraient aussi bien ceux de l'émancipation (le marxisme, par exemple) que ceux soutenant la croyance en des valeurs transcendantes (le Vrai, par exemple). En lieu et place, la condition postmoderne serait telle que, renonçant à tout effort de totalisation, on se contente, si on peut dire, de jouer des coups ponctuels, aussi bien dans la gestion sociale que dans la production du savoir. Le critère normatif y devient, très prosaïquement et de manière tout à fait pragmatique, celui de l'efficacité immédiate, ce que Lyotard nomme la performativité. Comment la nouvelle légitimation par la performativité affecte-t-elle et affectera-t-elle l'éducation ? Dans l'extrait qui suit, consacré à l'enseignement essentiellement universitaire, Lyotard décrit ce qu'il estime être une mutation substantielle de l'idée d'éducation et nous assure, dès 1979, que nous ne pourrons manquer d'en être les témoins et les acteurs.

[...] Il semble aisé de décrire la manière dont la prévalence du critère de la performativité vient [...] affecter [l'enseignement]. L'idée de connaissances établies étant admise, la question de leur transmission se subdivise pragmatiquement en une série de questions : qui transmet ? quoi ? à qui ? par quel support ? et dans quelle forme ? avec quel effet ? Une politique universitaire est formée d'un ensemble cohérent de réponses à ces questions.

Lorsque le critère de pertinence est la performativité du système social supposé, c'est-à-dire lorsqu'on adopte la perspective de la théorie des systèmes, on fait de l'enseignement supérieur un sous-système du système social, et on applique le même critère de performativité à la solution de chacun de ces problèmes.

L'effet à obtenir est la contribution optimale de l'enseignement supérieur à la meilleure performativité du système social. Il devra donc former les compétences qui sont indispensables à ce dernier. Elles sont de deux sortes. Les unes sont destinées plus particulièrement à affronter la compétition mondiale. Elles varient selon les spécialités respectives que les [...] États-nations ou les grandes institutions de formation peuvent vendre sur le marché mondial. Si notre hypothèse générale est vraie, la demande en experts, cadres supérieurs et cadres moyens des secteurs de pointe désignés au début de cette étude, qui sont l'enjeu des années à venir, s'accroîtra : toutes les disciplines touchant à la formation thématique (informaticiens, cybernéticiens, linguistes, mathématiciens, logiciens...) devraient se voir reconnaître une priorité en matière d'enseignement. D'autant plus que la multiplication de ces experts devrait accélérer les progrès de la recherche dans d'autres secteurs de la connaissance, comme on l'a vu pour la médecine et la biologie.

D'autre part, l'enseignement supérieur, toujours dans la même hypothèse générale, devra continuer à fournir au système social les compétences correspondant à ses exigences propres, qui sont de maintenir sa cohésion interne. Précédemment, cette tâche comportait la formation et la diffusion d'un modèle général de vie, que légitimait le plus souvent le récit de l'émancipation. Dans le contexte de la délégitimation, les universités et les institutions d'enseignement supérieur sont désormais sollicitées de former des compétences, et non plus des idéaux : tant de médecins, tant de professeurs de telle et telle discipline, tant d'ingénieurs, tant d'administrateurs, etc. La transmission des savoirs n'apparaît plus comme destinée à former une élite capable de guider la nation dans son émancipation, elle fournit au système les joueurs capables d'assurer convenablement leur rôle aux postes pragmatiques dont les institutions ont besoin.

Si les fins de l'enseignement supérieur sont fonctionnelles, qu'en est-il des destinataires ? L'étudiant a déjà changé et il devra changer encore. Ce n'est plus un jeune issu des élites libérales et concerné de près ou de loin par la grande tâche du progrès social compris comme émancipation. En ce sens, l'université démocratique, sans sélection à l'entrée, peu coûteuse pour l'étudiant ni même pour la société si l'on estime le coût-étudiant per capita, mais accueillant les inscriptions en nombre, dont le modèle était celui de l'humanisme émancipationniste, apparaît aujourd'hui peu performative. L'enseignement supérieur est en fait déjà affecté par une refonte d'importance à la fois dirigée par des mesures administratives et par une demande sociale elle-même peu contrôlée émanant des nouveaux usagers, et qui tend à cliver ses fonctions en deux grandes sortes de services. Par sa fonction de professionnalisation, l'enseignement supérieur s'adresse encore à des jeunes issus des élites libérales auxquels est transmise la compétence que la profession juge nécessaire ; viennent s'y adjoindre, par une voie ou par une autre (par exemple, les instituts technologiques), mais selon le même modèle didactique, des destinataires des nouveaux savoirs liés aux nouvelles techniques et technologies qui sont également des jeunes non encore actifs. En dehors de ces deux catégories d'étudiants qui reproduisent l'intelligentsia professionnelle et l'intelligentsia technicienne, les autres jeunes présents à l'université sont pour la plupart des chômeurs non comptabilisés dans les statistiques de demande d'emploi. Ils sont en effet en surnombre par rapport aux débouchés correspondant aux disciplines dans lesquelles on les trouve (lettres et sciences humaines). Ils appartiennent en réalité malgré leur âge à la nouvelle catégorie des destinataires de la transmission du savoir.

Car, à côté de cette fonction professionnaliste, l'Université commence ou devrait commencer à jouer un rôle nouveau dans le cadre de l'amélioration des performances du système, c'est celui du recyclage ou de l'éducation permanente. En dehors des universités, des départements ou institutions à vocation professionnelle, le savoir n'est et ne sera plus transmis en bloc et une fois pour toutes à des jeunes gens avant leur entrée dans la vie active ; il est et sera transmis à la carte à des adultes déjà actifs ou attendant de l'être, en vue de l'amélioration de leur compétence et de leur promotion, mais aussi en vue de l'acquisition d'informations, de langages et de jeux de langage qui leur permettent d'élargir l'horizon de leur vie professionnelle et d'articuler leur expérience technique et éthique.

Le cours nouveau pris par la transmission du savoir ne va pas sans conflit. Car, autant il est de l'intérêt du système, et donc de ses décideurs, d'encourager la promotion professionnelle puisqu'elle ne peut qu'améliorer les performances de l'ensemble, autant l'expérimentation sur les discours, les institutions et les valeurs, accompagnée par d'inévitables désordres dans le curriculum, le contrôle des connaissances et la pédagogie, sans parler des retombées sociopolitiques, apparaît comme peu opérationnelle et se voit refuser le moindre crédit, au nom du sérieux du système. Pourtant, ce qui se dessine là est une voie de sortie hors du fonctionnalisme d'autant moins négligeable que c'est le fonctionnalisme qui l'a tracée. Mais on peut imaginer que la responsabilité en soit confiée à des réseaux extra-universitaires.

De toute façon, le principe de performativité, même s'il ne permet pas de décider clairement dans tous les cas de la politique à suivre, a pour conséquence globale la subordination des institutions d'enseignement supérieur aux pouvoirs. À partir du moment où le savoir n'a plus sa fin en lui-même comme réalisation de l'idée ou comme émancipation des hommes, sa transmission échappe à la responsabilité exclusive des savants et des étudiants. [...] Maintenant, qu'est-ce que l'on transmet dans les enseignements supérieurs ? S'agissant de professionnalisation, et en s'en tenant à un point de vue étroitement fonctionnaliste, l'essentiel du transmissible est constitué par un stock organisé de connaissances. L'application des nouvelles techniques à ce stock peut avoir une incidence considérable sur le support communicationnel. Il ne paraît pas indispensable que celui-ci soit un cours proféré de vive voix par un professeur devant des étudiants muets, le temps des questions étant reporté aux séances de travaux dirigés par un assistant. Pour autant que les connaissances sont traduisibles en langage informatique, et pour autant que l'enseignant traditionnel est assimilable à une mémoire, la didactique peut être confiée à des machines reliant les mémoires classiques (bibliothèques, etc.) ainsi que les banques de données à des terminaux intelligents mis à la disposition des étudiants. [...]

C'est seulement dans la perspective de grands récits de légitimation, vie de l'esprit et/ou émancipation de l'humanité, que le remplacement partiel des enseignants par des machines peut paraître déficient, voire intolérable. Mais il est probable que ces récits ne constituent déjà plus le ressort principal de l'intérêt pour le savoir. Si ce ressort est la puissance, cet aspect de la didactique classique cesse d'être pertinent. La question, explicite ou non, posée par l'étudiant professionnaliste, par l'État ou par l'institution d'enseignement supérieur n'est plus : est-ce vrai ? Mais : à quoi ça sert ? Dans le contexte de mercantilisation du savoir, cette dernière question signifie le plus souvent : est-ce vendable ? Et, dans le contexte d'augmentation de la puissance : est-ce efficace ? Or la disposition d'une compétence performante paraît bien devoir être vendable dans les conditions précédemment décrites, et elle est efficace par définition. Ce qui cesse de l'être, c'est la compétence selon d'autres critères, comme le vrai/faux, le juste/injuste, etc., et évidemment la faible performativité en général. La perspective d'un vaste marché des compétences opérationnelles est ouverte. Les détenteurs de cette sorte de savoir sont et seront l'objet d'offres, voire l'enjeu de politiques de séduction.

II

ENSEIGNER ET APPRENDRE : SAVOIRS ET CURRICULUM

IX

PLATON

LA RÉMINISCENCE

Platon, *Ménon*, 81e-86d,
GF-Flammarion, 1993,
trad. M. Canto-Sperber, p. 155-171.

Le *Ménon* porte notamment sur la définition de la vertu. Platon y présente, par la voix d'un des interlocuteurs de Socrate, une objection préalable et typiquement sophistique à l'idée même de recherche intellectuelle. Cette objection est la suivante. Ou bien on sait ce que l'on cherche, et en ce cas la recherche est inutile ; ou bien on l'ignore, et en ce cas la recherche est impossible, puisqu'on ne saurait pas même savoir qu'on a trouvé ce qu'on recherchait, si par hasard on le rencontrait. La solution à ce dilemme est donnée par la théorie de la réminiscence qui avance que l'âme, immortelle, a dans une existence antérieure contemplé les Idées et en conserve, dans le monde sensible, un souvenir atténué. La connaissance est donc en fait une reconnaissance. Et le maître n'est pas, comme le croyaient les sophistes, celui qui transmet la connaissance, mais celui qui en fournit l'occasion. La connaissance authentique, qui porte sur les Idées, est en nous à l'état latent, et apprendre consiste donc à se débarrasser de l'opinion, du pseudo-savoir, pour se ressouvenir. C'est ce corollaire pédagogique de la théorie des Idées – et de la conception platonicienne de l'immortalité de l'âme – que Socrate entreprend dans le texte suivant, non pas de démontrer – ce qui serait, ainsi que le texte le précise d'emblée, contradictoire –, mais bien d'illustrer à l'aide d'un exemple : celui d'un jeune esclave à qui Socrate fait découvrir la solution d'un problème de géométrie.

La portée de cette théorie est triple, à la fois épistémologique, éthique et pédagogique. Elle permet d'abord à Platon de soutenir que la vérité ne s'invente pas, qu'elle ne résulte pas d'une construction ou d'un consensus social comme l'imaginait Protagoras : elle se découvre. Préexistant comme idéal normatif à la connaissance, elle avive le désir de connaître et rend à la fois possible, souhaitable et légitime la poursuite de la connaissance.

Cette théorie est encore un encouragement à poursuivre la recherche de la vérité : l'ignorance n'est plus une absence totale de connaissances dont on aurait du mal à concevoir qu'on puisse sortir ; elle comprend en elle, en quelque sorte, ce qui rend possible la première étape vers le savoir. Cette thèse, même si elle ne semble pas absolument démontrée – « Il me le semble », dit pour finir Socrate – a ultimement une portée morale : il faut chercher ce qu'on ne sait pas et nous deviendrons meilleurs par cette recherche même. La théorie de la réminiscence indique enfin que c'est par la dialectique, le dialogue, que s'accomplit la rencontre des Idées. Platon insiste sur la vertu pédagogique de cette rencontre avec les autres et nommera *Eros* cette tendance ou ce désir qui pousse vers la connaissance et le Bien.

On peut commodément distinguer différents moments dans ce texte immensément célèbre et abondamment discuté.

Le premier est négatif : l'esclave qui croyait savoir découvre qu'il ne sait pas véritablement.

Placé devant le problème de la duplication d'un carré de deux pieds, l'esclave admet que la surface d'un tel carré est de quatre pieds carrés et qu'un carré qui en serait le double aurait, quant à lui, une surface de huit pieds carrés. Pour l'obtenir il suffira, croit-il, de construire un carré dont le côté soit de quatre pieds. Or, en procédant à cette construction, il constate que le carré obtenu est le quadruple du carré original : le carré recherché est donc à la fois le double du carré original et la moitié du carré de seize pieds carrés qu'il vient de construire. Il faudra donc, poursuit l'esclave, que le carré recherché soit construit sur un côté à la fois plus grand que les deux pieds du carré original et plus petit que les quatre pieds du carré dont la surface est de seize pieds : il faut, conclut-il, le construire sur un côté de trois pieds. Mais en essayant cette nouvelle construction, il constate que le carré obtenu a une surface de neuf pieds carrés : ce qui ne convient donc pas plus. L'esclave est alors forcé d'admettre qu'il ne sait pas comment procéder pour construire le carré de huit pieds carrés – et cela d'autant plus que le nombre recherché est un irrationnel : $\sqrt{8}$! Aucune ironie déplacée, partant, dans la remarque de Socrate qui invite l'esclave à lui *montrer* la grandeur recherchée faute de pouvoir faire le calcul. Socrate s'adresse ensuite à Ménon et entreprend une brève digression sur l'interrogation de l'esclave menée jusqu'alors, tirant les conclusions pédagogiques et didactiques de l'expérience qui vient d'avoir lieu. D'abord sûr de son savoir, l'esclave est à présent embarrassé et s'il ne sait toujours pas, il sait néanmoins à présent qu'il ne sait pas. Deux thèmes s'entrelacent ici. Tout d'abord, celui de la certitude non réflexive de savoir comme obstacle au véritable savoir ; puis celui de la prise de conscience de l'ignorance qui, dévoilant un manque, une lacune, fait naître un désir : celui de connaître.

L'esclave résout ensuite le problème posé en découvrant, sans que Socrate ne lui donne la réponse (c'est du moins la thèse de Platon), qu'il faut construire le carré recherché sur la diagonale du premier carré. L'interrogation de Socrate lui permet de reconnaître que dans le carré de seize pieds – construit en quadruplant le carré de deux pieds – il est possible d'inscrire un carré de huit pieds, lequel est construit sur la diagonale de chacun des carrés de deux pieds qui composent le carré de seize pieds : ce nouveau carré a donc huit pieds et il a été construit sur la diagonale du carré de deux pieds. Ce qu'il fallait... découvrir.

SOCRATE — Dis-moi donc, mon garçon, sais-tu que ceci, c'est une surface carrée ?

LE JEUNE GARÇON — Oui, je le sais.

SOCRATE — Et que, dans une surface carrée, ces côtés-ci, au nombre de quatre, sont égaux ?

LE JEUNE GARÇON — Oui, tout à fait.

SOCRATE — Et aussi que ces lignes qui passent par le milieu sont égales, n'est-ce pas ?

LE JEUNE GARÇON — Oui.

SOCRATE — Alors, une surface de ce genre ne peut-elle pas être et plus grande et plus petite ?

LE JEUNE GARÇON — Oui, tout à fait.

SOCRATE — Supposons donc que ce côté-ci ait deux pieds de long et que ce côté-là soit long de deux pieds aussi, combien le tout aurait-il de pieds carrés ? Examine la question de cette façon-ci : si on avait deux pieds de ce côté-ci, mais seulement un pied de ce côté-là, n'obtiendrait-on pas une surface d'une fois deux pieds carrés ?

LE JEUNE GARÇON — Oui.

SOCRATE — Mais si on a deux pieds aussi de ce côté-là, est-ce que cela ne fait pas deux fois deux ?

LE JEUNE GARÇON — En effet.

SOCRATE — Il y a donc là une surface de deux fois deux pieds carrés ?

LE JEUNE GARÇON — Oui.

SOCRATE — Or, combien cela donne-t-il, deux fois deux pieds carrés ? Fais le calcul et dis-moi.

LE JEUNE GARÇON — Quatre, Socrate.

SOCRATE — Alors, ne pourrait-on pas avoir un autre espace, double de cet espace-ci, mais de la même figure que lui, et qui, comme celui-ci, aurait toutes ses lignes égales ?

LE JEUNE GARÇON — Oui.

SOCRATE — Dans ce cas, combien aura-t-il de pieds carrés ?

LE JEUNE GARÇON — Huit.

SOCRATE — Eh bien justement, essaie de me dire quelle sera la longueur de chacun des côtés de ce nouvel espace. En effet, dans le premier espace, c'était deux pieds, mais dans ce nouvel espace, double du premier, quelle sera la longueur de chaque ligne ?

LE JEUNE GARÇON — Il est bien évident, Socrate, qu'elle sera double.

SOCRATE — Tu vois, Ménon, que je n'enseigne rien à ce garçon, tout ce que je fais, c'est poser des questions. Et à présent, le voici qui croit savoir quelle est la ligne à partir de laquelle on obtiendra l'espace de huit pieds carrés. Ne penses-tu pas qu'il le croie ?

MÉNON — Oui, je le pense.

SOCRATE — Or le sait-il ?

MÉNON — Non, assurément pas !

SOCRATE — Mais ce qu'il croit à coup sûr, c'est qu'on l'obtient à partir d'une ligne deux fois plus longue ?

MÉNON — Oui.

SOCRATE — Eh bien observe-le, en train de se remémorer la suite, car c'est ainsi qu'on doit se remémorer. Réponds-moi. Ne dis-tu pas que c'est à partir d'une ligne deux fois plus longue qu'on obtient un espace deux fois plus grand ? Je parle d'un espace comme celui-ci, non pas d'un espace qui soit long de ce côté-ci et court de ce côté-là, mais d'un espace égal dans tous les sens, comme celui-ci, seulement qui soit deux fois plus grand que ce premier carré et mesure huit pieds carrés. Eh bien, vois si tu penses encore que cet espace s'obtiendra à partir d'une ligne deux fois plus longue.

LE JEUNE GARÇON — Oui, je le pense.

SOCRATE — Mais n'obtiendra-t-on pas la ligne que voici, double de la première, si nous y ajoutons une autre aussi longue ?

LE JEUNE GARÇON — Oui, tout à fait.

SOCRATE — Ce sera donc, dis-tu, à partir de cette nouvelle ligne, en construisant quatre côtés de même longueur, qu'on obtiendra un espace de huit pieds carrés, n'est-ce pas ?

LE JEUNE GARÇON — Oui.

SOCRATE — Donc à partir de cette ligne traçons quatre côtés égaux. N'aurait-on pas ainsi ce que tu prétends être le carré de huit pieds carrés ?

LE JEUNE GARÇON — Oui, tout à fait.

SOCRATE — Or, dans le carré obtenu, ne trouve-t-on pas là ces quatre espaces, dont chacun est égal à ce premier espace de quatre pieds carrés ?

LE JEUNE GARÇON — Oui.

SOCRATE — Dans ce cas quelle grandeur lui donner ? ne fait-il pas quatre fois ce premier espace ?

LE JEUNE GARÇON — Bien sûr que oui.

SOCRATE — Or, une chose quatre fois plus grande qu'une autre en est-elle donc le double ?

LE JEUNE GARÇON — Non, par Zeus !

SOCRATE — Mais de combien de fois est-elle plus grande ?

LE JEUNE GARÇON — Elle est quatre fois plus grande !

SOCRATE — Donc, à partir d'une ligne deux fois plus grande, mon garçon, ce n'est pas un espace double que tu obtiens, mais un espace quatre fois plus grand.

LE JEUNE GARÇON — Tu dis vrai.

SOCRATE — De fait, quatre fois quatre font seize, n'est-ce pas ?

LE JEUNE GARÇON — Oui.

SOCRATE — Alors à partir de quelle ligne obtient-on un espace de huit pieds carrés ? N'est-il pas vrai qu'à partir de cette ligne-ci, on obtient un espace quatre fois plus grand ?

LE JEUNE GARÇON — Oui, je le reconnais.

SOCRATE — Et n'est-ce pas un quart d'espace qu'on obtient à partir de cette ligne-ci qui est la moitié de celle-là ?

LE JEUNE GARÇON — Oui.

SOCRATE — Bon. L'espace de huit pieds carrés n'est-il pas, d'une part, le double de cet espace-ci, et, d'autre part, la moitié de celui-là ?

LE JEUNE GARÇON — Oui.

SOCRATE — Mais ne se construira-t-il pas sur une ligne plus longue que ne l'est celle-ci, et plus petite que ne l'est celle-là ? N'est-ce pas le cas ?

LE JEUNE GARÇON — C'est bien mon avis.

SOCRATE — Parfait. Et continue à répondre en disant ce que tu penses ! Aussi, dis-moi, cette ligne-ci n'était-elle pas longue de deux pieds, tandis que celle-là en avait quatre ?

LE JEUNE GARÇON — Oui.

SOCRATE — Il faut donc que le côté d'un espace de huit pieds carrés soit plus grand que ce côté de deux pieds, mais plus petit que ce côté de quatre.

LE JEUNE GARÇON — Il le faut.

SOCRATE — Alors essaie de dire quelle est sa longueur, d'après toi.

LE JEUNE GARÇON — Trois pieds.

SOCRATE — En ce cas, s'il faut une ligne de trois pieds, nous ajouterons à cette première ligne sa moitié, et nous obtiendrons trois pieds. Nous aurons donc deux pieds et un autre pied. Et de ce côté-ci, c'est la même chose, deux pieds et un autre pied. Et voici que nous obtenons cet espace dont tu parlais.

LE JEUNE GARÇON — Oui.

SOCRATE — Or si cet espace a trois pieds de ce côté et trois pieds de cet autre côté, sa surface totale n'est-elle pas de trois fois trois pieds carrés ?

LE JEUNE GARÇON — Il semble.

SOCRATE — Mais trois fois trois pieds carrés, combien cela fait-il de pieds carrés ?

LE JEUNE GARÇON — Neuf.

SOCRATE — Et combien de pieds carrés l'espace double devait-il avoir ?

LE JEUNE GARÇON — Huit.

SOCRATE — Ce n'est donc pas non plus à partir de la ligne de trois pieds qu'on obtient l'espace de huit pieds carrés.

LE JEUNE GARÇON — Certainement pas.

SOCRATE — Mais à partir de quelle ligne ? Essaie de nous le dire avec exactitude. Et si tu préfères ne pas donner un chiffre, montre en tout cas à partir de quelle ligne on l'obtient.

LE JEUNE GARÇON — Mais par Zeus, Socrate, je ne le sais pas.

SOCRATE — Tu peux te rendre compte encore une fois, Ménon, du chemin que ce garçon a déjà parcouru dans l'acte de se remémorer. En effet, au début il ne savait certes pas quel est le côté d'un espace de huit pieds carrés – tout comme maintenant non plus il ne le sait pas encore –, mais malgré tout, il croyait bien qu'à ce moment-là il le savait, et c'est avec assurance qu'il répondait, en homme qui sait et sans penser éprouver le moindre embarras pour répondre ; mais à présent le voilà qui considère désormais qu'il est dans l'embarras, et tandis qu'il ne sait pas, au moins ne croit-il pas non plus qu'il sait.

MÉNON — Tu dis vrai.

SOCRATE — En ce cas n'est-il pas maintenant dans une meilleure situation à l'égard de la chose qu'il ne savait pas ?

MÉNON — Oui, cela aussi, je le crois.

SOCRATE — Donc en l'amenant à éprouver de l'embarras et en le mettant, comme la raie-torpille, dans cet état de torpeur, lui avons-nous fait du tort ?

MÉNON — Non, je ne crois pas.

SOCRATE — Si je ne me trompe, nous lui avons bien été utiles, semble-t-il, pour qu'il découvre ce qu'il en est. En effet, maintenant, il pourrait en fait, parce qu'il ne sait pas, se mettre à chercher avec plaisir, tandis que tout à l'heure, c'est avec facilité, devant beaucoup de gens et un bon nombre de fois, qu'il croyait s'exprimer correctement sur la duplication du carré en déclarant qu'il faut une ligne deux fois plus longue.

MÉNON — C'est probable.

SOCRATE — Or penses-tu qu'il entreprendrait de chercher ou d'apprendre ce qu'il croyait savoir et qu'il ne sait pas, avant d'avoir pris conscience de son ignorance, de se voir plongé dans l'embarras et d'avoir aussi conçu le désir de savoir ?

MÉNON — Non, je ne crois pas, Socrate.

SOCRATE — En conséquence, le fait de l'avoir mis dans la torpeur lui a-t-il été profitable ?

MÉNON — Oui, je crois.

SOCRATE — Examine donc ce que, en partant de cet embarras, il va bel et bien découvrir en cherchant avec moi, moi qui ne fais que l'interroger sans rien lui enseigner. Surveille bien pour voir si tu me trouves d'une façon ou d'une autre en train de lui donner enseignement ou explication au lieu de l'interroger pour qu'il exprime ses opinions.
Dis-moi donc, mon garçon, n'avons-nous pas là un espace de quatre pieds carrés ? Comprends-tu ?

LE JEUNE GARÇON — Oui, je comprends.

SOCRATE — Pourrions-nous lui ajouter cet autre espace, qui lui est égal ?

LE JEUNE GARÇON — Oui.

SOCRATE — Et aussi ce troisième espace qui est égal à chacun des deux autres ?

LE JEUNE GARÇON — Oui.

SOCRATE — En ce cas, nous pourrions combler cet espace-ci dans le coin ?

LE JEUNE GARÇON — Oui, tout à fait.

SOCRATE — Les quatre espaces que voici, ne seraient-ils pas égaux ?

LE JEUNE GARÇON — Oui.

SOCRATE — Que se passe-t-il alors ? Ce tout qu'ils forment, de combien de fois est-il plus grand que cet espace-ci ?

LE JEUNE GARÇON — Quatre fois plus grand.

SOCRATE — Mais il nous fallait obtenir un espace deux fois plus grand, ne t'en souviens-tu pas ?

LE JEUNE GARÇON — Oui, tout à fait.

SOCRATE — Or n'a-t-on pas ici une ligne qui va d'un coin à un autre coin et coupe en deux chacun de ces espaces ?

LE JEUNE GARÇON — Oui.

SOCRATE — Et n'avons-nous pas là quatre lignes, qui sont égales, et qui enferment cet espace-ci ?

LE JEUNE GARÇON — Oui, nous les avons.

SOCRATE — Eh bien, examine la question : quelle est la grandeur de cet espace ?

LE JEUNE GARÇON — Je ne comprends pas.

SOCRATE — Prenons ces quatre espaces qui sont là, chaque ligne ne divise-t-elle pas chacun d'eux, à l'intérieur, par la moitié ? N'est-ce pas le cas ?

LE JEUNE GARÇON — Oui.

SOCRATE — Or combien de surfaces de cette dimension se trouvent dans ce carré-ci ?

LE JEUNE GARÇON — Quatre.

SOCRATE — Et combien dans ce premier espace ?

LE JEUNE GARÇON — Deux.

SOCRATE — Mais combien de fois deux font quatre ?

LE JEUNE GARÇON — Deux fois.

SOCRATE — Donc ce carré, combien a-t-il de pieds ?

LE JEUNE GARÇON — Huit pieds carrés.

SOCRATE — Sur quelle ligne est-il construit ?

LE JEUNE GARÇON — Sur celle-ci.

SOCRATE — Sur la ligne qu'on trace d'un coin à l'autre d'un carré de quatre pieds ?

LE JEUNE GARÇON — Oui.

SOCRATE — C'est justement la ligne à laquelle les savants donnent le nom de « diagonale ». En sorte que, si cette ligne s'appelle bien « diagonale », ce serait à partir de la diagonale que, d'après ce que tu dis, serviteur de Ménon, on obtiendrait l'espace double.

LE JEUNE GARÇON — Oui, parfaitement, Socrate.

SOCRATE — Que t'en semble, Ménon ? Y a-t-il une opinion que ce garçon ait donnée en réponse, qui ne vînt pas de lui ?

MÉNON — Non, au contraire, tout venait de lui-même.

SOCRATE — Et pourtant il est vrai qu'il ne savait pas, comme nous le disions un peu plus tôt.

MÉNON — C'est la vérité.

SOCRATE — Mais ces opinions-là se trouvaient bien en lui, n'est-ce pas ?

MÉNON — Oui.

SOCRATE — Chez l'homme qui ne sait pas, il y a donc des opinions vraies au sujet des choses qu'il ignore, opinions qui portent sur les choses que cet homme en fait ignore ?

MÉNON — Apparemment.

SOCRATE — Et maintenant en tout cas ce sont bien ces opinions-là qui ont été, à la manière d'un rêve, suscitées en lui ; puis, s'il arrive qu'on l'interroge à plusieurs reprises sur les mêmes sujets, et de plusieurs façons, tu peux être certain qu'il finira par avoir sur ces sujets-là une connaissance aussi exacte que personne.

MÉNON — C'est vraisemblable.

SOCRATE — En ce cas, sans que personne ne lui ait donné d'enseignement, mais parce qu'on l'a interrogé, il en arrivera à connaître, ayant recouvré lui-même la connaissance en la tirant de son propre fonds.

MÉNON — Oui.

SOCRATE — Mais le fait de recouvrer en soi-même une connaissance, n'est-ce pas se la remémorer ?

MÉNON — Oui, parfaitement.

SOCRATE — Or la connaissance que ce garçon possède à présent, ne faut-il pas soit qu'il l'ait reçue à un moment donné soit qu'il l'ait possédée depuis toujours ?

MÉNON — Si.

SOCRATE — En ce cas, si, d'un côté, il la possédait depuis toujours, c'est que depuis toujours aussi il savait. D'un autre côté, s'il l'a reçue à un moment donné, il ne l'aurait assurément pas reçue dans le cours de sa vie actuelle. Lui a-t-on enseigné la géométrie ? Car c'est pour toute question de géométrie que ce garçon se ressouviendra pareillement, et même pour tous les autres objets d'étude. Y a-t-il donc quelqu'un qui lui ait tout enseigné ? C'est bien à toi de le savoir, je pense, surtout puisqu'il est né dans ta maison et y a été élevé.

MÉNON — Mais je sais bien que personne ne lui a jamais rien enseigné.

SOCRATE — Or possède-t-il ces opinions-là, oui ou non ?

MÉNON — Nécessairement, Socrate, c'est clair.

SOCRATE — Mais s'il ne les a pas reçues dans sa vie actuelle, n'est-il pas désormais évident qu'il les possédait en un autre temps, les ayant déjà apprises ?

MÉNON — Apparemment.

SOCRATE — Or ce temps-là, n'est-ce pas bien sûr le temps où il n'était pas un être humain ?

MÉNON — Si.

SOCRATE — Donc, si, durant tout le temps qu'il est un homme et tout le temps qu'il ne l'est pas, des opinions vraies doivent se trouver en lui, opinions qui, une fois réveillées par une interrogation, deviennent des connaissances, son âme ne les aura-t-elle pas apprises de tout temps ? Car il est évident que la totalité du temps, c'est le temps où soit on est un être humain soit on ne l'est pas.

MÉNON — Apparemment.

SOCRATE — Donc, si la vérité des êtres est depuis toujours dans notre âme, l'âme doit être immortelle, en sorte que ce que tu te trouves ne pas savoir maintenant, c'est-à-dire ce dont tu ne te souviens pas, c'est avec assurance que tu dois t'efforcer de le chercher et de te le remémorer.

MÉNON — J'ai l'impression que tu as raison, Socrate, je ne sais comment.

SOCRATE — Sache que moi aussi, j'ai cette impression, Ménon. À vrai dire, il y a des points pour la défense desquels je ne m'acharnerais pas trop ; mais, le fait que si nous jugeons nécessaire de chercher ce que nous ne savons pas, nous serons meilleurs, plus courageux, moins paresseux, que si nous considérions qu'il est impossible de le découvrir et qu'il n'est pas non plus nécessaire de le chercher, ce fait, pour le défendre, je me battrais avec la dernière énergie, aussi fort que j'en serais capable, et dans ce que je dis et dans ce que je fais !

X

PLATON

La maïeutique

Platon, *Théétète*, 148e-150e,
GF-Flammarion, 1995,
trad. M. Narcy, p. 146-151.

La nature exacte des idées réellement défendues par le Socrate historique (vers 470-399) reste incertaine et ce « problème de Socrate » demeurera sans doute toujours ouvert. En se fondant sur quelques témoignages (ceux de Platon et de Xénophon, en particulier), la tradition et la recherche ont malgré tout dressé le portrait plausible d'un Socrate dont les idées présentent, pour l'éducation, un intérêt tout particulier ; c'est de ce Socrate-là dont il sera question ici.

Celui-ci inscrivit durablement dans l'histoire de la philosophie de nombreux thèmes destinés à y rester incontournables ; et on n'a cessé de voir depuis l'Antiquité, dans la vie et les idées de cet homme qui n'a pourtant rien écrit, un emblème de la philosophie occidentale et, en sa mort, une manière de tragique acte fondateur.

Un de ses amis a consulté la Pythie, l'oracle de Delphes, et appris d'elle que Socrate serait le plus sage des hommes. Socrate s'étonne de cette réponse : comment peut-il être le plus sage, lui qui ne sait rien ? Comment peut-il être le plus sage, alors que tant de gens assurent savoir ou sont simplement engagés dans des activités qui supposent un savoir ? Socrate s'efforce alors d'élucider cette énigme : le voici donc au milieu des hommes, sur la place publique, questionnant chacun sur ses activités ordinaires et quotidiennes et sur le savoir dont ils se réclament ou qu'elles présupposent. Cette méthode dialectique socratique, cette *elenchos*, vise à produire des concepts : Socrate interroge ainsi le sculpteur sur la beauté, le militaire sur le courage, le sophiste sur la vertu et sur l'éducation, le politique sur la justice et ainsi de suite. Ces dialectiques, souvent aporétiques, menées avec un art tout particulier de l'interrogation qui fait parfois appel à l'ironie, sont destinées à éprouver une opinion ; elles procèdent par induction, c'est-à-dire en s'efforçant de dégager de l'examen de cas particuliers une définition universelle. En s'y adonnant, Socrate découvre le sens de l'oracle : s'il est le plus sage, c'est parce qu'il sait qu'il ne sait rien, tandis que les autres croient savoir ce qu'ils ne savent pas.

Se rattache à cette pratique philosophique une série de thèmes qui appartiennent également au legs socratique : exigence du retour sur soi (« Connais-toi toi-même »), examen de sa propre vie (« [...] une vie sans examen n'est pas une vie », *Apologie de Socrate*, 38a) et recentrement de l'activité philosophique sur l'être humain plutôt que sur la nature. Mais ce sont sans aucun doute les trois célèbres thèses suivantes, attribuées à Socrate, qui sont pour l'éducation les plus lourdes de conséquences : unité de la vertu ; identification de la vertu au savoir ; paradoxe du mal-ignorance (« Nul n'est méchant volontairement »).

Ces thèses commandent d'abord une conception de l'éducation selon laquelle il n'y a pas à proprement parler de transfert d'information d'un maître supposé à un disciple présumé, mais bien une démarche par laquelle le disciple est invité à voir la vérité par et pour lui-même en tournant son âme vers elle. Socrate peut ainsi légitimement affirmer : « Je n'ai jamais été le maître de personne » (*Apologie de Socrate*, 33a).

Elles engagent encore et surtout un intellectualisme radical qui ne fait aucune place à l'irrationnel dans l'âme. Dès lors l'éducation doit nécessairement procéder d'une pratique du dialogue, qui seul permet à l'âme de se tourner vers la vérité.

Dans le cadre des discussions auxquelles il convie ses contemporains, il arrive que Socrate finisse par « engourdir » ses interlocuteurs : cela se produit lorsque ceux-ci découvrent leur propre ignorance là où ils pensaient, parfois avec une belle assurance, détenir la vérité. Cet engourdissement doit à son tour se comprendre dans le cadre de cet art que pratique Socrate et qu'il appelle maïeutique – ce qui signifie « art de faire accoucher » puisqu'il rapproche son art de celui que pratiquait sa mère sage-femme : elle accouchait les corps, lui-même accouche les âmes et les met au monde.

L'extrait cité ci-après présente cette notion de maïeutique qui exercera une si grande influence en pédagogie. Elle invite à faire porter la démarche éducative non sur la mémorisation mais sur la découverte et l'appropriation des savoirs. Divers praticiens et théoriciens de l'éducation ne cesseront en effet de se réclamer de la pratique pédagogique de Socrate. En revendiquant une telle filiation, on insiste par là, en faisant abstraction de l'intellectualisme socratique, sur l'exigence qui est faite pour l'élève d'user de sa raison, dans un échange d'idées où il ne se contente pas de suivre passivement celui qui l'interroge mais est amené et aidé à trouver par lui-même. Ainsi, c'est bien en disciple de Socrate que Rousseau écrit : « Forcé d'apprendre de lui-même, il use de sa raison et non de celle d'autrui ; car pour ne rien donner à l'opinion, il ne faut rien donner à l'autorité. [...] Quand l'entendement s'approprie les choses avant de les déposer en mémoire, ce qu'il en tire ensuite est à lui. »

SOCRATE — Vas-y donc, car tu as tout à l'heure bien pris la tête, essaie d'imiter ta réponse au sujet des puissances : tout comme celles-là, qui sont plusieurs, tu les as encloses dans une seule forme, désigne de même les multiples sciences par une unique formule.

THÉÉTÈTE — Mais sache-le bien, Socrate, bien souvent j'ai entrepris d'y réfléchir, en entendant rapporter les questions qui viennent de toi. Eh bien, je ne suis pas moi-même capable de me persuader que j'en dis suffisamment, mais pas non plus, quand un autre parle à la façon que toi, tu prescris, de lui prêter l'oreille ; et pourtant je ne peux non plus me délivrer du sentiment d'être sur le point de trouver.

SOCRATE — C'est parce que tu es dans les affres, cher Théétète : cela vient de ce qu'au lieu de n'avoir rien en toi, tu es plein.

THÉÉTÈTE — Je ne sais pas, Socrate ; je dis ce que je ressens, c'est tout.

SOCRATE — Allons donc, drôle ! Tu n'as pas entendu dire que moi, je suis le fils d'une accoucheuse, tout à fait de la bonne race, un vrai homme, Phénarète ?

THÉÉTÈTE — J'ai déjà entendu cela.

SOCRATE — Et que j'exerce le même métier, est-ce que tu l'as entendu ?

THÉÉTÈTE — Pas du tout.

SOCRATE — Eh bien, le fait est, sache-le bien ; ne me dénonce pourtant pas devant les autres. Car, mon ami, cela passe inaperçu, que je possède cet art : eux, parce qu'ils ne le voient pas, ce n'est pas cela qu'ils disent sur moi, mais que je suis absolument de nulle part et que je fais perdre aux hommes leurs moyens. Cela aussi, tu l'as entendu ?

THÉÉTÈTE — Moi, oui.

SOCRATE — Dois-je donc te dire ce qui en est cause ?

THÉÉTÈTE — Tout à fait.

SOCRATE — Aie bien à l'esprit ce qui a trait aux accoucheuses, sans rien omettre de ce que cela englobe, et tu comprendras plus facilement ce que je veux que tu comprennes. Tu sais peut-être, en effet, qu'aucune d'entre elles n'accouche d'autres femmes alors qu'elle-même est encore mise enceinte et a des enfants : au contraire, ce sont celles qui sont désormais incapables d'avoir des enfants qui accouchent les autres.

THÉÉTÈTE — Tout à fait.

SOCRATE — Et la cause de cela, on dit que c'est Artémis ; qu'elle, qui est étrangère au mariage, a pour fonction de veiller aux naissances. Bien sûr, ce n'est pas aux femmes stériles qu'elle a, par conséquent, accordé de faire les accouchements, parce que la nature humaine est trop faible pour s'approprier l'art de ce dont elle n'a pas l'expérience ; mais c'est à celles qui, du fait de leur âge, n'ont pas d'enfants, qu'elle a assigné cette tâche, comme un prix accordé à leur ressemblance avec elle.

THÉÉTÈTE — C'est plausible.

SOCRATE — Ceci également, donc, est plausible, nécessaire même : que les accoucheuses, mieux que les autres femmes, reconnaissent les femmes enceintes et celles qui ne le sont pas ?

THÉÉTÈTE — Sans réserve, cette fois.

SOCRATE — Bien connu aussi, le fait que les accoucheuses, par les médicaments qu'elles donnent et par leurs chants, ont le pouvoir à la fois d'éveiller les douleurs et de les rendre plus douces à volonté, et aussi de faire accoucher celles qui ont un accouchement difficile, tout comme, si leur avis est de faire avorter un jeune être, elles provoquent l'avortement ?

THÉÉTÈTE — C'est cela.

SOCRATE — Est-ce qu'en outre tu t'es aussi aperçu de ceci qui leur est propre : qu'elles sont aussi des entremetteuses tout à fait imbattables, en ce sens qu'elles ont toute compétence pour ce qui est de savoir quelle compagne il faut à quel homme pour mettre au monde les enfants les meilleurs ?

THÉÉTÈTE — Cela, je n'en sais rien du tout.

SOCRATE — Eh bien, sache qu'elles en conçoivent plus de fierté que de couper le cordon. Réfléchis en effet : crois-tu que l'entretien et la récolte des fruits de la terre font partie du même métier que savoir, par ailleurs, sur quel sol il faut jeter quelle plante et quelle semence, ou cela relève-t-il d'un autre art ?

THÉÉTÈTE — Non, au contraire, cela appartient au même.

SOCRATE — Mais visant la femme, tu crois qu'autre est l'art d'avoir ce genre de connaissance, autre l'art de la récolte ?

THÉÉTÈTE — Ce n'est pas probable, en tout cas.

SOCRATE — Non, en effet. Mais, à cause du commerce, étranger à toute règle et pratique réfléchie, qui rapproche homme et femme, – à quoi l'on donne le nom de proxénétisme –, les accoucheuses, parce qu'elles sont respectables, évitent même de s'occuper de transmettre les propositions, craignant, à s'en occuper, de tomber sous l'autre accusation. Pourtant, c'est à celles du moins qui sont, au réel sens du mot, des accoucheuses, à elles seules, qu'il convient de faire aussi, dans les règles de l'art, les intermédiaires.

THÉÉTÈTE — Il y a apparence.

SOCRATE — Voilà donc jusqu'où s'étend le métier des accoucheuses : moins loin que mon propre rôle. Car il y a une chose supplémentaire qui n'est pas possible aux femmes : parfois mettre au monde des êtres imaginaires, parfois des êtres véritables, et que la chose ne soit pas facile à diagnostiquer. Si les femmes avaient cela en plus, ce serait pour les accoucheuses le travail le plus important et le plus beau, de trier ce qui est véritable ou non ; ou bien tu ne le crois pas ?

THÉÉTÈTE — Moi, si.

SOCRATE — Or, à mon métier de faire les accouchements, appartiennent toutes les autres choses qui appartiennent aux accoucheuses, mais il en diffère par le fait d'accoucher des hommes, mais non des femmes, et par le fait de veiller sur leurs âmes en train d'enfanter, mais non sur leurs corps. Et c'est cela le plus important dans notre métier, d'être capable d'éprouver, par tous les moyens, si la pensée du jeune homme donne naissance à de l'imaginaire, c'est-à-dire à du faux, ou au fruit d'une conception, c'est-à-dire à du vrai. Pourtant, j'ai au moins cet attribut, qui est propre aux accoucheuses : je suis impropre à la conception d'un savoir, et ce que beaucoup m'ont déjà reproché, à savoir, que je questionne les autres, mais que moi-même je ne réponds rien sur rien parce qu'il n'y a en moi rien de savant, c'est un fait véritable qu'ils me reprochent. Et la cause de ce fait, la voici : procéder aux accouchements, le dieu m'y force, mais il me retient d'engendrer.
Le fait est donc que je ne suis moi-même absolument pas quelqu'un de savant, pas plus qu'il ne m'est survenu, née de mon âme, de découverte qui réponde à ce qualificatif ; mais ceux qui se font mes partenaires, au début, bien sûr, quelques-uns paraissent même tout à fait inintelligents, mais tous, quand nos rapports se prolongent, ceux-là auxquels il arrive que le dieu le permette, c'est étonnant tout le fruit qu'ils donnent : telle est l'impression qu'ils font, à eux-mêmes et aux autres ; et ceci est clair : ils n'ont jamais rien appris qui vienne de moi, mais ils ont trouvé eux-mêmes, à partir d'eux-mêmes, une foule de belles choses, et en demeurent les possesseurs. De l'accouchement, oui, le dieu est cause, et moi aussi.
Et voici en quoi c'est manifeste : beaucoup déjà l'ont méconnu et se sont attribué à eux-mêmes tout le mérite ; ayant conçu vis-à-vis de moi des idées de supériorité, ou

séduits eux-mêmes par d'autres, ils s'en sont allés plus tôt qu'il ne fallait. Une fois partis, engagés dans un rapport malsain, ils ont fait avorter ce qu'ils portaient encore, et en même temps, nourrissant mal ce dont j'avais permis l'accouchement, ils l'ont perdu, parce qu'ils faisaient plus de cas de choses fausses et d'imaginations que du vrai. Et pour finir, à eux-mêmes et aux autres, ils ont donné l'impression d'être inintelligents. Aristide, le fils de Lysimaque, a fini par être l'un d'entre eux, et d'autres, nombreux, je le dis sans réserves. Ceux-là, lorsqu'ils reviennent, réclamant de m'avoir pour partenaire et faisant des scènes extravagantes, à quelques-uns la chose divine qui m'arrive me retient de m'unir, à quelques-uns elle me laisse le faire, et ceux-là à nouveau donnent en abondance. Maintenant, ceux qui se font mes partenaires éprouvent aussi ceci, qui est identique pour les femmes en couches : car ils sont dans les affres, et ils sont emplis, pendant des nuits et des jours, beaucoup plus qu'elles, de quelque chose qui ne trouve pas d'issue ; et ce malaise, l'éveiller aussi bien que le faire cesser, mon art peut le faire. Et ceux-là, c'est bien ainsi qu'il en va pour eux.
Mais il y en a quelques-uns, Théétète, qui ne me paraissent rien porter : constatant qu'ils n'ont aucun besoin de moi, je fais pour eux, en toute obligeance, l'entremetteur, et, révérence gardée au dieu, je réussis parfaitement à deviner de qui il leur serait profitable de se faire les partenaires. Beaucoup parmi eux, oui, j'en ai fait cadeau à Prodicos, et beaucoup, à d'autres hommes d'un savoir plus qu'humain !
Maintenant, cela, mon très bon, je te l'ai exposé tout au long pour la raison suivante : je te soupçonne, juste comme toi-même tu le crois, d'être dans les affres parce qu'en ton sein tu portes quelque chose. Livre-toi donc à moi comme au fils d'une accoucheuse, qui lui-même fait des accouchements sa spécialité, et à ce que je peux te demander, aie à cœur de répondre autant que tu en es capable. Et si, donc, examinant quelqu'une des choses que tu aurais dites, j'en viens à la tenir pour imaginaire

et non pour du vrai, qu'ensuite je la subtilise et la rejette, ne sois pas, comme les femmes qui ont leur premier enfant, tel une bête sauvage autour de ses petits. Beaucoup déjà, en effet, admirable garçon, ont adopté vis-à-vis de moi une attitude telle qu'ils sont prêts tout simplement à mordre, dès lors que je fais disparaître quelqu'une de leurs inconsistances : c'est qu'ils ne croient pas que je fais cela par bienveillance, éloignés qu'ils sont de savoir qu'aucun dieu n'est hostile aux hommes, et que moi non plus je ne joue nullement ce genre de rôle par malveillance, mais qu'il ne m'est d'aucune façon permis de concéder le faux et d'affaiblir l'éclat du vrai.
Reprenons donc les choses au commencement, Théétète : ce que peut bien être la science, essaie de le dire ; et que tu n'en es pas capable, ne le dis jamais. Car si le dieu y consent et si tu agis en homme, tu en seras capable.

XI

MONTAIGNE

La tête bien faite

Montaigne, *Essais*, Livre premier,
chap. XXVI, GF-Flammarion, 1969,
p. 197-200 (français modernisé).

Montaigne (1533-1592) a fait précéder son chapitre sur l'éducation (le plus long des *Essais*, après l'*Apologie de Raymond Sebond*) d'un chapitre sur le pédantisme. Ce choix n'est pas arbitraire et la réflexion de Montaigne sur les pédants est bien un préalable à sa pensée pédagogique : avant de dire ce qu'il défend, Montaigne, dans ce texte plein de malice et d'humour, souligne d'un trait rouge ce qu'il récuse. Ce qu'il dénonce chez ces pédants – l'absence de jugement, une culture purement verbeuse – donne en effet la clé d'un des principes fondamentaux de sa pédagogie, qui est précisément de viser la formation du jugement. Cette idée centrale est exposée en cent formules qui feront les délices des anthologistes et dont la plus célèbre est sans doute celle relative à l'idée de « tête bien faite » plutôt que « bien pleine ». Mais ici un grave contresens doit être évité. Pour Montaigne il ne s'agit pas de choisir pour l'enfant entre deux options exclusives, celle de la tête bien faite ou celle de la tête bien pleine. Dans cette formule, pour commencer, c'est du précepteur dont il est question et, d'autre part, même s'il est vrai que Montaigne demande surtout qu'il ait tête bien faite (par quoi il entend non seulement les qualités intellectuelles liées au jugement, mais aussi les mœurs), une tête bien pleine est également nécessaire.

L'idée qu'une éducation digne de ce nom doit nous rendre meilleurs, « non plus savants mais mieux savants », est un autre principe fondamental de la pédagogie de Montaigne. L'éducation, affirme-t-il, doit nous remplir non pas tant la mémoire que la conscience et l'entendement. Pour prendre un exemple concernant l'étude de l'Histoire et qu'on lira dans l'extrait suivant, il importe moins de savoir où Marcellus mourut que pourquoi il fut indigne de son devoir qu'il mourût là. Cette éducation, Montaigne la veut générale et non spécialisée ; et s'il fait une place à l'éducation morale, à l'éducation physique et à l'éducation intellectuelle, il ambitionne surtout de former un être humain complet et n'a que faire des spécialités, au demeurant souvent oiseuses, que son époque fixe comme fins à l'éducation. Fort de ces principes et riche du souvenir de sa propre éducation reçue d'un père partisan de la « sévère douceur », Montaigne préconise des méthodes nouvelles adaptées aux finalités nouvelles qu'il fait siennes. Sa pédagogie mise sur l'activité de l'élève, que le précepteur doit « laisser parler à son tour » et « faire trotter devant lui pour juger de son train ». Loin de la verbosité qu'il déplore, loin de l'éducation purement livresque qu'il récuse, l'éducation qu'envisage Montaigne sera pratique, à la fois dans ses méthodes et dans ses fins, au nombre desquelles il faut compter apprendre à vivre et à mourir. Montaigne fait donc leur place, dans sa pédagogie, à la fréquentation des hommes, aux voyages, à l'observation des choses, à tous ces moyens qui invitent à l'exercice du jugement et qui permettent de faire émerger les capacités humaines en plongeant, si on ose dire, l'enfant dans l'humanité. La lecture sera elle aussi envisagée dans cette même perspective, comme moyen de faire siens, par le jugement, ce que les livres proposent. Remplies de tant d'éclairs fulgurants, les pages que Montaigne consacre à l'éducation ne sont pourtant pas sans refléter aussi son époque. On notera en particulier que le cadre de cette réflexion est celui d'un préceptorat et que Montaigne ne fait que bien peu de cas de l'éducation des femmes – et cela bien que lui-même ait choisi une femme comme exécutrice littéraire, Marie de Gournay.

La charge du gouverneur que vous lui donnerez, du choix duquel dépend tout l'effet de son institution, elle a plusieurs autres grandes parties ; mais je n'y touche point, pour n'y savoir rien apporter qui vaille ; et de cet article, sur lequel je me mêle de lui donner avis, il m'en croira autant qu'il y verra d'apparence. À un enfant de maison qui recherche les lettres, non pour le gain (car une fin si abjecte est indigne de la grâce et faveur des Muses, et puis elle regarde et dépend d'autrui), ni tant pour les commodités externes que pour les siennes propres, et pour s'en enrichir et parer au-dedans, ayant plutôt envie d'en tirer un habile homme qu'un homme savant, je voudrais aussi qu'on fût soigneux de lui choisir un conducteur qui eût plutôt la tête bien faite que bien pleine, et qu'on y requît tous les deux, mais plus les mœurs et l'entendement que la science ; et qu'il se conduisît en sa charge d'une nouvelle manière.

On ne cesse de criailler à nos oreilles, comme qui verserait dans un entonnoir, et notre charge ce n'est que redire ce qu'on nous a dit. Je voudrais qu'il corrigeât cette partie, et que, de belle arrivée, selon la portée de l'âme qu'il a en main, il commençât à la mettre sur la montre, lui faisant goûter les choses, les choisir et discerner d'elle-même ; quelquefois lui ouvrant chemin, quelquefois le lui laissant ouvrir. Je ne veux pas qu'il invente et parle seul, je veux qu'il écoute son disciple parler à son tour. Socrate et, depuis, Arcesilas faisaient premièrement parler leurs disciples, et puis ils parlaient à eux : « *L'autorité de ceux qui enseignent nuit la plupart du temps à ceux qui veulent apprendre.* » (Cicéron)

Il est bon qu'il le fasse trotter devant lui pour juger de son train, et juger jusqu'à quel point il se doit ravaler pour s'accommoder à sa force. À faute de cette proportion, nous gâtons tout ; et de la savoir choisir, et s'y conduire bien mesurément, c'est l'une des plus ardues besognes que je sache ; et est l'effet d'une haute âme et bien forte, savoir condescendre à ses allures puériles et les guider. Je marche plus sûr et plus ferme à mont qu'à val.

Ceux qui, comme porte notre usage, entreprennent, d'une même leçon et pareille mesure de conduite, régenter plusieurs esprits de si diverses mesures et formes, ce n'est pas merveille si, en tout un peuple d'enfants, ils en rencontrent à peine deux ou trois qui rapportent quelque juste fruit de leur discipline.

Qu'il ne lui demande pas seulement compte des mots de sa leçon, mais du sens et de la substance, et qu'il juge du profit qu'il aura fait, non par le témoignage de sa mémoire, mais de sa vie. Que ce qu'il viendra d'apprendre, il le lui fasse mettre en cent visages et accommoder à autant de divers sujets, pour voir s'il l'a encore bien pris et bien fait sien, prenant l'instruction de son progrès des pédagogismes de Platon. C'est témoignage de crudité et indigestion que de regorger la viande comme on l'a avalée. L'estomac n'a pas fait son opération, s'il n'a fait changer la façon et la forme à ce qu'on lui avait donné à cuire. Notre âme ne branle qu'à crédit, liée et contrainte à l'appétit des fantaisies d'autrui, serve et captivée sous l'autorité de leur leçon. On nous a tant assujettis aux cordes que nous n'avons plus de franches allures. Notre vigueur et liberté est éteinte. « *Ils ne sont jamais sous leur propre autorité.* » (Sénèque)

Je vis privément à Pise un honnête homme, mais si aristotélicien, que le plus général de ses dogmes est : que la touche et règle de toutes imaginations solides, et de toute vérité, c'est la conformité à la doctrine d'Aristote ; que, hors de là, ce ne sont que chimères et inanité ; qu'il a tout vu et tout dit. Cette proposition, pour avoir été un peu trop largement et iniquement interprétée, le mit autrefois et tint longtemps en grand accessoire à l'inquisition à Rome.

Qu'il lui fasse tout passer par l'étamine et ne loge rien en sa tête par simple autorité et à crédit ; les principes d'Aristote ne lui soient principes, non plus que ceux des stoïciens ou épicuriens. Qu'on lui propose cette diversité de jugements : il choisira s'il peut, sinon il en demeurera en doute. Il n'y a que les fous certains et résolus. « *Aussi bien que savoir douter me plaît.* » (Dante)

Car s'il embrasse les opinions de Xénophon et de Platon par son propre discours, ce ne seront plus les leurs, ce seront les siennes. Qui suit un autre, il ne suit rien. Il ne trouve rien, voire il ne cherche rien. « *Nous ne sommes pas sous la domination d'un roi ; que chacun dispose de lui-même.* » (Sénèque)

Qu'il sache qu'il sait, au moins. Il faut qu'il emboive leurs humeurs, non qu'il apprenne leurs préceptes. Et qu'il oublie hardiment, s'il veut, d'où il les tient, mais qu'il se les sache approprier. La vérité et la raison sont communes à un chacun et ne sont non plus à qui les a dites premièrement, qu'à qui les dit après. Ce n'est non plus selon Platon que selon moi, puisque lui et moi l'entendons et voyons de même. Les abeilles pilotent deçà delà les fleurs, mais elles en font après le miel, qui est tout leur ; ce n'est plus thym ni marjolaine : ainsi, les pièces empruntées d'autrui ; il les transformera et, confondra, pour en faire un ouvrage tout sien, à savoir son jugement. Son institution, son travail et étude ne vise qu'à le former.

Qu'il cèle tout ce de quoi il a été secouru, et ne produise que ce qu'il en a fait. Les pilleurs, les emprunteurs mettent en parade leurs bâtiments, leurs achats, non pas ce qu'ils tirent d'autrui. Vous ne voyez pas les épices d'un homme de parlement, vous voyez les alliances qu'il a gagnées et honneurs à ses enfants. Nul ne met en compte public sa recette ; chacun y met son acquêt.

Le gain de notre étude, c'est en être devenu meilleur et plus sage.

C'est, disait Épicharme, l'entendement qui voit et qui entend, c'est l'entendement qui approfite tout, dispose tout, qui agit, qui domine et qui règne : toutes autres choses sont aveugles, sourdes et sans âme.

Certes nous le rendons servile et couard, pour ne lui laisser liberté de rien faire de soi. Qui demanda jamais à son disciple ce qu'il lui semble de la Rhétorique et de

Grammaire de telle ou telle sentence de Cicéron ? On nous les plaque en la mémoire tout empennées, des oracles où les lettres et les syllabes sont de la substance de la chose. Savoir par cœur n'est pas savoir : c'est tenir ce qu'on a donné en garde à sa mémoire. Ce qu'on sait droitement, on en dispose, sans regarder au patron, sans tourner les yeux vers son livre. Fâcheuse suffisance, qu'une suffisance pure livresque ! Je m'attends qu'elle serve d'ornement, non de fondement, suivant l'avis de Platon, qui dit la fermeté, la foi, la sincérité être la vraie philosophie, les autres sciences et qui visent ailleurs, n'être que fard.

XII

ROUSSEAU

Une leçon d'astronomie

Rousseau, *Émile, ou De l'éducation*, Livre III,
GF-Flammarion, 2009, p. 256-261.

L'influence de la pensée de Rousseau sur l'ensemble de ces pédagogies qu'on peut appeler progressistes – pédagogies de la découverte, non directives, actives, etc.– tient de manière prépondérante à la substantielle redéfinition de ce que signifie apprendre avancée dans *Émile*, ainsi qu'aux méthodes pédagogiques qui en découlent. Le passage qui suit permet de mesurer, sur ces deux plans, la profondeur de la « révolution copernicienne » amorcée par Rousseau.

La conception rousseauiste de l'apprentissage allie une épistémologie empiriste – originale sur la question du jugement – à une anthropologie elle aussi originale, en particulier parce qu'elle débouche sur la pénétrante intuition du développementalisme.

Rousseau, comme les empiristes, part des sensations reçues passivement par l'esprit : « Les premières sensations des enfants sont purement affectives ; ils n'aperçoivent que le plaisir et la douleur » (Livre I). Mais il développe ensuite une anthropologie selon laquelle les individus sont des organismes appartenant à l'ordre naturel et dont le développement de l'ensemble des facultés et capacités suit un ordre normatif qui est justement décrit dans l'*Émile* : à chacun des stades de ce développement des possibilités sont ouvertes ou fermées. Sur le plan intellectuel, qui n'est qu'une dimension de ce tout organique que Rousseau nous invite à considérer, c'est l'exercice du jugement qui conduit progressivement de la sensation à l'idée : « Nos sensations sont purement passives, au lieu que toutes nos perceptions ou idées naissent d'un principe actif qui juge » (Livre II). On a pu mettre en doute la consistance de la pensée de Rousseau sur ce plan (il semble en effet admettre par ailleurs des idées innées, celle de justice par exemple) et on a, non sans raison, déploré le manque de clarté de sa description du mécanisme invoquée pour expliquer la genèse des idées. Rousseau écrit typiquement à ce propos : « [...] de la comparaison de plusieurs sensations successives ou simultanées, et du jugement qu'on en porte, naît une sorte de sensation mixte ou complexe, que j'appelle idée » (Livre III). Mais il est indéniable qu'une telle anthropologie jointe à une telle épistémologie ont pour l'éducation en général, pour la définition de ce que signifie apprendre en particulier et pour les pratiques pédagogiques, des conséquences considérables.

Il s'ensuit d'abord que l'éducateur devra impérativement connaître le stade de développement des enfants et savoir précisément auquel est parvenu celui dont il a la charge, de manière à pouvoir en tenir compte. Il s'ensuit encore la nécessité de repenser la prétention à raisonner avec les enfants et que l'ambition de véritablement développer leur raison exige de reconsidérer substantiellement la place centrale qui lui est faite, d'ordinaire et déplorablement trop tôt, dans l'éducation des enfants : « De toutes les facultés de l'homme, la raison, qui n'est, pour ainsi dire, qu'un composé de toutes les autres, est celle qui se développe le plus difficilement et le plus tard ; et c'est de celle-là qu'on veut se servir pour développer les premières ! » (Livre II)

Mais les prescriptions négatives que tout ceci laisse présager et qui commandent cette éducation justement négative, préconisée dans les premiers stades de l'enfance, permet aussi d'envisager l'éducation et l'apprentissage au-delà de limites que l'on a pu leur assigner. Ainsi Rousseau conçoit de manière neuve et originale l'éducation des émotions, du corps, de la moralité, et il peut affirmer avoir pris pour objet d'étude véritable celui que doit viser l'éducation correctement comprise, à savoir « la condition humaine » elle-même. Pour en rester au concept d'apprentissage, celui que Rousseau met en avant a l'utile pour principe, l'expérience et la nature pour guides ; en s'en réclamant, l'éducateur (le précepteur dans le cas d'Émile) porte une grande attention aux besoins de l'enfant et trouve en eux la solution au problème de la motivation et l'espoir, sinon la garantie que ce qui est ainsi appris l'est plus profondément et plus durablement. Cette conception de l'apprentissage est enfin farouchement opposée au verbalisme des méthodes et pédagogues traditionnels : « Car, que leur apprennent-ils, enfin ? Des mots, encore des mots, et toujours des mots. Parmi les diverses sciences qu'ils se vantent de leur enseigner, ils se gardent bien de choisir celles qui leur seraient véritablement utiles, parce que ce seraient des sciences de choses, et qu'ils n'y réussiraient pas ; mais celles qu'on paraît savoir quand on en sait les termes, le blason, la géographie, la chronologie, les langues, etc. ; toutes études si loin de l'homme, et surtout de l'enfant, que c'est une merveille si rien de tout cela lui peut être utile une seule fois en sa vie » (Livre II). D'où cette exhortation qui sera celle de tous les pédagogues progressistes : « Ne donnez à votre élève aucune espèce de leçon verbale ; il n'en doit recevoir que de l'expérience » (Livre II). La leçon d'astronomie qui suit illustre tout cela.

Sitôt que nous sommes parvenus à donner à notre élève une idée du mot *utile*, nous avons une grande prise de plus pour le gouverner ; car ce mot le frappe beaucoup, attendu qu'il n'a pour lui qu'un sens relatif à son âge, et qu'il en voit clairement le rapport à son bien-être actuel. Vos enfants ne sont point frappés de ce mot parce que vous n'avez pas eu soin de leur en donner une idée qui soit à leur portée, et que d'autres se chargeant toujours de pourvoir à ce qui leur est utile, ils n'ont jamais besoin d'y songer eux-mêmes, et ne savent ce que c'est qu'utilité.

À quoi cela est-il bon? Voilà désormais le mot sacré, le mot déterminant entre lui et moi dans toutes les actions de notre vie : voilà la question qui de ma part suit infailliblement toutes ses questions, et qui sert de frein à ces multitudes d'interrogations sottes et fastidieuses dont les enfants fatiguent sans relâche et sans fruit tous ceux qui les environnent, plus pour exercer sur eux quelque espèce d'empire que pour en tirer quelque profit. Celui à qui, pour sa plus importante leçon, l'on apprend à ne vouloir rien savoir que d'utile, interroge comme Socrate ; il ne fait pas une question sans s'en rendre à lui-même la raison qu'il sait qu'on lui en va demander avant que de la résoudre.

Voyez quel puissant instrument je vous mets entre les mains pour agir sur votre élève. Ne sachant les raisons de rien, le voilà presque réduit au silence quand il vous plaît ; et vous, au contraire, quel avantage vos connaissances et votre expérience ne vous donnent-elles point pour lui montrer l'utilité de tout ce que vous lui proposez ! Car, ne vous y trompez pas, lui faire cette question, c'est lui apprendre à vous la faire à son tour ; et vous devez compter, sur tout ce que vous lui proposerez dans la suite, qu'à votre exemple il ne manquera pas de dire : *À quoi cela est-il bon?*

C'est ici peut-être le piège le plus difficile à éviter pour un gouverneur. Si, sur la question de l'enfant, ne cherchant qu'à vous tirer d'affaire, vous lui donnez une seule raison qu'il ne soit pas en état d'entendre, voyant que vous raisonnez sur vos idées et non sur les siennes, il croira ce que vous lui dites bon pour votre âge, et non pour le sien ; il ne se fiera plus à vous, et tout est perdu. Mais où est le maître qui veuille bien rester court et convenir de ses torts avec son élève ? Tous se font une loi de ne pas convenir même de ceux qu'ils ont ; et moi je m'en ferais une de convenir même de ceux que je n'aurais pas, quand je ne pourrais mettre mes raisons à sa portée :

ainsi ma conduite, toujours nette dans son esprit, ne lui serait jamais suspecte, et je me conserverais plus de crédit en me supposant des fautes, qu'ils ne font en cachant les leurs.

Premièrement, songez bien que c'est rarement à vous de lui proposer ce qu'il doit apprendre ; c'est à lui de le désirer, de le chercher, de le trouver ; à vous de le mettre à sa portée, de faire naître adroitement ce désir et de lui fournir les moyens de le satisfaire. Il suit de là que vos questions doivent être peu fréquentes, mais bien choisies ; et que, comme il en aura beaucoup plus à vous faire que vous à lui, vous serez toujours moins à découvert, et plus souvent dans le cas de lui dire : *En quoi ce que vous me demandez est-il utile à savoir ?*

De plus, comme il importe peu qu'il apprenne ceci ou cela, pourvu qu'il conçoive bien ce qu'il apprend, et l'usage de ce qu'il apprend, sitôt que vous n'avez pas à lui donner sur ce que vous lui dites un éclaircissement qui soit bon pour lui, ne lui en donnez point du tout. Dites-lui sans scrupule : je n'ai pas de bonne réponse à vous faire ; j'avais tort, laissons cela. Si votre instruction était réellement déplacée, il n'y a pas de mal à l'abandonner tout à fait ; si elle ne l'était pas, avec un peu de soin vous trouverez bientôt l'occasion de lui en rendre l'utilité sensible.

Je n'aime point les explications en discours ; les jeunes gens y font peu d'attention et ne les retiennent guère. Les choses ! Les choses ! Je ne répéterai jamais assez que nous donnons trop de pouvoir aux mots ; avec notre éducation babillarde nous ne faisons que des babillards.

Supposons que, tandis que j'étudie avec mon élève le cours du soleil et la manière de s'orienter, tout à coup il m'interrompe pour me demander à quoi sert tout cela. Quel beau discours je vais lui faire ! De combien de choses je saisis l'occasion de l'instruire en répondant à sa question, surtout si nous avons des témoins de notre entretien. Je lui parlerai de l'utilité des voyages, des avantages du commerce, des productions particulières à chaque climat, des mœurs des différents peuples, de l'usage du calendrier, de la supputation du retour des saisons pour l'agriculture, de l'art de la navigation, de la manière de se conduire sur mer et de suivre exactement sa route, sans savoir où l'on est. La politique, l'histoire naturelle, l'astronomie, la morale même et le droit des gens entreront dans mon explication, de manière à donner à mon élève une grande idée de toutes ces sciences et un grand désir de les apprendre. Quand j'aurai tout dit, j'aurai fait l'étalage d'un vrai pédant, auquel il n'aura pas compris une seule idée. Il aurait grande envie de me demander comme auparavant à quoi sert de s'orienter ; mais il n'ose, de peur que je me fâche. Il trouve mieux son compte à feindre d'entendre ce qu'on l'a forcé d'écouter. Ainsi se pratiquent les belles éducations.

Mais notre Émile, plus rustiquement élevé, et à qui nous donnons avec tant de peine une conception dure, n'écoutera rien de tout cela. Du premier mot qu'il n'entendra pas, il va s'enfuir, il va folâtrer par la chambre, et me laisser pérorer tout seul. Cherchons une solution plus grossière ; mon appareil scientifique ne vaut rien pour lui.

Nous observions la position de la forêt au nord de Montmorency, quand il m'a interrompu par son importune question : *À quoi sert cela?* Vous avez raison, lui dis-je, il y faut penser à loisir ; et si nous trouvons que ce travail n'est bon à rien, nous ne le reprendrons plus, car nous ne manquons pas d'amusements utiles. On s'occupe d'autre chose, et il n'est plus question de géographie du reste de la journée.

Le lendemain matin, je lui propose un tour de promenade avant le déjeuner ; il ne demande pas mieux ; pour courir, les enfants sont toujours prêts, et celui-ci a de bonnes jambes. Nous montons dans la forêt, nous parcourons les Champeaux, nous nous égarons, nous ne savons plus où nous sommes ; et, quand il s'agit de revenir, nous ne pouvons plus retrouver notre chemin. Le temps se passe, la chaleur vient, nous avons faim ; nous nous pressons, nous errons vainement de côté et d'autre, nous ne trouvons partout que des bois, des carrières, des plaines, nul renseignement pour nous reconnaître. Bien échauffés, bien recrus, bien affamés, nous ne faisons avec nos courses que nous égarer davantage. Nous nous asseyons enfin pour nous reposer, pour délibérer. Émile, que je suppose élevé comme un autre enfant, ne délibère point, il pleure ; il ne sait pas que nous sommes à la porte de Montmorency, et qu'un simple taillis nous le cache ; mais ce taillis est une forêt pour lui, un homme de sa stature est enterré dans des buissons.

Après quelques moments de silence, je lui dis d'un air inquiet : mon cher Émile, comment ferons-nous pour sortir d'ici ?

ÉMILE, en nage, et pleurant à chaudes larmes — Je n'en sais rien. Je suis las ; j'ai faim ; j'ai soif ; je n'en puis plus.

JEAN-JACQUES — Me croyez-vous en meilleur état que vous ? Et pensez-vous que je me fisse faute de pleurer, si je pouvais déjeuner de mes larmes ? Il ne s'agit pas de pleurer, il s'agit de se reconnaître. Voyons votre montre ; quelle heure est-il ?

ÉMILE — Il est midi, et je suis à jeun.

JEAN-JACQUES — Cela est vrai, il est midi, et je suis à jeun.

ÉMILE — Oh ! que vous devez avoir faim !

JEAN-JACQUES — Le malheur est que mon dîner ne viendra pas me chercher ici. Il est midi : c'est justement l'heure où nous observions hier de Montmorency la position de la forêt. Si nous pouvions de même observer de la forêt la position de Montmorency !...

ÉMILE — Oui ; mais hier nous voyions la forêt, et d'ici nous ne voyons pas la ville.

JEAN-JACQUES — Voilà le mal... Si nous pouvions nous passer de la voir pour trouver sa position !

ÉMILE — Ô mon bon ami !

JEAN-JACQUES — Ne disions-nous pas que la forêt était...

ÉMILE — Au nord de Montmorency.

JEAN-JACQUES — Par conséquent Montmorency doit être...

ÉMILE — Au sud de la forêt.

JEAN-JACQUES — Nous avons un moyen de trouver le nord à midi ?

ÉMILE — Oui, par la direction de l'ombre.

JEAN-JACQUES — Mais le sud ?

ÉMILE — Comment faire ?

JEAN-JACQUES — Le sud est l'opposé du nord.

ÉMILE — Cela est vrai ; il n'y a qu'à chercher l'opposé de l'ombre. Oh ! voilà le sud ! Voilà le sud ! Sûrement Montmorency est de ce côté.

JEAN-JACQUES — Vous pouvez avoir raison : prenons ce sentier à travers le bois.

ÉMILE, frappant des mains, et poussant un cri de joie — Ah ! je vois Montmorency ! Le voilà tout devant nous, tout à découvert. Allons déjeuner, allons dîner, courons vite : l'astronomie est bonne à quelque chose.

Prenez garde que, s'il ne dit pas cette dernière phrase, il la pensera ; peu importe, pourvu que ce ne soit pas moi qui la dise. Or soyez sûr qu'il n'oubliera de sa vie la leçon de cette journée ; au lieu que, si je n'avais fait que lui supposer tout cela dans sa chambre, mon discours eût été oublié dès le lendemain. Il faut parler tant qu'on peut par les actions, et ne dire que ce qu'on ne saurait faire.

XIII

HEGEL

La culture classique

Hegel, « Discours du 29 septembre 1809 », in *Textes pédagogiques*, trad. B. Bourgeois, Vrin, 1978, p. 81-85.

Le passage cité ci-après est extrait d'un discours de distribution des prix. Hegel y défend, en éducation, la primauté de la culture classique de l'Antiquité et de ses textes. Il est éclairant de confronter la conception hégélienne de l'éducation et de la culture en général – qu'il s'agisse de celles de l'individu, d'un peuple ou de l'humanité elle-même – avec ce qu'avancent les principaux penseurs de l'Aufklärung et ceux de l'humanisme classique. Les premiers décrivent un processus linéaire et uniforme d'accès à la rationalité, et les seconds un progressif façonnement conformément à un idéal harmonieux. Hegel en revanche décrit un processus menant l'Esprit, à travers de cruciaux moments d'aliénation, d'un état initial et primitif d'unité à une réconciliation harmonieuse et supérieure. On reconnaît dans cette description, appliquée ici à l'éducation, le schéma de la dialectique hégélienne, selon laquelle il s'agit chaque fois de dresser le tableau des vérités partielles qui conduisent, à travers des contradictions surmontées, jusqu'au déploiement intégral de l'Esprit et donc à l'Absolu. « De l'Absolu, il faut dire qu'il est essentiellement résultat, c'est-à-dire qu'il est seulement à la fin ce qu'il est en vérité », écrit Hegel au début de sa *Phénoménologie de l'esprit*, ouvrage qui retrace justement les étapes de ce déploiement de l'Esprit dans l'itinéraire de la connaissance. Une telle perspective a sur l'éducation d'immenses et profondes conséquences que l'on pourra commencer à apercevoir dans le texte qui suit. En particulier, on remarque que c'est au nom de la nécessité pour la « culture théorétique » d'en passer par cette « souffrance légère » consistant « à s'occuper de quelque chose de non-immédiat, d'étranger, de quelque chose qui appartienne au souvenir, à la mémoire et à la pensée », qu'est revendiquée dans l'éducation la centralité de la culture de l'Antiquité et de ses langues. Les conceptions de l'intérêt, de l'expérience (immédiate) et de l'utile sur lesquelles ces analyses reposent sont point par point aux antipodes de celles qu'invoquent tant de pédagogies empiristes et romantiques qui méconnaissent cette « tendance centrifuge de l'âme ». Celles-ci feraient alors encourir à l'Esprit de graves dangers que Hegel a parfaitement identifiés – par exemple lorsqu'il condamne les pédagogies du jeu : « La nécessité d'être élevé existe chez les enfants comme le sentiment qui leur est propre de ne pas être satisfaits d'être ce qu'ils sont. C'est la tendance à appartenir au monde des grandes personnes qu'ils devinent supérieur, le désir de devenir grands. La pédagogie du jeu traite l'élément puéril comme quelque chose de valable en soi, le présente aux enfants comme tel, et rabaisse pour eux ce qui est sérieux, et elle-même à une forme puérile peu considérée par les enfants. En les représentant comme achevés dans l'état d'inachèvement où ils se sentent, en s'efforçant ainsi de les rendre contents, elle trouble et altère leur vrai besoin spontané qui est bien meilleur. Elle a pour effet le détachement des réalités substantielles, du monde spirituel et d'abord le mépris des hommes, qui se sont présentés eux-mêmes comme puérils et méprisables aux enfants, et enfin, la vanité et la confiance des enfants pleins du sentiment de leur distinction propre » (Hegel, *Principes de la philosophie du droit*). On notera que langue allemande dispose de deux (couples de) mots pour parler d'éducation : *bilden* (verbe) et *Bildung* (nom) d'une part ; *erziehen* (verbe) et *Erziehung* (nom) d'autre part. Le premier met l'accent sur le résultat de l'éducation, le deuxième sur le processus. Hegel parle de culture et d'éducation en employant le mot *Bildung*.

Il semble que ce soit une exigence légitime, que la culture, l'art et la science d'un peuple parviennent à avoir leur assise en eux-mêmes. N'avons-nous pas le droit de croire, au sujet de la culture du monde moderne, de nos Lumières et des progrès de tous les arts et de toutes les sciences, qu'ils ont dépassé l'enfance grecque et romaine, se sont libérés de leurs anciennes lisières et peuvent prendre appui sur leur propre fond ? Les œuvres des Anciens pourraient bien garder leur valeur estimée plus ou moins haut, mais devraient se retirer dans la série des souvenirs, des curiosités savantes oiseuses, au sein de ce qui est purement historique, élément que l'on pourrait ou non accueillir, mais qui ne devrait pas tout uniment constituer la base et le principe initial pour notre culture spirituelle supérieure.

Mais, si nous admettons que, d'une façon générale, il faut partir de ce qu'il y a d'excellent, la littérature grecque surtout, et ensuite la littérature romaine, doivent être et demeurer la base des études supérieures. La perfection et la splendeur de ces chefs-d'œuvre doit nécessairement être le bilan spirituel, le baptême profane donnant à l'âme le ton et la teinture inamissibles appropriés à ce qui relève du goût et de la science. Et, pour une telle initiation, il ne suffit pas de faire connaissance de façon générale, extérieure, avec les Anciens, mais il nous faut donner à eux dans le logement et la nourriture, pour nous imprégner de leur air, de leur représentation, de leurs mœurs, et même, si l'on veut, de leurs erreurs ainsi que de leurs préjugés, et parvenir à être chez nous dans un tel monde, le plus beau qui ait été. Si le premier paradis fut le paradis de la *nature humaine*, nous avons, ici, le second paradis situé plus haut, le paradis de l'*esprit humain*, qui, comme la jeune mariée, au sortir de sa chambre, s'avance en la beauté accrue de sa naturalité, liberté, profondeur et sérénité. La somptuosité sauvage initiale de son éclosion en Orient est circonscrite par la splendeur de la forme et adoucie en direction de la beauté ; sa profondeur ne réside plus dans ce qui est embrouillé, sombre ou plein d'enflure, mais elle se donne à voir dans une clarté sans mystère ; sa sérénité n'est pas jeu puéril, mais est répandue au-dessus de la mélancolie qui connaît la dureté du destin sans, toutefois, être poussée par celle-ci hors de la liberté qui en dispose et hors de toute mesure. Je ne crois pas trop affirmer quand je dis que celui qui n'a pas connu les œuvres des Anciens a vécu sans connaître la beauté.

Or, tandis que nous établissons notre demeure dans un tel élément, il ne se produit pas seulement que toutes les forces de l'âme y sont stimulées, développées et exercées, mais il est un *matériau propre* au moyen duquel nous nous enrichissons et nous élaborons notre substance meilleure.

Il a été dit que l'*activité de l'esprit* pouvait être exercée à même *tout matériau*, et que ce qui se présentait comme le matériau le plus approprié, c'étaient, pour une part, des objets ayant une utilité extérieure, pour une autre part, les objets sensibles qui seraient les plus adaptés à l'âge des jeunes gens ou des enfants, en tant qu'appartenant à la sphère et au mode d'être de la représentation, que cet âge a déjà en sa possession en et pour lui-même.

L'élément formel est-il ainsi séparable de la matière et indifférent à l'égard d'elle, l'exercice lui-même est-il tel relativement à la sphère objective à même laquelle il doit se pratiquer ? Peut-être l'est-il, peut-être aussi ne l'est-il pas. En tous cas, ce n'est pas l'exercice seulement qui importe. Tout comme la plante ne fait pas qu'exercer les forces de sa reproduction au contact de la lumière et de l'air, mais, en même temps, dans ce processus, absorbe sa nourriture, semblablement, le matériau, à même lequel l'entendement et le pouvoir de l'âme en général se développent et s'exercent, doit nécessairement être en même temps une nourriture. Ce n'est pas le matériau prétendument utile, le matériau sensible, dont il est question, tel qu'il tombe immédiatement dans le monde de la représentation de l'enfant, c'est seulement le contenu spirituel, ayant dans et pour lui-même de la valeur et de l'intérêt, qui fortifie l'âme et procure cette tenue indépendante, cette intériorité substantielle, qui est la mère de la possession de soi, de la circonspection, de la présence et de la vigilance de l'esprit. En son action génératrice, il fait de l'âme élevée auprès de lui comme un noyau ayant une valeur autonome, constituant une fin absolue, qui, seul, forme l'assise utilisable en vue de tout et qu'il est important d'implanter dans tous les états sociaux. N'avons-nous pas vu, dans les temps modernes, jusqu'à des États eux-mêmes, qui négligèrent et dédaignèrent de conserver et de développer un tel arrière-fond intérieur dans l'âme de leurs sujets, qui les dirigèrent vers la simple utilité et seulement comme vers un moyen, vers ce qui est d'ordre spirituel, se trouver dépourvus de tout soutien dans les dangers, et s'écrouler au milieu de leurs multiples moyens utiles ?

La nourriture la plus noble, et sous la forme la plus noble, les pommes d'or dans des pelures d'argent, ce sont bien les œuvres des Anciens qui les contiennent, et incomparablement plus que toutes les autres œuvres de n'importe quelle époque et de n'importe quelle nation. Je n'ai qu'à évoquer la grandeur de leurs sentiments, leur vertu et leur patriotisme plastiques, exempts de la duplicité morale, le grand style de leurs actes et de leurs caractères, la multiformité de leurs destins, de leurs mœurs et de leurs constitutions, pour justifier l'affirmation qu'aucune culture n'a réuni en son champ autant d'éléments excellents, admirables, originaux, riches d'aspects, et instructifs.

Mais cette richesse est liée à la *langue* et c'est seulement par et dans celle-ci que nous l'atteignons en tout son être propre. Des traductions nous donnent peut-être le contenu, mais non la forme, non l'âme éthérée de celui-ci. Elles ressemblent aux roses artificielles, qui peuvent être analogues aux roses naturelles quant à la forme, à la couleur, éventuellement aussi au parfum ; mais celles-là ne peuvent atteindre la suavité, la délicatesse et le moelleux de la vie. Ou bien, l'élégance et la finesse que la copie peut avoir par ailleurs n'appartiennent qu'à celle-ci, en laquelle se fait sentir un contraste entre le contenu et la forme qui n'est pas née avec lui. La langue est l'élément musical, l'élément de l'intimité, qui disparaît dans la transposition ; elle est le parfum délicat, par l'intermédiaire duquel la sympathie de l'âme s'offre à la jouissance, mais sans lequel une œuvre des Anciens a seulement le goût du vin du Rhin qui a perdu son parfum.

Cette circonstance nous impose la nécessité, qui paraît dure, d'étudier à fond les langues des Anciens et de nous les rendre familières, pour que nous puissions jouir de leurs œuvres dans toute l'étendue possible de leurs aspects et de leurs éminentes qualités. Si nous voulions nous plaindre de la peine qu'il nous faudrait déployer et prendre à cette fin, et si nous pouvions redouter ou regretter de devoir, en contrepartie, négliger l'acquisition d'autres connaissances et aptitudes, nous aurions à incriminer le destin qui ne nous a pas donné en partage, dans notre propre langue, un tel champ d'œuvres classiques, qui nous auraient rendu non indispensable le pénible voyage vers l'Antiquité et nous auraient fourni de quoi remplacer celle-ci.

Après avoir parlé du *matériau* de la culture, je souhaite, ici, dire encore quelques mots sur ce que comporte sa nature, pour ce qui est de la *forme*.

Il faut savoir que la progression de la culture ne peut être regardée comme le calme prolongement d'une chaîne, aux maillons précédents de laquelle les maillons suivants seraient rattachés – certes, de telle façon qu'il soit tenu compte de ceux-là – mais en raison de leur matière propre, et sans que ce travail ultérieur soit mis en perspective sur le premier. Au contraire, la culture doit nécessairement disposer d'un matériau et objet préalable sur lequel elle travaille, qu'elle modifie et élève à une forme nouvelle. Il est nécessaire que nous fassions l'acquisition du monde de l'Antiquité, tant pour le posséder que, plus encore, pour avoir quelque chose à travailler. – Mais, pour devenir objet, la substance de la nature et de l'esprit doit être venue nous faire face, elle doit avoir reçu la forme de quelque chose d'étranger. – Malheureux est celui qui a vu son monde immédiat de sentiments se séparer de lui pour devenir étranger ; – car cela ne signifie rien d'autre si ce n'est que les liens individuels qui unissent l'âme et la pensée à la vie, d'une amitié sacrée, la foi, l'amour et la confiance, sont pour lui déchirés. – Pour l'aliénation qui conditionne la culture théorétique, celle-ci n'exige pas cette souffrance éthique, pas cette douleur du cœur, mais la souffrance et tension plus légère de la représentation, consistant à s'occuper de quelque chose de non-immédiat, d'étranger, de quelque chose qui appartienne au souvenir, à la mémoire et à la pensée. – Cependant, cette exigence de la séparation est si nécessaire qu'elle s'extériorise en nous comme une tendance universelle et bien connue. Ce qui est étranger, ce qui est lointain, renferme un intérêt dont l'attrait nous incite à nous occuper et à nous mettre en peine de lui, et ce qui est désirable est inversement proportionnel à la proximité dans laquelle il se tient et qui le relie à nous. La jeunesse se représente comme une chance de quitter son chez-soi et d'habiter, avec Robinson, une île lointaine. C'est une illusion nécessaire, de devoir rechercher ce qui a de la profondeur, d'abord dans la figure de l'éloignement ; mais la profondeur et la force que nous obtenons ne peuvent être mesurées que par l'étendue en laquelle nous avons fui le centre où nous nous trouvions d'abord absorbés et vers lequel nous tendons à retourner.

C'est bien sur cette tendance centrifuge de l'âme que se fonde, en somme, la nécessité d'offrir à celle-ci même la scission qu'elle recherche d'avec son essence et situation naturelle, et d'introduire dans le jeune esprit un monde éloigné, étranger. Mais le mur grâce auquel est opérée cette séparation en vue de la culture, dont il est ici question, est le monde et la langue des Anciens ; mais ce mur, qui nous sépare d'avec nous-mêmes, contient, en même temps, tous les points d'ancrage initiaux et les fils conducteurs du retour à nous-mêmes, de l'attachement amical à lui-même, et des retrouvailles avec nous-mêmes, mais avec nous [tels que nous sommes] selon l'essence universelle vraie de l'esprit.

XIV

DEWEY

L'ENFANT ET LES PROGRAMMES D'ÉTUDES

Dewey, « L'enfant et les programmes d'études », dans *L'École et l'enfant*, trad. L. S. Pidoux, Fabert, 2004.

Par son analyse en cinq moments de ce qu'il appelle un acte de pensée, et que nous avons précédemment décrit (p. 34), Dewey a fortement influencé les concepteurs de cette méthode des projets par laquelle on apprend en faisant – « Learning by doing » étant d'ailleurs le slogan par lequel on résume parfois sa pédagogie. Mais personne mieux que Dewey ne décrit les implications de cette épistémologie instrumentaliste pour le curriculum et la pédagogie. C'est justement ce qu'il fait ici en s'efforçant, à sa manière habituelle, de relier dialectiquement deux termes que d'aucuns seraient tentés de poser comme antinomiques : l'enfant et le curriculum. Dewey s'oppose aux pédagogies qui mettent l'accent sur un curriculum qu'il s'agirait de présenter à l'enfant sous la forme d'atomes assimilables en usant de discipline. Mais il s'oppose aussi aux pédagogies paidocentristes mettant l'intérêt de l'enfant au premier plan. Il préconise plutôt ce qu'on appellerait aujourd'hui une transposition didactique, mais singulière, et qui se propose, partant de l'expérience vivante et personnelle de l'enfant, de rejoindre, comme par cercles concentriques, le savoir provisoire et toujours vivant accumulé par l'humanité dans sa résolution de problèmes. Le fait que cette réconciliation de l'enfant et du curriculum passe par des projets collectifs annonce et laisse deviner ce que Dewey propose quant au rôle politique de l'éducation au sein d'une démocratie, un sujet que nous examinerons plus loin (texte n° 24).

L'éducateur doit tenir compte de deux facteurs fondamentaux dont les relations posent précisément le problème pédagogique ; d'un côté, l'enfant, être qui évolue ; de l'autre, certaines idées, certains buts, certaines valeurs acquises par l'expérience mûrie des adultes. L'idéal que doit se proposer une théorie éducative, c'est d'arriver à faciliter et à rendre plus efficaces et plus complètes les relations réciproques de ces deux forces. […] On pourrait énumérer indéfiniment les différences et divergences apparentes qui existent entre l'enfant et le programme scolaire [...] : d'abord le monde restreint, mais personnel, dans lequel se meut l'enfant, et le monde impersonnel, vaste comme le temps et l'espace, où l'école l'introduit ; ensuite, l'unité toute affective de la vie de l'enfant, et les spécialisations et les divisions du programme d'études ; enfin, en opposition avec la vie pratique, émotionnelle de l'enfant, un principe abstrait et logique d'ordonnance et de classification.

Différentes écoles pédagogiques sont nées de ces conflits. L'une d'elle fixe son attention sur l'importance des matériaux du programme. […] Subdivisons chaque sujet en branches d'études, chaque branche en leçons, chaque leçon en faits spécifiques et en formules. Faisons parcourir à l'enfant pas à pas chacune de nos provinces scientifiques, bientôt il aura ainsi couvert tout le champ de la connaissance. […] C'est le sujet d'étude qui est le but et qui détermine la méthode à suivre. L'enfant, c'est l'être qui doit être amené à maturité, l'être superficiel auquel il faut donner de la profondeur et dont il faut élargir l'étroite expérience. […]

Non pas, répond l'école opposée. L'enfant est le point de départ, le centre, le but. L'idéal, c'est son développement, sa croissance. Cela seul fournit une méthode pédagogique. Toutes les études doivent être les servantes de cette croissance ; elles ne valent que comme instrument de ce développement. […] L'idéal, ce n'est pas que l'enfant accumule des connaissances, mais développe ses capacités. […] La vraie étude est un processus actif qui développe l'esprit ; c'est une assimilation organique dont l'origine est interne. Nous devons donc, littéralement, partir de l'enfant, le prendre pour guide. […] Pourquoi, dans nos écoles, tant de choses mortes, mécaniques, formelles, sinon parce qu'on subordonne au programme la vie et l'expérience de l'enfant ? C'est pourquoi l'étude est devenue synonyme de corvée et les leçons ont pris l'aspect d'une tâche.

Cette opposition fondamentale entre l'enfant et les programmes, telle que nous la présentent les deux doctrines adverses que nous venons d'indiquer peut être encore formulée comme suit : *Discipline*, c'est la devise de ceux qui proclament la beauté des programmes ; *Intérêt*, c'est celle de leurs opposants. Les premiers sont avant tout des logiciens, les seconds des psychologues. Les premiers insistent sur la nécessité de posséder des maîtres parfaitement instruits et rompus à la discipline scientifique, les seconds exigent d'eux de la sympathie pour l'enfant et la connaissance de ses instincts naturels. […] Les uns s'efforcent avant tout de conserver l'héritage qui est le fruit des peines et des labeurs des hommes d'autrefois ; les autres affectionnent la nouveauté, le changement, le progrès. […]

Quel est donc le problème qui se pose ? Il s'agit de nous débarrasser de l'idée funeste qu'il y aurait opposition entre l'expérience de l'enfant et les divers sujets qu'il rencontrera au cours de ses études.

Il faut faire voir que l'expérience de l'enfant renferme déjà en elle-même des éléments – faits et vérités – de même nature que ceux que contiennent des études élaborées par la raison de adultes ; […] il faut montrer comment elle renferme les attitudes, les mobiles, les intérêts qui ont opéré le développement et l'organisation des programmes logiquement agencés. Et, d'autre part, il s'agit d'interpréter ceux-ci comme le résultat organique de forces à l'œuvre dans la vie de l'enfant, et d'y découvrir les moyens de donner à l'expérience insuffisante de l'enfant une maturité plus riche.

Abandonnons la notion de programme fixes et valables par eux-mêmes, en dehors de l'expérience enfantine ; cessons de penser à celle-ci comme à quelque chose de rigide et de fini ; voyons-en le caractère mobile, évolutif, vivant, et nous comprendrons que l'enfant et le programme ne sont que des limites définissant un seul et même processus. Comme deux points déterminent une droite, ainsi l'état mental actuel d'un enfant et les faits et vérités contenus dans les « sciences » délimitent l'instruction. Celle-ci est une reconstruction continuelle, qui va de l'expérience toujours changeante de l'enfant aux vérités organiques qui forment ce qu'on appelle les « études ».

Les diverses branches d'études telles que l'arithmétique, la géographie, les langues, la botanique, etc. sont elles-mêmes des expériences – celles de la race. Elles incarnent les efforts accumulés, les luttes et les succès de l'humanité. [...]

Du moment que nous voyons où l'expérience de l'enfant peut le mener, nous pouvons voir aussi dans quelle direction se meut son expérience présente [...]. Ce dont la pédagogie a besoin, c'est d'une théorie qui nous permette d'interpréter, d'évaluer les manifestations de l'activité mentale de l'enfant à la lumière de l'évolution vitale plus vaste dont elle fait partie. [...] Quelques-unes des activités de l'enfant marquent une tendance en voie de disparition ; elles indiquent par leur survivance qu'un organe a joué son rôle et ne sert maintenant plus à rien. Dans ces conditions, ce serait arrêter le développement de l'enfant à un niveau inférieur que de s'attarder à considérer ces activités. [...] D'autres activités, par contre, sont des signes d'apparition d'un intérêt ou d'une capacité intenses [...] Si on ne profite pas tout de suite de leur présence, l'occasion ne se retrouvera jamais. Mais si on les utilise, si on leur donne essor, elles peuvent marquer un tournant décisif dans la carrière d'un homme. D'autres actes, d'autres sentiments sont prophétiques ; ils sont les signes avant-coureurs d'une lumière qui ne luira pleinement que dans l'avenir. Dans ce dernier cas, l'éducateur doit veiller à ce que rien n'entrave l'apparition de cette clarté et l'attendre avec sympathie.

La faiblesse de l'« ancienne pédagogie » était de faire d'irritantes comparaisons entre l'immaturité de l'enfant et la maturité de l'adulte, et de regarder la première comme un déficit qu'il faut éliminer aussi vite et aussi complètement que possible ; le danger de la « nouvelle pédagogie » serait de traiter les intérêts et les capacités de l'enfant comme des choses significatives par elles-mêmes. En réalité, ce que l'enfant sait, ce qu'il possède, est fluide, mobile, essentiellement changeant.

Il serait désastreux que la pédagogie laissât croire au public qu'à un âge donné un enfant possède un certain nombre de tendances et d'intérêts qui doivent être cultivés tels quels. Car les intérêts ne sont pas autre chose que les attitudes vis-à-vis d'expériences possibles ; ils n'ont rien d'achevé, de complet ; leur valeur est celle d'un levier.

[…] Quelles expériences faut-il rechercher, quels stimulants faut-il employer ? C'est ce qu'il est impossible d'établir si l'on ne comprend pas à quel développement on veut atteindre ; c'est assez dire que la science des adultes doit nous aider à voir ce dont l'enfant est capable.

On pourrait comparer la différence entre le point de vue des psychologues et celui des logiciens – en éducation – à celle qui existe entre les notes prises par un explorateur dans un pays vierge, où il se fraye péniblement un chemin, et la carte de cette même contrée dressée une fois l'exploration achevée. Notes et cartes scientifiques sont mutuellement dépendantes. Sans la marche accidentée et cahotante de l'explorateur, on ne posséderait aucun fait utilisable pour l'établissement de la carte définitive. D'autre part, nul ne bénéficierait du voyage de cet explorateur s'il ne le comparait aux voyages d'autres explorateurs ; et si les faits nouveaux : fleuves traversés, montagnes escaladées, étaient considérés comme de purs accidents de route, sans relation avec des faits déjà connus. La carte met de l'ordre dans les expériences individuelles, les relie, sans tenir compte des circonstances locales, temporelles et accidentelles qui ont accompagné leurs découvertes. […]

Il s'ensuit qu'il est nécessaire de mettre les programmes d'études en rapport avec l'expérience. Il faut revenir à l'expérience dont ils ne sont que des extraits. Il faut les traduire en termes psychologiques, en retrouvant, et en mettant en lumière les expériences personnelles, immédiates, qui ont été à l'origine des sciences et qui leur donnent leur signification.

Tout sujet ou branche d'études a donc deux aspects ; l'un pour le savant en tant que savant ; l'autre pour le pédagogue. Ces aspects ne sont nullement opposés, mais ils ne sont pas non plus identiques. Pour le savant, le savoir humain représente un ensemble déterminé de vérités dont il se servira pour découvrir de nouveaux problèmes, pour instituer de nouvelles recherches, et pour le poursuivre jusqu'à ce qu'il obtienne un résultat certain, vérifié et vérifiable. À ses yeux, les matériaux de la science ont une valeur intrinsèque ; les fait nouveaux s'intercalent dans leur masse, les diverses parties de la science sont en connexion […] Le pédagogue se propose un but tout différent. Comme éducateur, il ne se préoccupe pas d'ajouter de faits *nouveaux* à ceux qu'a réunis la science qu'il enseigne ; il ne propose aucune hypothèse et il ne se préoccupe pas d'en vérifier. Il considère les matériaux scientifiques comme représentant une phase donnée du développement de l'expérience humaine. Par conséquent, sa tâche de pédagogue est de faire intervenir l'expérience vivante et personnelle. Ce qui l'intéresse, ce sont les moyens de transformer un sujet d'étude en une pareille expérience ; c'est de savoir ce qu'il y a d'utilisable, étant donné ce but, dans la conscience de l'enfant et comment ces éléments utilisables peuvent être employés ; c'est aussi de voir jusqu'à quel point ses propres connaissances peuvent aider le maître à interpréter les besoins et les actes de l'enfant et à déterminer par quelles étapes passera le développement normal de son esprit. L'éducateur n'a donc pas affaire aux matières d'enseignement en elles-mêmes, mais à ces matières dans leurs relations avec un processus de croissance intégrale. Voir cela, c'est comprendre le rôle de la psychologie dans l'éducation.

C'est parce que l'on oublie ce double aspect des sciences qu'on arrive à opposer – ainsi que nous l'avons montré plus haut – les programmes scolaires et la psychologie de l'enfant. [...]

Quelle sera donc notre conclusion ? Le vice radical des théories adverses dont nous avons exposé les principes est de supposer que nous ne pouvons pas sortir de ce dilemme : ou laisser l'enfant à lui-même, à sa spontanéité désordonnée, ou le diriger du dehors. Or, l'action est une réponse, une adaptation, un ajustement. Une activité psychique détachée de ses conditions de milieu, de situation, est une impossibilité. Par contre, il est également impossible d'imposer une vérité, de l'insérer du dehors dans la trame de la vie mentale. Tout dépend donc de l'activité dans laquelle le moi est engagé, lorsqu'il s'agit pour lui de réagir à ce qu'on lui présente du dehors. Or, la valeur fondamentale de la science renfermée dans les programmes d'études est précisément de permettre à l'éducateur *de déterminer le milieu* nécessaire à l'enfant, et de diriger, en somme, son activité mentale d'une manière indirecte. C'est donc avant tout au maître que le programme est utile, et non à l'enfant. Il est là pour rappeler au pédagogue quelles sont les voies ouvertes à l'enfant dans le domaine du vrai, du beau et du bien [...].

XV

McPECK

LIMITES DE L'ENSEIGNEMENT DE LA PENSÉE CRITIQUE

McPeck, *Teaching Critical Thinking. Dialogue and Dialectic*,
Routledge, 1990,
trad. N. Baillargeon, p. 13-18.

Le risque de dérive formaliste que comporte une épistémologie instrumentaliste est mis en évidence par l'analyse de l'enseignement de la pensée critique qui suit, lequel fait désormais l'objet de nombreux cours aux États-Unis et ailleurs. La référence que fait John McPeck à Michael Scriven, un philosophe des sciences contemporain, doit s'entendre relativement au mouvement des mathématiques modernes. Inspiré par Jean Piaget et le groupe de mathématiciens français réunis sous le nom collectif Bourbaki, ce mouvement, dans les années 1960, a fondé l'enseignement primaire des mathématiques sur une reconstruction axiomatique des mathématiques (à partir de la théorie des ensembles). Cette expérience, qui confondait ordre logique et ordre pédagogique, a globalement eu des résultats désastreux.

L'argumentaire qui rend plausible le modèle standard [de l'enseignement de la pensée critique] est clair. Puisque personne n'est capable de tout savoir sur tout et comme il nous est en outre impossible de prévoir quels savoirs particuliers nous seront demain nécessaires pour affronter des problèmes spécifiques, ce modèle préconise d'enseigner certains principes généraux qui seront applicables à tous les domaines du savoir humain – ou du moins à la plupart d'entre eux. La maîtrise de tels principes généraux, applicables à tant de domaines, permet une impressionnante économie d'efforts. Le modèle standard assume que ces principes généraux sont ceux de la logique – formelle et informelle. Au total, la stratégie consiste à maximiser les transferts en donnant aux élèves des compétences générales qui leur permettront d'utiliser ces principes logiques quand ils en auront besoin.

Cette stratégie est nettement distincte des approches qui préconisent d'enseigner des savoirs spécifiques et de transmettre des informations relatives à des domaines reconnus en ceci que, c'est du moins ce que l'on suppose, ces connaissances et ces informations ne se transfèrent pas au-delà du cercle étroit des problèmes auxquels ils s'appliquent. Pour le dire brièvement, du point de vue des partisans de la pensée critique, il y aurait deux arguments distincts à faire valoir contre une approche misant sur le savoir et l'information. D'abord, le savoir et l'information n'ont pas le potentiel de transférabilité des compétences générales ; ensuite, il est impossible de prédire quels savoirs et informations seront plus tard nécessaires à une personne. Les compétences générales de la pensée critique sont présumées *maximiser le transfert* alors qu'une approche fondée sur le savoir et l'information le minimise. […]

Cette conception est à l'évidence plausible et c'est ce qui explique, dans une large mesure, que l'on reçoit en général très favorablement le modèle standard de l'enseignement de la pensée critique. Il existe bien, dans les faits, une sorte de transfert des compétences générales en pensée critique […]. Je soumets cependant qu'il est important de chercher à préciser plus nettement en quel sens il y a ou n'y a pas transfert : c'est que si mes soupçons s'avèrent fondés, ce que signifie le fait que ces compétences sont applicables à de nombreux domaines où se posent divers types de problèmes ne constituerait pas un argument en faveur de la promotion de la pensée critique dans nos écoles.

La principale raison de maîtriser les principes généraux de la logique appliquée ou ceux de l'analyse des arguments est qu'on maximise par là le nombre de domaines et de problèmes pour lesquels une personne est rationnellement compétente. Cet objectif de maximisation constitue cependant tout à la fois le principal attrait et le principal défaut de ces compétences générales. [...] C'est que l'on ne maximise le nombre des domaines où les principes généraux s'appliquent qu'en limitant leur véritable efficacité dans chacun d'eux. Si les préceptes qu'on avance sont généralement vrais, ils sont aussi généralement vides : « Demandez-vous si la conclusion découle des prémisses » ; « Essayez de repérer les tautologies » ; « Un paralogisme a-t-il été commis ? ». Ces sages conseils font songer à un entraîneur de baseball qui encouragerait son lanceur à lancer des prises !

L'inefficacité du modèle standard de l'enseignement de la pensée critique (*i.e.* logique appliquée et ainsi de suite) est identique à une persistante difficulté concernant la résolution généralisée des problèmes qu'on retrouve dans la recherche portant sur l'intelligence artificielle. Lorsque l'on développe des programmes informatiques pour résoudre des problèmes incorrectement posés ou ouverts, une stratégie est d'employer des procédures heuristiques et des règles générales qui suggéreront des solutions possibles. Cependant, on sait aussi que plus ces procédures heuristiques seront générales, alors, nécessairement, moins elles seront utiles pour la résolution d'un problème particulier. À l'inverse, plus une procédure heuristique est spécifique, plus il est probable qu'elle résoudra un problème particulier. Ce qui précède constitue un exemple paradigmatique de vases communicants. À l'instar des principes généraux du modèle standard de l'enseignement de la pensée critique, les procédures heuristiques générales sont vides et inutiles pour résoudre des problèmes spécifiques. Des procédures heuristiques générales comme :

« Formule des hypothèses plausibles » sont l'équivalent de l'injonction : « Lance des prises ! » et cela, tous les programmeurs le savent bien. Il est grandement temps de reconnaître que les supposées compétences générales du modèle standard ont le même défaut et pour les mêmes raisons. Donner aux gens des principes très généraux pour résoudre des problèmes [...] c'est leur donner une syntaxe sans sémantique. [...]

Quelle stratégie pourrait mieux convenir au développement de la capacité à penser de manière critique ? [...] Tout d'abord, je souhaiterais que l'on cesse de parler de « compétences générales » en pensée critique, ce qui ne rime à rien. Ensuite, nous devrions prendre en compte la transférabilité des « savoirs et des informations » à la pensée critique. Contrairement à l'opinion reçue, il ne me semble pas évident du tout que des savoirs précis et de l'information aient moins de potentiel de transférabilité que ces compétences putatives du modèle standard.

[...] Ce qui me semble tout spécialement erroné dans le modèle standard c'est qu'il confond la catégorie logique de « subsomption » et celle, psychologique, de « transfert ». C'est que s'il est bien vrai que divers principes logiques s'« appliquent », en quelque sens marginal, à divers problèmes dans divers domaines, on ne peut en conclure qu'il faut donc qu'un transfert au sens psychologique a dû s'être produit, permettant de passer d'un domaine à l'autre. Comme le fit remarquer Scriven à propos des mathématiques modernes, il ne faut pas confondre l'ordre de la logique et celui de la pédagogie.

La vérité de ma propre hypothèse – selon laquelle les connaissances de différents domaines peuvent être transférées à des problèmes dans de nombreux domaines – dépend bien entendu du type de savoir concerné et des domaines dont il est question. Il est évident que certains types de savoirs particuliers ainsi que certaines informations auront une plus grande transférabilité que d'autres. Par exemple, le fait de comprendre : « Les politiciens tiennent compte des intentions de vote » a une transférabilité plus grande que celui de comprendre : « Le chat est sur le tapis. » On peut généraliser et dire que certains domaines de savoir ont une plus grande transférabilité que d'autres. La question n'est donc pas de savoir si des informations et du savoir en particulier possèdent de la transférabilité, puisqu'un examen attentif montrera que la plupart ont cette propriété, mais bien de savoir quelles informations et quels savoirs possèdent la plus grande transférabilité. Et cette question, bien évidemment, est la question classique que les philosophes de l'éducation n'ont cessé de poser depuis Platon : et elle demeure aussi cruciale aujourd'hui qu'elle l'était hier.

Comment former des penseurs critiques ? Je suggère deux éléments de réponse distincts. Le premier concerne le type de savoir qui est susceptible d'être le plus riche ou le plus puissant du point de vue de la transférabilité. Le deuxième, tout aussi important, concerne la perspective ou l'attitude qu'une personne a quant à ce savoir. Ce dernier élément est nécessaire aux penseurs critiques puisque c'est par là que se distinguent les personnes qui possèdent seulement un savoir de celles qui savent reconnaître les forces et les limites de leur propre savoir. [...]

Quel savoir, donc, est le plus riche et potentiellement le plus puissant ? Ma réponse paraîtra à certains bien peu excitante [...], mais, pour le moment, rien ne me paraît surpasser une éducation libérale. En particulier, je songe ici à la perspective rationnelle qu'on acquiert en étudiant les sciences naturelles et sociales ainsi que l'histoire, les mathématiques, la littérature et les arts. [...]

Un des défauts majeurs de la manière dont en enseigne les disciplines traditionnelles est qu'on les présente comme si leurs faits et méthodes étaient non-problématiques, comme si les fondements de ces disciplines étaient d'une certitude épistémique absolue. [...] La maîtrise de ces disciplines se mesure trop souvent à la quantité de « faits » qui ont été appris et à l'aptitude à utiliser les « méthodes » – tout ceci étant perçu comme sacro-saint et par les enseignants et par les élèves. Le résultat de cette manière de faire, trop souvent, est que nous formons des techniciens de X et des spécialistes de Y, mais pas des personnes éduquées. Une solution plausible à ce problème est de faire de la philosophie de X et de Y une part intégrale de ce que signifie apprendre X ou Y. La philosophie des sciences naturelles serait ainsi une composante essentielle d'une éducation scientifique, autant que les lois de Newton. Et des éléments de philosophie de l'histoire feraient partie de l'apprentissage de l'histoire, au même titre que la doctrine Monroe. […]

[Le deuxième] aspect de ma proposition est donc que les standards et les règles de logique – formelle aussi bien qu'informelle – joueraient un rôle important dans la philosophie de chaque discipline.

XVI

HIRST

ÉDUCATION LIBÉRALE, FORMES DE SAVOIR ET CURRICULUM

Hirst, « Liberal Education and the Nature of Knowledge », dans *Knowledge and the Curriculum. A Collection of Philosphical Papers*, Routledge, 1974, trad. N. Baillargeon, p. 40-51.

La position que McPeck défend dans le texte précédent argue de la nécessité de prendre en compte les spécificités épistémiques disciplinaires. Ce type d'argumentaire est nettement inspiré des idées influentes développées par Paul Hirst, lequel s'efforce de déduire le curriculum d'une éducation libérale de l'examen du concept de savoir lui-même. La pièce maîtresse de cette ambitieuse approche philosophique du curriculum est la théorie des « formes de savoir ». Hirst montre que le savoir humain est organisé en « formes de savoir », logiquement distinctes et caractérisées par quatre critères, qu'il expose dans le texte qui suit. Sur la base de ces critères, Hirst énumère les formes de savoir suivantes : les mathématiques, les sciences physiques, les sciences humaines, l'histoire, la religion, les beaux-arts et la littérature, la philosophie, la morale. Dans des écrits ultérieurs, il révisera cette liste.

Les formes de savoir sont les structures fondamentales par lesquelles l'ensemble de l'expérience est devenue intelligible aux êtres humains : elles sont le plus essentiel des accomplissements de l'esprit humain.

[…] Acquérir du savoir, c'est apprendre à voir le monde et à en faire l'expérience d'une manière jusque-là inconnue et, partant, posséder un esprit plus riche […] ce qui suppose, fondamentalement, que notre expérience ait été articulée et mise en forme à travers divers schémas conceptuels. Ce n'est que parce qu'elle a, progressivement, à travers les millénaires, objectivé et développé ces schémas conceptuels que l'humanité est peu à peu parvenue au déploiement de ces formes de savoir […] Une éducation libérale, dès lors, est une éducation dont l'étendue et le contenu sont définis par le savoir lui-même et qui vise le développement de l'esprit.

[…] Qu'est-ce que cela implique, en pratique ? Il est ici nécessaire, d'abord, de distinguer les diverses formes de savoir puis de les relier de quelque manière au curriculum de l'école ou du collège. La première de ces tâches est strictement philosophique. La deuxième est pratique et relève d'une planification qui met en jeu bon nombre de considérations qui ne sont pas purement philosophiques : j'en traiterai après avoir établi certaines grandes distinctions relatives aux formes de savoir.

[…] Dans les formes de savoir parvenues à maturité, les caractéristiques suivantes faisant système peuvent être observées :

1. Chacune d'elles met en jeu certains concepts fondamentaux qui sont spécifiques à la forme. Par exemple, ceux de gravité, d'accélération, d'hydrogène et de photosynthèse propres aux sciences ; de nombre, d'intégrale et de matrice propres aux mathématiques ; de Dieu, de péché et de prédestination en religion ; de devoir, de bien et de mal en morale.

2. Dans une forme donnée de savoir, ces concepts et d'autres qui dénotent, parfois de manière hautement complexe, certains aspects de l'expérience, composent un réseau de relations possibles par lequel l'expérience peut être appréhendée et comprise. Il en résulte que la forme possède une structure logique distincte. Par exemple, les concepts et les propositions de la mécanique ne peuvent

être organisées et significativement reliées les unes aux autres que selon un nombre limité de modalités – et il en ira de même pour une explication historique.

3. La forme, en vertu de sa logique et de ses concepts propres, contient des expressions et des énoncés (qui sont possiblement autant de réponses à des types distincts de questions) qui, d'une manière ou d'une autre, aussi indirecte soit-elle, peuvent être mis à l'épreuve de l'expérience. C'est le cas pour le savoir scientifique, pour le savoir moral, et pour les arts – même si dans ce dernier cas les questions ne sont pas explicites et si les critères pour mener à bien le test ne sont que partiellement exprimables par des mots. Chaque forme possède donc des expressions distinctes pouvant être mises à l'épreuve de l'expérience selon des critères qui sont eux-mêmes spécifiques à la forme.

4. Les formes ont développé des techniques et des habiletés particulières pour explorer l'expérience et tester leurs expressions distinctives, par exemple les techniques des sciences et celles des divers arts littéraires. Il en a résulté l'accumulation de tout ce savoir exprimé de manière symbolique que nous possédons désormais dans les sciences et les arts.

Il y a [en outre] ces regroupements qui ne sont pas eux-mêmes des disciplines ou des subdivisions d'une discipline, mais qui sont constitués par le recentrement sur un objet, un phénomène ou une visée pratique particuliers, un savoir qui est typiquement ancré dans plus d'une discipline. Ce n'est pas seulement que ces regroupements utilisent plusieurs formes de savoir, puisque après tout, toutes les sciences utilisent les mathématiques, les arts utilisent tous le savoir historique et ainsi de suite. Plusieurs disciplines font des emprunts aux autres. Mais ces regroupements, contrairement aux disciplines, ne visent pas à valider une forme logiquement distincte d'expression ; ils ne cherchent pas non plus à développer une structuration particulière de l'expérience. Ce n'est que par leur objet qu'ils sont organiquement unifiés et ils puisent à toute forme de savoir qui peut contribuer à le connaître. La géographie, en tant qu'elle étudie l'être humain en relation avec son environnement, est un exemple d'un tel regroupement, à visée théorique, tandis que l'ingénierie est un exemple d'un tel regroupement mais à visée pratique. Rien, me semble-t-il, n'interdit que de tels regroupements du savoir, que j'appellerai des « champs », ne puissent être indéfiniment élaborés au gré d'intérêts théoriques ou pratiques.

[…] En résumé, je suggère que les formes de savoir peuvent être classées comme suit :

I. Des formes de savoir ou disciplines (que l'on peut à leur tour subdiviser) : mathématiques, sciences physiques ; sciences humaines ; histoire ; religion ; littérature et beaux-arts ; philosophie.

II. Champs de savoir : théoriques et pratiques.

Venons-en à présent à l'impact de tout cela sur la planification et la dispensation d'une éducation libérale. […] [Celle-ci] se propose de développer pleinement l'esprit par l'acquisition de savoir en lui permettant de comprendre l'expérience de diverses manières. Ce que cela présuppose, c'est une formation critique et la maîtrise non seulement de faits mais aussi de schèmes conceptuels complexes ainsi que des techniques et habiletés nécessaires pour accomplir divers types de raisonnements et de jugements. Les plans d'études et les curricula ne peuvent donc être construits comme de simples accumulations d'informations ou d'habiletés. Ils doivent au contraire être construits pour permettre de faire accéder autant qu'il est possible chaque élève aux diverses composantes inter-reliées de chacune des formes de savoir fondamentales de chacune des nombreuses disciplines. Et ils doivent encore être conçus de manière à permettre de parcourir, au moins dans une certaine mesure, toute l'étendue du savoir.

[…] Cependant, l'objectif n'est de faire acquérir ni une information encyclopédique ni le savoir spécialisé d'une personne entièrement formée aux détails spécialisés d'une branche particulière de savoir. [...] De même, l'éducation libérale ne vise pas à faire acquérir le savoir du technicien qui sait précisément ce que signifie l'application des disciplines dans des champs de savoir théorique ou pratique. Ce que nous visons est d'abord une immersion dans les concepts, la logique et les critères d'une discipline, qui permettra à une personne de connaître la manière spécifique dont cela « fonctionne » et comment le mettre en œuvre dans un certain nombre de cas particuliers ; ensuite, la capacité de généraliser de ces cas à l'ensemble de la discipline, de telle sorte que l'expérience de cette personne commence à être structurée par ces concepts, cette logique et ces critères. C'est la capacité d'examiner les choses d'un certain point de vue qui est visée et non celle de décrire avec minutie tous les détails qui pourraient être distingués. Ce qui importe, c'est la capacité à reconnaître pour ce qu'elles sont des propositions empiriques ou esthétiques et l'aptitude à déterminer quels types de considérations sont pertinentes à l'établissement de leur validité. [...]

Les sujets étudiés à l'école ne sont aucunement sacrés et [...] même si une éducation libérale est habituellement menée à travers l'étude directe des diverses branches des disciplines, je ne vois aucune raison de penser qu'il doive nécessairement en être ainsi. Il est certainement possible de construire des programmes qui seraient d'abord et avant tout organisés autour de certains champs de savoir, qu'ils soient théoriques ou pratiques.

XVII

MARTIN

QU'EST-CE QU'UN CURRICULUM CACHÉ ?

Martin, « What Should We Do with a Hidden Curriculum When We Find One ? », *Curriculum Inquiry*, vol. 6, n°2, 1976. Cité dans Hirst et White, *Philosophy of Education. Major Themes in the Analytic Tradition*, vol. IV, Routledge, 1998, trad. N. Baillargeon, p. 453-469.

Cette analyse limpide du concept de curriculum caché n'appelle que deux remarques qui permettront d'éclairer deux références. *And Jill Came Tumbling After : Sexism in American Education* est un ouvrage de Judith Stacey paru en 1974 (Dell), qui recense les biais sexistes de la scolarisation aux États-Unis. Quant au mouvement des écoles libres, né dans les années 1960 et 1970, il est inspiré des théories et pratiques pédagogiques libertaires, en particulier de celles de Francisco Ferrer (1859-1909).

Ceux qui parlent du curriculum caché de la scolarisation contemporaine en parlent comme s'il n'y en avait et ne pouvait y en avoir qu'un seul, comme si le curriculum caché était partout le même. Bien entendu, ce n'est pas le cas. Un curriculum caché est toujours celui *d'une* situation donnée, et rien ne permet de supposer que des situations différentes auront le même curriculum caché. En fait, un curriculum caché n'est pas seulement propre à une situation donnée, mais il est également propre à un moment donné. De telle sorte que l'on ne peut même pas poser qu'une même situation aura, à des moments différents, le même curriculum caché. [...]

On dit parfois que pour que l'on puisse relier des apprentissages à un curriculum caché, ceux-ci doivent systématiquement être faits. Je ne suis pas certaine de comprendre ce que cela veut dire. Certes, les apprentissages doivent bien *être* la résultante d'une certaine situation. Toutefois, il n'est pas nécessaire que les apprentissages d'un curriculum caché soient systématiques, au sens où on pourrait en parler comme des résultantes d'une production de masse – des résultantes qui s'appliqueraient à tous ou du moins à la plupart des apprenants dans une situation. Si John est le seul élève qui en vient à apprécier l'art de qualité du fait que son enseignante a épinglé des reproductions de Picasso sur les murs de la classe – en espérant par là embellir la pièce et ne songeant en rien à faire apprendre quoi que ce soit – ce qu'a appris John appartient, du moins pour lui, au curriculum caché de son école. Un curriculum caché, comme le curriculum au sens propre, est celui *d'une* situation particulière, à *un* moment donné et pour *un* apprenant.

Compte tenu de cette relativité contextuelle, parler *du* curriculum caché est en général allusif. Ceux qui en parlent ainsi ont en général en tête une situation particulière – souvent, mais pas toujours, l'éducation publique aux États-Unis – et un moment précis – en général le présent. De plus, du point de vue de l'apprenant, *le* curriculum caché, qui ne renvoie, pour une situation donnée, ni à la somme de ce qu'apprend une personne en particulier ni à la somme de ce qu'apprennent tous les apprenants, reste une abstraction. Les aspects idiosyncrasiques de ce qui est appris sont typiquement perdus de vue lorsqu'on dresse le tableau *du* curriculum caché, et avec raison puisque le curriculum caché d'une situation donnée consiste non pas dans tous les apprentissages qui y seront faits mais bien dans les apprentissages prédominants qui y seront faits. Décrire *le* curriculum caché d'une situation, comme écrire *l*'histoire d'une région, suppose que l'on aura fait des choix. On fait porter l'attention sur des thèmes communs qu'on retrouve à travers ce qui est appris, ces thèmes étant présumés importants. Des choses apprises qui semblent de peu d'importance ou qui ne s'inscrivent pas harmonieusement dans le modèle général seront écartés, même s'ils sont en fait produits par la situation.

Les apprentissages du curriculum caché se produisent donc bien systématiquement, en ce sens que les apprentissages idiosyncrasiques sont écartés. Mais ce qui sera considéré idiosyncrasique dépendra de ce qui nous intéresse. Des apprentissages qui sont légitimement écartés lorsque l'attention est portée sur *le* curriculum caché d'une situation donnée peuvent fort bien devoir être pris en compte lorsqu'on s'intéresse au curriculum caché pour un apprenant en particulier. Supposons quelque chose d'improbable, à savoir que Marie est la seule personne au cours des vingt dernières années qui en soit venue à penser que les femmes ne peuvent être des médecins, cette croyance étant un effet non intentionnel de sa scolarisation. Cet apprentissage sera avec raison écarté par ceux qui cherchent à définir *le* curriculum caché de *l'école que fréquente Marie.* Mais si on cherche à définir *le* curriculum caché de cette école *pour Marie,* alors on devra sérieusement prendre ce fait en compte puisqu'il pourrait fort bien jouer un rôle important dans la vie de Marie.

[…]

Un curriculum caché n'est pas quelque chose sur quoi l'on « tombe » : on doit partir à sa recherche. Comme un curriculum caché est un ensemble d'apprentissages, on doit ultimement découvrir ce qui a été appris à la suite de pratiques, de procédures, de règles, de relations, de structures et de caractéristiques physiques qui constituent une situation donnée. On peut commencer par repérer des apprentissages en s'assurant qu'ils peuvent être reliés à la situation ; ou par examiner des aspects de la situation en se demandant quels apprentissages ils produisent. Bien entendu, ce qui motivera ces recherches variera. Des chercheurs désireront simplement savoir ce qui est appris à l'école ; d'autres voudront rendre leurs méthodes d'enseignement plus efficaces ; d'autres encore voudront mettre au jour les liens entre l'éducation et l'organisation sociale. Mais quelle que soit la motivation, une théorie du curriculum qui ambitionne d'être complète ne peut négliger de rechercher ce qui est ainsi caché et qui joue un rôle central dans l'éducation de chacun de nous.

Une des conséquences du fait que le curriculum caché est relatif à une situation, à un moment donné et à un apprenant est que l'on n'en a jamais fini avec lui. De nouvelles situations avec leurs propres curricula cachés sont perpétuellement créées, les anciennes changent constamment. L'information réunie hier à propos du curriculum caché d'une situation donnée peut tout à fait, aujourd'hui, ne plus décrire adéquatement le curriculum caché de cette même situation. Et c'est pourquoi le domaine sur lequel porte la recherche de curriculum caché doit être élargi au-delà des situations scolaires et s'étendre aux situations non scolaires ; quant aux chercheuses et chercheurs, ils doivent continuellement revenir sur ce qu'ils ont trouvé.

Même si le curriculum caché ne changeait pas avec le temps, il y aurait encore des raisons de revenir sur les « anciens lieux du crime » : c'est que l'information réunie à un moment donné n'est jamais le fin mot de l'affaire. Nonobstant la situation ou le moment, ce que nous découvrons lorsque nous étudions un curriculum caché dépend aussi de ce que nous recherchons et de ce que nous observons. La littérature qui décrit le curriculum caché de la scolarisation publique aux États-Unis au milieu des années 1960 en donne un exemple intéressant. On attire notre attention sur des apprentissages où dominent des thèmes reliés à la race et aux classes sociales, mais on y néglige les dimensions sexistes. […]

Pourtant, quiconque a vu le film *High School* ou a lu ne serait-ce qu'un échantillon des articles parus dans *And Jill Came Tumbling After* ne peut douter que la scolarisation dans les années 1960 comportait une large éventail de pratiques sexistes et que son curriculum caché comprenait des croyances, des attitudes et des valeurs sexistes. Si on n'a pas trouvé des apprentissages sexistes ce n'est pas parce qu'ils n'existaient pas, mais parce qu'on ne les a pas vus – ou que si on les a vus, ils ne furent pas reconnus pour ce qu'ils étaient.

Si on décrit aujourd'hui le curriculum caché de la scolarisation publique dans les années 1960 ou même 1970, on attirera très vraisemblablement l'attention sur sa composante sexiste. Mais qui sait quelles autres composantes nous pourrions omettre. La doctrine chrétienne ? Le biais hétérosexuel ? Le spécisme ? Si la recherche des curricula cachés doit continuellement revenir sur ce qui a été trouvé, c'est que même si un curriculum caché ne change pas avec le temps, nous, *si* ! […]

Il existe [en outre] deux façons d'être caché et, pour comprendre le curriculum caché, il faut savoir reconnaître les deux. Quelque chose peut être caché au sens où le remède contre le cancer n'est pas visible ; ou quelque chose peut être caché au sens où le sou n'est pas visible dans le jeu *Hide the Penny.* Les universitaires qui étudient le curriculum caché de l'école publique d'aujourd'hui et les radicaux qui le décrient hésitent entre ces deux acceptions. À entendre certains, on croirait que le curriculum caché l'est par quelqu'un ou par un groupe, comme le sou du jeu des enfants ; d'autres semblent penser que les apprentissages du curriculum caché n'ont été cachés par personne : il se trouve simplement qu'on ne les connaît pas, un peu comme le remède contre le cancer. […] il nous faut pendre en compte cette fondamentale ambiguïté dans la notion de curriculum caché. […]

J'ai […] défini le curriculum caché en termes d'apprentissages qui n'étaient pas intentionnellement visés. Par cette formulation négative, je voulais rendre justice aux deux acceptions de « caché ». Mais cette définition ne prend pas en compte le point de vue de l'apprenant. C'est ainsi que même si un apprentissage propre à une situation donnée n'est pas ouvertement et intentionnellement visé, un apprenant peut en être conscient : et en ce cas, cet apprentissage n'appartiendrait pas au curriculum caché de cette situation pour cet apprenant. Un curriculum caché est constitué de ces apprentissages qui, dans une situation donnée, sont ou bien non intentionnellement visés ou bien intentionnellement visés mais non ouvertement reconnus et dont les apprenants ne sont pas conscients.

Que faire, donc, quand on a trouvé un curriculum caché ? Cela dépend bien entendu de qui est « nous ». Supposons que nous sommes des éducateurs dans une situation donnée et que nous avons découvert un curriculum caché et ses origines. On peut :

1. Ne rien faire. On laisse alors la situation telle qu'elle est au lieu d'essayer de la changer et, en ce cas, les apprentissages nous sont désormais visibles alors qu'ils ne l'étaient pas auparavant. Mais ils ne changent pas pour autant et le curriculum caché reste caché. Ceci peut sembler être l'option du désespoir, mais ce n'est pas nécessairement le cas puisqu'il existe des éléments du curriculum caché par rapport auxquels nous sommes neutres – on ne les évalue pas positivement, mais on ne les considère pas indésirables non plus. En de pareils cas, ne rien faire est un choix raisonnable.

2. On peut changer nos pratiques, nos méthodes, notre environnement, nos règlements et ainsi de suite de manière à déraciner ceux de ces apprentissages que nous jugeons indésirables. C'est exactement ce qu'a voulu faire le mouvement de réforme radicale de l'école appelé « éducation ouverte » […] qui a cherché à transformer les relations entre enseignants et élèves et des élèves entre eux et elles de manière à éviter le curriculum caché de la scolarisation publique. Le mouvement des écoles libres,

s'il diffère de l'éducation ouverte par bien des détails, peut être compris comme allant dans le même sens.

3. Au lieu de changer une situation, on peut tout simplement l'abolir. Ceci est bien entendu l'option que préconise le mouvement de déscolarisation. [...]

4. Il est enfin possible que, loin de souhaiter l'abolir, nous désirions promouvoir le curriculum caché que nous avons trouvé. Bien des gens, de nos jours, applaudissent les apprentissages du travail soigné, de la compétition, de la docilité et de la soumission à l'autorité qu'on attribue au curriculum caché de nos écoles [...]. Ces personnes ont deux options : (a) elles reconnaissent ouvertement ces apprentissages et les font ainsi passer du statut d'élément du curriculum caché à celui d'élément du curriculum au sens premier du terme ; (b) elles peuvent souhaiter que ces apprentissages soient faits, mais pas ouvertement, auquel cas ils demeurent des composantes du curriculum caché.

III

ÉTAT, SOCIÉTÉ ET ÉDUCATION : L'AUTORITÉ D'ÉDUQUER ET LES RESPONSABILITÉS DES ÉDUCATEURS

XVIII

JOHN STUART MILL

L'ÉTAT ET L'OFFRE D'ÉDUCATION

Mill, *De la liberté*, Pocket, 1990,
trad. F. Pataut, p. 174-179.

Si Jeremy Bentham a conçu le premier la doctrine éthique conséquentialiste qu'est l'utilitarisme, John Stuart Mill (1806-1873) l'a considérablement affinée en demandant que l'examen des conséquences porte non seulement sur la quantité des utilités mais aussi sur leur qualité (*De l'utilitarisme*, 1863).

Dans *De la liberté*, il cherche d'une part à établir qu'il existe une limite à l'interférence légitime du pouvoir (l'État) et de l'opinion collective (la société) sur l'indépendance de l'individu, d'autre part à situer précisément cette limite. L'originalité de l'ouvrage, bien connu pour son exemplaire défense de la liberté d'expression, d'action et d'association, tient dans une importante mesure à ce que Mill aborde justement ces problèmes dans la perspective conséquentialiste de l'utilitarisme et qu'il invoque un argumentaire collectiviste en faveur d'une position individualiste.

C'est ainsi que la défense de l'individu contre la « tyrannie de la majorité » y est fondée, dans l'ordre des raisons, non sur l'invocation des droits de l'individu, mais sur l'utilité (quantitative et qualitative) qui se détermine en prenant en compte le bien-être de la majorité. Il faut ainsi évaluer les conséquences des actions et des décisions non seulement sur les êtres humains actuels mais aussi sur les êtres humains futurs, et considérer non seulement ce que sont les membres de la société mais aussi ce qu'ils peuvent et doivent devenir. En ce sens, la question de l'éducation traverse tout l'ouvrage et irrigue la tension entre individualisme et collectivisme.

La discussion spécifique sur la question du rôle de l'État dans le domaine de l'éducation qui est citée ci-après est menée dans le dernier chapitre de l'ouvrage, lequel est consacré à des applications auxquelles ont conduit les analyses des chapitres précédents. La position libérale adoptée ici par Mill est bien proche de celle défendue avant lui par von Humboldt (1762-1835) (*Essai sur les limites de l'action de l'État,* 1791), qu'il évoque d'ailleurs, et dont on sait l'influence qu'il exerça sur la pensée politique de Mill.

J'ai déjà observé que, du fait de l'absence de principes généraux reconnus, la liberté est souvent accordée là où elle devrait être refusée, et refusée là où elle devrait être accordée ; et l'un des cas où le sentiment de liberté est le plus fort dans le monde européen moderne est précisément un de ceux où, selon moi, il est tout à fait déplacé. Une personne devrait être libre de faire ce qu'elle désire en ce qui concerne ses propres affaires, mais elle ne devrait pas être libre de faire ce qu'elle désire lorsqu'elle agit pour un autre, sous prétexte que ses affaires sont également les siennes. L'État, bien qu'il respecte la liberté de chacun dans ce qui le concerne personnellement, est tenu de continuer à contrôler de près la façon dont l'individu use du pouvoir qu'on lui a octroyé sur les autres. Cette obligation est presque entièrement négligée dans le cas des relations familiales – cas qui, par son influence directe sur le bonheur de l'homme, est plus important que tous les autres pris ensemble. Il n'est pas nécessaire de s'étendre ici sur le pouvoir à peu près despotique des maris sur leur femme, car il ne faut rien de plus que d'accorder aux femmes les mêmes droits et la même protection légale qu'aux autres personnes pour extirper ce mal ; et parce que, sur ce sujet, les défenseurs de l'injustice établie ne se prévalent pas de l'excuse de la liberté, mais se posent ouvertement comme les champions du pouvoir. C'est dans le cas des enfants que le mauvais usage de la notion de liberté empêche réellement l'État de faire son devoir. C'est presque à croire que les enfants d'un homme sont supposés faire littéralement, et non pas métaphoriquement, partie de lui-même, tant l'opinion est jalouse de la moindre intervention de la loi dans le contrôle absolu qu'il exerce sur eux, plus encore que du moindre empiètement sur la liberté d'action privée ; tant il est vrai que l'humanité attache généralement plus de prix au pouvoir qu'à la liberté. Prenons donc l'exemple de l'éducation. N'est-ce pas un axiome évident que l'État doive exiger et imposer l'éducation de ses jeunes citoyens, au moins jusqu'à un certain niveau ? Pourtant, qui n'est pas effrayé de connaître et de défendre cette vérité ? Presque personne ne niera en effet que c'est un des devoirs les plus sacrés des parents (ou du père, étant donné la loi et l'usage actuels), après avoir mis un être au monde, que de lui donner une éducation qui lui permettra de bien jouer son rôle dans la vie, tant envers les autres qu'envers lui-même. Mais bien que l'on déclare universellement que cela relève des devoirs du père, pratiquement personne dans ce pays ne souffrira l'idée qu'on puisse l'obliger à accomplir ce devoir. Au lieu d'exiger d'un homme qu'il fasse des efforts et des sacrifices pour assurer l'éducation de son enfant, on lui laisse le choix de refuser ou d'accepter une éducation qui est offerte gratuitement ! On n'a toujours pas reconnu que mettre un enfant au monde sans être également à peu près certain de pouvoir lui donner non seulement la nourriture nécessaire à son corps, mais l'instruction et l'exercice nécessaires à son esprit, est un crime moral, à la fois contre l'infortuné rejeton et contre la société ; et que si les parents ne satisfont pas à cette obligation, c'est à l'État de veiller à ce qu'il y soit pourvu, autant que possible à la charge des parents.

Si on admettait un jour le devoir d'imposer l'éducation universelle, les difficultés quant à savoir ce que l'État doit enseigner et comment il doit le faire seraient résolues. Pour le moment, ces difficultés transforment le débat en un véritable champ de bataille pour les différents partis et sectes ; et c'est ainsi que l'on perd un temps et un travail que l'on devrait consacrer à l'éducation elle-même et non à la querelle. Si le gouvernement se décidait enfin à exiger une bonne éducation pour tous les enfants, il pourrait s'éviter la peine d'avoir à en fournir une. Il pourrait laisser aux parents le soin d'obtenir cette éducation pour leurs enfants où et comme ils le souhaitent, et se contenter de payer une partie des frais de scolarité des enfants des classes les plus pauvres, et de prendre entièrement à sa charge ceux des enfants qui n'ont personne d'autre pour les payer. Les objections que l'on fait valoir à bon escient contre l'éducation publique ne s'appliquent pas au fait que l'État impose une éducation, mais au fait que l'État se charge de la diriger, ce qui est une chose entièrement différente. Je réprouve tout autant que quiconque l'idée de laisser la totalité ou une grande partie de l'éducation des gens aux mains de l'État. Tout ce que j'ai dit sur l'importance de l'individualité du caractère et de la diversité des opinions et des modes de vie, implique tout autant la diversité de l'éducation, et lui donne donc la même importance. Une éducation générale publique instituée par l'État n'est qu'une pure invention visant à mettre les gens dans le même moule ; et comme ce moule est celui qui satisfait le pouvoir dominant au sein du gouvernement – qu'il s'agisse d'un monarque, d'une caste de prêtres, d'une aristocratie, ou bien de la majorité de la génération actuelle –, plus cette éducation est efficace, plus elle établit un despotisme sur l'esprit, qui ne manque pas de gagner le corps. Une éducation instituée et contrôlée par l'État ne devrait exister qu'à titre d'expérience parmi d'autres en compétition, et n'être entreprise qu'à titre d'exemple et de stimulant dans le but de maintenir un certain niveau de qualité dans les autres expériences. À moins, bien évidemment, que la société dans son ensemble ne soit dans un état si arriéré qu'elle ne puisse ou ne veuille se doter des institutions scolaires convenables sans que le gouvernement s'en charge ; alors bien sûr, dans ce cas, le gouvernement peut prendre sur lui la charge des écoles et des universités pour choisir le moindre de ces deux grands maux, comme il peut se charger de constituer des sociétés par actions quand il n'existe pas d'entreprises privées de taille à entreprendre de grands travaux industriels. Mais en général, si le pays dispose d'un nombre suffisant de personnes qualifiées pour enseigner sous les auspices du gouvernement, ces mêmes personnes pourraient tout autant enseigner dans un système privé d'écoles libres, puisque leur rémunération serait garantie par une loi rendant l'éducation obligatoire, doublée d'une aide de l'État destinée à ceux qui sont incapables de prendre la dépense à leur charge.

Il n'y aurait pas d'autre moyen de faire respecter la loi qu'en instituant des examens publics pour tous les enfants, et ce dès le plus jeune âge. On pourrait fixer un âge auquel tout enfant (garçon ou fille) doit passer un examen pour savoir s'il sait lire. S'il s'avère qu'un enfant en est incapable, le père, à moins d'une excuse valable, pourrait recevoir une amende modérée, à acquitter si nécessaire sur son salaire, pour qu'on puisse envoyer l'enfant à l'école à ses frais. L'examen devrait avoir lieu une fois par an et porter sur un éventail de matières toujours plus étendu, de façon à rendre pratiquement obligatoire l'acquisition et surtout la mémorisation d'un minimum de connaissances générales. Au-delà de ce minimum, il y aurait des examens facultatifs sur toutes les matières, en vertu desquels tous ceux qui seraient parvenus à un certain niveau de compétence auraient droit à un certificat. Afin d'empêcher l'État d'exercer une influence indue sur l'opinion par le biais de ces dispositions, la connaissance requise pour passer une examen devrait, même aux niveaux supérieurs – au-delà des domaines purement instrumentaux du savoir, comme celui des langues et de leur pratique – se limiter exclusivement à la connaissance des faits et à la science positive. Les examens sur la religion, la politique, ou toute autre matière controversée, ne devraient pas porter sur la vérité ou la fausseté des opinions, mais sur le fait que telle ou telle opinion est défendue par tels ou tels arguments, et par tels ou tels auteurs, écoles, ou Églises. Dans ce système, la génération montante ne serait pas plus mal pourvue que celle d'aujourd'hui face à toutes les vérités controversées. Les jeunes seraient élevés comme aujourd'hui pour être des anglicans ou des membres d'une autre secte, l'État se contentant de veiller à ce qu'ils soient instruits dans tous les cas. Rien n'empêcherait qu'on leur enseigne la religion, au cas où leurs parents le souhaiteraient, dans les mêmes écoles où ils reçoivent le reste de leur éducation. Toutes les tentatives de l'État pour fausser les conclusions de ses citoyens sur les questions controversées sont mauvaises ; mais l'État peut parfaitement proposer de s'assurer et de certifier qu'une personne est en possession des connaissances requises pour qu'elle puisse elle-même tirer des conclusions dignes d'être écoutées sur un sujet donné. Un étudiant en philosophie gagnerait à pouvoir passer un examen à la fois sur Locke et sur Kant, quel que soit celui des deux auquel il donne son accord, ou même s'il n'en suit aucun ; et on ne peut raisonnablement rien objecter à ce qu'on interroge un athée sur les preuves du christianisme, pourvu qu'on ne l'oblige pas à professer sa foi en elles. Il me semble toutefois que dans les domaines supérieurs du savoir, les examens devraient être entièrement facultatifs. Ce serait donner un pouvoir trop dangereux aux gouvernements que de leur permettre d'exclure qui bon leur semble de certaines professions – même de la profession d'enseignant – sous prétexte d'un manque de qualifications. Et je suis d'accord avec Wilhelm von Humboldt pour dire que les diplômes ou autres certificats publics de connaissances scientifiques devraient être accordés à tous ceux qui se présentent à un examen et le réussissent, mais que de tels certificats ne devraient donner sur les autres concurrents aucun autre avantage que le poids que l'opinion publique accorde à leur témoignage.

XIX

CONDORCET

NÉCESSITÉ DE L'INSTRUCTION PUBLIQUE

Condorcet, « Premier mémoire sur
l'instruction publique », *Cinq mémoires sur
l'instruction publique*,
GF-Flammarion, 1994, p. 61-65.

Jean Antoine Nicolas de Caritat, marquis de Condorcet (1743-1794), qui a d'abord dû sa notoriété à des recherches menées en mathématiques, occupe une place prépondérante parmi les penseurs de l'éducation. Il la doit d'une part aux nombreux écrits qu'il rédige dans le cadre de sa participation aux travaux pédagogiques de la Révolution, d'autre part à son dernier ouvrage, *Esquisse d'un tableau historique des progrès de l'esprit humain*. Ce dernier a été rédigé alors que Condorcet, après avoir été dénoncé à la tribune de la Convention, a trouvé refuge dans la maison d'une amie et vit en réclusion volontaire. Il peut être lu à la fois comme le testament personnel du philosophe et comme une synthèse des idées et des idéaux de tout le siècle des Lumières : raison, connaissance, tolérance, humanité, éducation, émancipation, progrès. Son ouvrage achevé et craignant une perquisition, Condorcet quitte sa retraite et erre dans la campagne. Arrêté, on le conduit en prison à Bourg-l'Égalité. On le retrouvera mort dans sa cellule, le 29 mars 1794. Il est probable qu'il se soit suicidé.

L'extrait ci-dessous est tiré du *Premier mémoire sur l'instruction publique*. Pour Condorcet, la distinction entre instruction et éducation est capitale : la première vise le développement de la raison de l'individu, le déploiement progressif de la perfectibilité de l'humanité et doit fonder l'égalité politique des citoyens ; mais elle ne peut tenir ses promesses qu'à la condition de se fonder sur la raison, de s'en tenir à l'enseignement et à la propagation des vérités de fait et de calcul, de connaissances établies et fondées, justement, en raison. L'éducation est certainement un concept beaucoup plus vaste que celui d'instruction ainsi défini. Il s'ensuit, selon Condorcet, que l'État doit se déclarer incompétent en matière d'éducation. Condorcet ouvre ainsi la perspective de la laïcité de l'enseignement public, qui se borne à l'instruction, en adoptant ce qu'on pourrait appeler une neutralité axiologique en matière d'opinions et de croyances, notamment religieuses. L'école, dans cette perspective, respecte chacune des opinions en n'en admettant aucune en son sein et en n'en reconnaissant donc aucune.

Condorcet perçoit nettement le risque d'endoctrinement et de propagande inhérent au projet d'un enseignement dispensé par l'État. Sa réponse à ce problème est au fond libérale et pluraliste avant la lettre. « La puissance publique ne peut pas établir un corps de doctrines qui doive être enseigné exclusivement », écrit le philosophe, qui précise encore : « Aucun pouvoir public ne doit avoir l'autorité, ni même le crédit d'empêcher le développement de vérités nouvelles, l'enseignement des théories contraires à sa politique particulière ou à ses intérêts momentanés. » La perspective qui s'ouvre ici, on le voit, conduit directement à certaines interprétations modernes de la laïcité et de la neutralité et, en France, à définir certains traits marquants de la laïcité républicaine. Bien des gens restent en ce sens et sur ce plan des disciples de Condorcet.

Celui-ci est en outre parfaitement conscient du fait que la réalisation concrète de l'idéal formulé dans la Déclaration universelle des droits de l'homme suppose une égalité de tous devant l'instruction publique, à défaut de quoi cet idéal sombrerait dans un vain formalisme. Cette exigence d'égalité conduit Condorcet à adopter une position nettement avant-gardiste sur la question de l'instruction des femmes. On notera aussi que l'égalité visée par Condorcet est l'égalité de tous devant l'école : elle n'implique absolument pas l'idée, à ses yeux illusoire, d'une égalité dans l'école : tel est le sens de son « élitisme démocratique », si on peut l'appeler ainsi. On notera enfin que Condorcet n'envisage pas de rendre obligatoire l'instruction publique. Ce n'est pas faute d'être persuadé de ses mérites. Deux éléments expliquent ce refus d'imposer l'instruction. La première tient au libéralisme de Condorcet qui fait qu'il ne peut se résoudre à imposer fût-ce la vertu ; la deuxième est sans doute que Condorcet, comme les penseurs de Lumières, n'a pas soupçonné la résistance, passive sans doute mais bien réelle, que cette idée pouvait rencontrer.

La société doit au peuple une instruction publique :

1. Comme moyen de rendre réelle l'égalité des droits.

L'instruction publique est un devoir de la société à l'égard des citoyens.

Vainement aurait-on déclaré que les hommes ont tous les mêmes droits ; vainement les lois auraient-elles respecté ce premier principe de l'éternelle justice, si l'inégalité dans les facultés morales empêchait le plus grand nombre de jouir de ces droits dans toute leur étendue.

L'état social diminue nécessairement l'inégalité naturelle, en faisant concourir les forces communes au bien-être des individus. Mais ce bien-être devient en même temps plus dépendant des rapports de chaque homme avec ses semblables, et les effets de l'inégalité s'accroîtraient à proportion, si l'on ne rendait plus faible et presque nulle, relativement au bonheur et à l'exercice des droits communs, celle qui naît de la différence des esprits.

Cette obligation consiste à ne laisser subsister aucune inégalité qui entraîne de dépendance.

Il est impossible qu'une instruction même égale n'augmente pas la supériorité de ceux que la nature a favorisés d'une organisation plus heureuse.

Mais il suffit au maintien de l'égalité des droits que cette supériorité n'entraîne pas de dépendance réelle, et que chacun soit assez instruit pour exercer par lui-même, et sans se soumettre aveuglément à la raison d'autrui, ceux dont la loi lui a garanti la jouissance. Alors, bien loin que la supériorité de quelques hommes soit un mal pour ceux qui n'ont pas reçu les mêmes avantages, elle contribuera au bien de tous, et les talents comme les lumières deviendront le patrimoine commun de la société.

Ainsi, par exemple, celui qui ne sait pas écrire, et qui ignore l'arithmétique, dépend réellement de l'homme plus instruit, auquel il est sans cesse obligé de recourir. Il n'est pas l'égal de ceux à qui l'éducation a donné ces connaissances ; il ne peut pas exercer les mêmes droits avec la même étendue et la même indépendance. Celui qui n'est pas instruit des premières lois qui règlent le droit de propriété ne jouit pas de ce droit de la même manière que celui qui les connaît ; dans les discussions qui s'élèvent entre eux, ils ne combattent point à armes égales.

Mais l'homme qui sait les règles de l'arithmétique nécessaires dans l'usage de la vie, n'est pas dans la dépendance du savant qui possède au plus haut degré le génie des sciences mathématiques, et dont le talent lui sera d'une utilité très réelle, sans jamais pouvoir le gêner dans la jouissance de ses droits. L'homme qui a été instruit des éléments de la loi civile n'est pas dans la dépendance du jurisconsulte le plus éclairé, dont les connaissances ne peuvent que l'aider et non l'asservir.

L'inégalité d'instruction est une des principales sources de la tyrannie.

Dans les siècles d'ignorance, à la tyrannie de la force se joignait celle des lumières faibles et incertaines, mais concentrées exclusivement dans quelques classes peu nombreuses. Les prêtres, les jurisconsultes, les hommes qui avaient le secret des opérations de commerce, les médecins même formés dans un petit nombre d'écoles, n'étaient pas moins les maîtres du monde que les guerriers armés de toutes pièces ; et le despotisme héréditaire de ces guerriers était lui-même fondé sur la supériorité que leur donnait, avant l'invention de la poudre, leur apprentissage exclusif dans l'art de manier les armes.

[...]

2. Pour diminuer l'inégalité qui naît de la différence des sentiments moraux.

Il est encore une autre inégalité dont une instruction générale également répandue peut être le seul remède. Quand la loi a rendu tous les hommes égaux, la seule distinction qui les partage en plusieurs classes est celle qui naît de leur éducation ; elle ne tient pas seulement à la différence des lumières, mais à celle des opinions, des goûts, des sentiments, qui en est la conséquence inévitable. Le fils du riche ne sera point de la même classe que le fils du pauvre, si aucune institution publique ne les rapproche par l'instruction, et la classe qui en recevra une plus soignée aura nécessairement des mœurs plus douces, une probité plus délicate, une honnêteté plus scrupuleuse ; ses vertus seront plus pures, ses vices, au contraire, seront moins révoltants, sa corruption moins dégoûtante, moins barbare et moins incurable. Il existera donc une distinction réelle, qu'il ne sera point au pouvoir des lois de détruire, et qui, établissant une séparation véritable entre ceux qui ont des lumières et ceux qui en sont privés, en fera nécessairement un instrument de pouvoir pour les uns, et non un moyen de bonheur pour tous.

Le devoir de la société, relativement à l'obligation d'étendre dans le fait, autant qu'il est possible, l'égalité des droits, consiste donc à procurer à chaque homme l'instruction nécessaire pour exercer les fonctions communes d'homme, de père de famille et de citoyen, pour en sentir, pour en connaître tous les devoirs.

3. Pour augmenter dans la société la masse des lumières utiles.

Plus les hommes sont disposés par éducation à raisonner juste, à saisir les vérités qu'on leur présente, à rejeter les erreurs dont on veut les rendre victimes, plus aussi une nation qui verrait ainsi les lumières s'accroître de plus en plus, et se répandre sur un plus grand nombre d'individus, doit espérer d'obtenir et de conserver de bonnes lois, une administration sage et une constitution vraiment libre.

C'est donc encore un devoir de la société que d'offrir à tous, les moyens d'acquérir les connaissances auxquelles la force de leur intelligence et le temps qu'ils peuvent employer à s'instruire leur permettent d'atteindre. Il en résultera sans doute une différence plus grande en faveur de ceux qui ont plus de talent naturel, et à qui une fortune indépendante laisse la liberté de consacrer plus d'années à l'étude ; mais si cette inégalité ne soumet pas un homme à un autre, si elle offre un appui au plus faible, sans lui donner un maître, elle n'est ni un mal, ni une injustice ; et, certes, ce serait un amour de l'égalité bien funeste que celui qui craindrait d'étendre la classe des hommes éclairés et d'y augmenter les lumières.

XX

ILLICH

Déscolarisation de la société

Illich, *Une société sans école*, Seuil, 1971,
p. 12, 22, 126, 191-193.

En quelques années à peine, au début des années 1970, Ivan Illich (1926-2002) a produit une série d'ouvrages dans lesquels il développe une forte critique des sociétés industrielles avancées. Sa critique est centrée notamment sur les notions de progrès et de croissance qu'elles portent et sur la réduction du citoyen au statut de consommateur par des bureaucraties monopolistiques au service de ce productivisme. Les analyses d'Ivan Illich, qui ont porté aussi bien sur la médecine, les transports, l'énergie, le travail, le chômage que sur l'éducation, cherchent à démontrer que des outils permettant l'accomplissement social de certaines fonctions (apprendre, se déplacer, se soigner et ainsi de suite) sont désormais devenus contre-productifs. Il faut donc procéder à une rupture radicale tant avec nos modes de penser qu'avec les institutions par lesquelles s'accomplissent ces fonctions.

Illich cherche à montrer qu'une telle rupture doit être accomplie dans le domaine de l'éducation, sur la question de l'école et de sa fréquentation obligatoire. « Pendant des siècles, écrit-il, nous avons essayé d'améliorer la société en développant l'effort scolaire. Nous sommes maintenant obligés de constater notre échec. Nous avons découvert que l'instruction obligatoire éteint chez beaucoup le désir naturel d'apprendre et que l'obligation faite à tous les enfants de gravir aussi haut qu'ils le peuvent les échelons de la hiérarchie scolaire n'aboutit nullement à créer plus d'égalité dans la société. » Illich nomme « convivialité » son idéal d'un ordre social et politique qui « garantirait un environnement si simple et si transparent que tous les hommes pourraient la plupart du temps avoir accès à toutes les choses qui sont utiles pour s'occuper de soi-même et des autres ». Sa proposition de déscolarisation de la société, qu'il explicite dans les grandes lignes dans l'extrait suivant, vise précisément à rendre l'éducation conviviale.

Ces thèses d'Illich, défendues à la même époque par quelques autres auteurs, notamment aux États-Unis, sont aujourd'hui actualisées dans ce mouvement d'éducation à domicile (*Homeschooling*) qui réunit des centaines de milliers d'adeptes en Amérique du Nord.

Les idées mises en avant dans *Une société sans école* ont d'abord été exposées et débattues dans des séminaires tenus au CIDOC (Centre international de développement interculturel) créé au Mexique par Illich. Everett Reimer, Paul Goodman, Joel Spring, John Holt, Jonathan Kozol et Paolo Freire comptaient notamment au nombre des participants à ces échanges.

Je voudrais m'efforcer de montrer que cette confusion entretenue entre les institutions et les valeurs humaines, que le fait d'institutionnaliser ces valeurs nous engagent sur une voie fatale. Nous allons inexorablement aussi bien vers la pollution du milieu physique que vers la ségrégation sociale, tandis que nous accable le sentiment de notre impuissance. [...] La santé, l'éducation, la liberté individuelle, le bien-être social ou l'équilibre psychologique ne se définissent plus que comme les produits de services ou de méthodes d'exploitation. Il est clair que la recherche visant à définir les options du futur se contente le plus souvent de préconiser un enracinement plus profond des valeurs dans les institutions. [...]

Les pauvres sont toujours dupés lorsqu'ils croient que les enfants doivent bénéficier d'une véritable scolarité. Que cela soit une promesse comme en Amérique latine, ou une réalité comme aux États-Unis, les résultats dans un cas comme dans l'autre sont finalement comparables : ces douze années d'école font des enfants déshérités du Nord des adultes invalides parce qu'ils les ont subies, et flétrissent ceux du Sud, en font des êtres à jamais arriérés parce qu'ils n'en ont pas bénéficié. [...]

L'idée de scolarité dissimule un programme par lequel il s'agit d'initier le citoyen au mythe de l'efficacité bienveillante des bureaucraties éclairées par le savoir scientifique. Et, partout, l'élève en vient à croire qu'une production accrue est seule capable de conduire à une vie meilleure. Ainsi s'installe l'habitude de la consommation des biens et des services qui va à l'encontre de l'expression individuelle, qui aliène, qui conduit à reconnaître les classements et les hiérarchies imposés par les institutions. [...]

Il nous faut ne pas confondre éducation et scolarité si nous voulons voir apparaître plus clairement ce choix qui s'offre à nous. J'entends qu'il convient de distinguer entre les objectifs humanistes de l'enseignant et les effets inhérents à la structure inaltérable de l'école. Assurément, cette structure n'est pas apparente au premier abord, mais seule son existence explique une certaine forme d'instruction transmise à tous et qui échappe au contrôle de l'enseignant ou du conseil des professeurs ! En effet, un message s'inscrit, indélébile : seule la scolarité est capable de préparer à l'entrée dans la société. Par là, ce qui n'est pas enseigné à l'école se voit retirer toute valeur et, du même coup, ce que l'on apprend en dehors d'elle ne vaut pas la peine d'être connu ! Voilà ce que j'appelle l'enseignement occulte des écoles, et il définit les limites à l'intérieur desquelles s'effectuent les soi-disant changements de programmes.

[...] Partout, les enfants doivent s'assembler par groupe d'âge, puis par trente environ prendre place devant un maître diplômé, à raison de cinq cents, voire mille heures par année ou plus. Et qu'importe si le programme officiel vise à enseigner les principes du fascisme ou du libéralisme, du catholicisme ou du socialisme, ou se veuille au service d'une libération, puisque dans tous les cas l'institution s'arroge le droit de définir les activités propres à conduire une éducation légitime. [...]

Nous avons affaire à une sorte de directive secrète qui veut que les étudiants apprennent tout d'abord que l'éducation n'a de valeur qu'une fois acquise dans le sein d'une université par une méthode graduée de consommation, et on leur promet que le succès social dépendra de la quantité de savoir consommé. [...] Tous les systèmes scolaires de la planète ont des caractéristiques communes en rapport avec leur rendement institutionnel et la raison en est ce programme occulte commun à toutes les écoles.

Il faut bien comprendre que ce programme occulte modifie la conception que l'on a de l'acquisition du savoir et qu'il fait d'une activité personnelle une marchandise dont l'école entend détenir le monopole. C'est à un bien de consommation que nous donnons aujourd'hui le nom d'éducation : c'est un produit dont la fabrication est assurée par une institution officielle appelée école.

Plus un être humain consomme d'éducation, plus il fait fructifier son avoir et s'élève dans la hiérarchie des capitalistes de la connaissance. [...] Ainsi, ce programme secret définit implicitement la nature de l'éducation : il permet de mesurer et d'établir à quel niveau de productivité elle donne droit à son consommateur.

Quand on pense à des possibilités éducatives, on se réfère au catalogue des programmes définis par l'enseignement, alors qu'il faut viser le contraire : définir quatre organismes, grâce auxquels celui qui veut s'éduquer puisse bénéficier des ressources qu'il juge nécessaires.

1) Un premier service serait chargé de mettre à la disposition du public les outils éducatifs : c'est-à-dire les instruments, les machines, les appareils utilisés pour l'éducation formelle. Une certaine partie d'entre eux, conçus dans un but purement éducatif, serait présentée dans des bibliothèques, des laboratoires, des salles

d'exposition (musées, salles de spectacle par exemple) ; d'autres, utilisés dans les activités journalières, que ce soit dans des usines, des aéroports, des fermes, etc., pourraient être accessibles aux personnes désirant les connaître, soit pendant une période d'apprentissage, soit en dehors des heures de fonctionnement normal...

2) Un service d'échange des connaissances tiendrait à jour une liste des personnes désireuses de faire profiter autrui de leur compétence propre, mentionnant les conditions dans lesquelles elles souhaiteraient le faire...

3) Un organisme faciliterait les rencontres entre pairs. Véritable réseau de communication, il enregistrerait la liste des désirs en matière d'éducation de ceux qui s'adresseraient à lui pour trouver un compagnon de travail ou de recherche.

4) Des services de référence en matière d'éducateurs (quels qu'ils soient) permettraient d'établir une sorte d'annuaire où trouver les adresses de ces personnes, professionnels ou amateurs, faisant ou non partie d'un organisme. Comme nous le verrons par la suite, certains de ces éducateurs pourraient être chargés de ce travail par un système d'élections ou choisis en consultant leurs anciens élèves.

XXI

ARENDT

La crise de l'éducation

Arendt, *La Crise de la culture*,
Gallimard, 1972, trad. C. Vézin, p 232-252.

La réflexion d'Hannah Arendt (1906-1975) sur l'éducation s'inscrit dans le contexte de l'éclatement de la crise du progressisme américain, qui s'amorce au milieu du XXe siècle. Au moment où Arendt intervient dans les débats que cette crise engendre, plusieurs auteurs ont déjà montré le rôle joué par certaines thèses de Dewey – ou du moins par certaines de leurs interprétations – dans son éclatement. Mais c'est à Arendt qu'il reviendra d'en proposer ce qu'on peut tenir pour la plus remarquable analyse philosophique et politique.

L'intérêt de cette analyse est double. Il tient d'une part à ce que s'y déploient certaines des catégories les plus importantes et novatrices de la pensée politique d'Arendt, et dont on peut dès lors mesurer, sur la question de l'éducation, la profondeur et la remarquable fécondité. Mais cet intérêt tient aussi à ce qu'il y a tout lieu de penser que la réalité américaine qu'elle analyse a tendu depuis, dans sa substance comme dans sa forme, à s'universaliser au point où on peut reconnaître sa présence, à des degrés divers, dans les systèmes d'éducation de la plupart des démocraties occidentales.

Hannah Arendt, comme on sait, développe dans toute son œuvre une puissante critique de la modernité. Dans *La Condition de l'homme moderne* (1958), elle a cherché à montrer que la modernité repose sur la perpétuation d'une confusion entre privé et public très lourde de conséquences. Progressivement, une sphère de la vie sociale dominée par l'économie, posant le travail comme catégorie centrale, orientée vers la production et la consommation et pensant l'homme en termes de comportements, « absorbe » la sphère de l'activité publique et finit par en nier la spécificité voire l'existence : « Le public [est alors] devenu une fonction du privé et le privé devenu la seule et unique préoccupation commune » (*La Condition de l'homme moderne*, p. 111). Or, assure Arendt, « ni l'éducation, ni l'ingéniosité, ni le talent ne sauraient remplacer les éléments constitutifs du domaine public qui en font proprement le lieu de l'excellence humaine » (p. 89). Cette analyse fournit le cadre conceptuel où se déploie la réflexion arendtienne sur la crise de la culture et sur la crise de l'éducation. Sa réflexion s'articule autour de trois idées principales.

Pour commencer, la crise de notre rapport à l'enfance, de l'autorité qui devrait s'exercer sur elle pour que l'éducation soit possible et de l'école comme lieu où cette autorité s'incarne : « Normalement, c'est à l'école que l'enfant fait sa première entrée dans le monde. Or, l'école n'est en aucune façon le monde, et ne doit pas se donner pour tel ; c'est plutôt l'institution qui s'intercale entre le monde et le domaine privé que constitue le foyer pour permettre la transition entre la famille et le monde. » (*La Crise de la culture*, Gallimard, « Folio », p. 243).

Ensuite, Arendt constate la perversion d'une pédagogie qui s'émancipe des « formes de savoir » pour se faire technique applicable à tout contenu possible.

Enfin, elle dénonce l'idéal pragmatiste ou instrumentaliste selon lequel il faut faire pour savoir. Ces remarques débouchent sur un conservatisme pédagogique donné comme préalable nécessaire à toute politique, même radicale, qui voudra accomplir ce devoir de présenter le monde déjà vieux où nous habitons à ceux et celles qui, en naissant, y arrivent neufs et avec l'opportunité, que nous ne devrions pas leur dénier, de le réinventer.

Trois idées de base, qui ne sont que trop connues, permettent d'expliquer schématiquement ces mesures catastrophiques. La première est qu'il existe un monde de l'enfant et une société formée entre les enfants qui sont autonomes et qu'on doit dans la mesure du possible laisser se gouverner eux-mêmes. Le rôle des adultes doit se borner à assister ce gouvernement. C'est le groupe des enfants lui-même qui détient l'autorité qui dit à chacun des enfants ce qu'il doit faire et ne pas faire ; entre autres conséquences, cela crée une situation où l'adulte se trouve désarmé face à l'enfant pris individuellement et privé de contact avec lui. Il ne peut que lui dire de faire ce qui lui plaît et puis empêcher le pire d'arriver. C'est ainsi qu'entre enfants et adultes sont brisées les relations réelles et normales qui proviennent du fait que dans le monde des gens de tous âges vivent ensemble simultanément. L'essence de cette première idée de base est donc de ne prendre en considération que le groupe et non l'enfant en tant qu'individu.

Quant à l'enfant dans ce groupe, il est bien entendu dans une situation pire qu'avant, car l'autorité d'un groupe, fût-ce un groupe d'enfants, est toujours beaucoup plus forte et beaucoup plus tyrannique que celle d'un individu, si sévère soit-il. Si l'on se place du point de vue de l'enfant pris individuellement, on voit qu'il n'a pratiquement aucune chance de se révolter ou de faire quelque chose de sa propre initiative. Il ne se trouve plus dans la situation d'une lutte inégale avec quelqu'un qui a, certes, une supériorité absolue sur lui – situation où il peut néanmoins compter sur la solidarité des autres enfants, c'est-à-dire de ses pairs – mais il se trouve bien plutôt dans la situation par définition sans espoir de quelqu'un appartenant à une minorité réduite à une personne face à l'absolue majorité de toutes les autres. Même en l'absence de toute contrainte extérieure, bien peu d'adultes sont capables de supporter une telle situation, et les enfants en sont tout simplement incapables.

Affranchi de l'autorité des adultes, l'enfant n'a donc pas été libéré, mais soumis à une autorité bien plus effrayante et vraiment tyrannique : la tyrannie de la majorité. En tout cas, il en résulte que les enfants ont été pour ainsi dire bannis du monde des adultes. Ils sont soit livrés à eux-mêmes, soit livrés à la tyrannie de leur groupe, contre lequel, du fait de sa supériorité numérique, ils ne peuvent se révolter, avec lequel, étant enfants, ils ne peuvent discuter, et duquel ils ne peuvent s'échapper pour aucun autre monde, car le monde des adultes leur est fermé. Les enfants ont tendance à réagir à cette contrainte soit par le conformisme, soit par la délinquance juvénile, et souvent par un mélange des deux.

La deuxième idée de base à prendre en considération dans la crise présente a trait à l'enseignement. Sous l'influence de la psychologie moderne et des doctrines pragmatiques, la pédagogie est devenue une science de l'enseignement en général, au point de s'affranchir complètement de la matière à enseigner. Est professeur, pensait-on, celui qui est capable d'enseigner... n'importe quoi. Sa formation lui a appris à enseigner et non à maîtriser un sujet particulier. Comme nous le verrons plus loin, cette attitude est naturellement très étroitement liée à une idée fondamentale sur la façon d'apprendre. En outre, au cours des récentes décennies, cela a conduit à négliger complètement la formation des professeurs dans leur propre discipline, surtout dans les écoles secondaires. Puisque le professeur n'a pas besoin de connaître sa propre discipline, il arrive fréquemment qu'il en sait à peine plus que ses élèves. En conséquence, cela ne veut pas seulement dire que les élèves doivent se tirer d'affaire par leurs propres moyens, mais que désormais l'on tarit la source la plus légitime de l'autorité du professeur qui, quoiqu'on en pense est encore celui qui en sait le plus et qui est le plus compétent. Ainsi le professeur non autoritaire qui, comptant sur l'autorité que lui confère sa compétence, voudrait s'abstenir de toute méthode de coercition, ne peut plus exister.

Mais c'est une théorie moderne sur la façon d'apprendre qui a permis à la pédagogie et aux écoles normales de jouer ce rôle pernicieux dans la crise actuelle. Cette théorie était tout simplement l'application de la troisième idée de base dans notre contexte, idée qui a été celle du monde moderne pendant des siècles et qui a trouvé son expression conceptuelle systématique dans le pragmatisme. Cette idée de base est que l'on ne peut savoir et comprendre que ce qu'on a fait soi-même, et sa mise en pratique dans l'éducation est aussi élémentaire qu'évidente : substituer, autant que possible, le faire à l'apprendre. S'il n'était pas considéré comme très important que le professeur domine sa discipline, c'est qu'on voulait l'obliger à conserver l'habitude d'apprendre pour qu'il ne transmette pas un « savoir mort », comme on dit, mais qu'au contraire il ne cesse de montrer comment ce savoir s'acquiert. L'intention avouée n'était pas d'enseigner un savoir, mais d'inculquer un savoir-faire : le résultat fut une sorte de transformation des collèges d'enseignement général en instituts professionnels qui ont remporté autant de succès quand il s'est agi d'apprendre à conduire une voiture, à taper à la machine, ou – plus important encore pour l'« art de vivre » – à se bien comporter en société et à être populaire, qu'ils ont récolté d'échecs quand il s'est agi d'inculquer aux enfants les connaissances requises par un programme d'études normal.

Cependant cette description pèche non tant par son exagération évidente pour les besoins de la cause, que par son insuffisance à se rendre compte comment dans ce processus on s'est surtout efforcé de supprimer autant que possible la distinction entre le travail et le jeu, au profit de ce dernier. On considérait que le jeu est le mode d'expression le plus vivant et la manière la plus appropriée pour l'enfant de se conduire dans le monde, et que c'était la seule forme d'activité qui jaillisse spontanément de son existence d'enfant. Seul, ce qui peut s'apprendre en jouant correspond à sa vivacité. L'activité caractéristique de l'enfant – du moins pensait-on – est de jouer ; apprendre, au vieux sens du terme en forçant l'enfant à adopter une attitude de passivité, l'obligeait à abandonner sa propre initiative qui ne se manifeste que dans le jeu. [...]

Évitons tout malentendu : il me semble que le conservatisme, pris au sens de conservation, est l'essence même de l'éducation, qui a toujours pour tâche d'entourer et de protéger quelque chose – l'enfant contre le monde, le monde contre l'enfant, le nouveau contre l'ancien, l'ancien contre le nouveau. Même la vaste responsabilité du monde qui est assumée ici implique bien sûr une attitude conservatrice. Mais cela ne vaut que dans le domaine de l'éducation, ou plus exactement dans celui des relations entre enfant et adulte, et non dans celui de la politique où tout se passe entre adultes et égaux. En politique, cette attitude conservatrice – qui accepte le monde tel qu'il est et ne lutte que pour préserver le *statu quo* – ne peut mener qu'à la destruction, car le monde, dans ses grandes lignes comme dans ses moindres détails, serait irrévocablement livré à l'action destructrice du temps sans l'intervention d'êtres humains décidés à modifier le cours des choses et à créer du neuf. Les mots d'Hamlet : « Le temps est hors des gonds. Ô sort maudit que ce soit moi qui aie à le rétablir », sont plus ou moins vrais pour chaque génération, bien que depuis le début de notre siècle, ils aient acquis une plus grande valeur persuasive qu'avant.

Au fond, on n'éduque jamais que pour un monde déjà hors de ses gonds ou sur le point d'en sortir, car c'est le propre de la condition humaine que le monde soit créé par des mortels afin de leur servir de demeure pour un temps limité. Parce que le monde est fait par des mortels, il s'use ; et parce que ses habitants changent continuellement, il court le risque de devenir mortel comme eux. Pour préserver le monde de la mortalité de ses créateurs et de ses habitants, il faut constamment le remettre en place. Le problème est tout simplement d'éduquer de façon telle qu'une remise en place demeure effectivement possible, même si elle ne peut jamais être définitivement assurée. Notre espoir réside toujours dans l'élément de nouveauté que chaque génération apporte avec elle ; mais c'est précisément parce que nous ne pouvons placer notre espoir qu'en lui que nous détruisons tout si nous essayons de canaliser cet élément nouveau pour que nous, les anciens, puissions décider de ce qu'il sera. C'est justement, pour préserver ce qui est neuf et révolutionnaire dans chaque enfant que l'« éducation doit être conservatrice » ; elle doit protéger cette nouveauté et l'introduire comme un ferment nouveau dans un monde déjà vieux qui, si révolutionnaire que puissent être ses actes, est, du point de vue de la génération suivante, suranné et proche de la ruine.

La véritable difficulté de l'éducation moderne tient au fait que, malgré tout le bavardage à la mode sur un nouveau conservatisme, il est aujourd'hui extrêmement difficile de s'en tenir à ce minimum de conservation, à cette attitude conservatrice sans laquelle l'éducation est tout simplement impossible. Il y a à cela de bonnes raisons. La crise de l'autorité dans l'éducation est étroitement liée à la crise de la tradition, c'est-à-dire à la crise de notre attitude envers tout ce qui touche au passé. Pour l'éducateur cet aspect de la crise est particulièrement difficile à porter, car il lui appartient de faire le lien entre l'ancien et le nouveau : sa profession exige de lui un immense respect du passé. Pendant des siècles, c'est-à-dire tout au long de la période de civilisation romano-chrétienne, il n'avait pas à s'aviser qu'il possédait cette qualité, car le respect du passé était un trait essentiel de l'esprit romain et le Christianisme n'a ni modifié, ni supprimé cela, mais l'a simplement établi sur de nouvelles bases. [...]

Dans le monde moderne, le problème de l'éducation tient au fait que par sa nature même l'éducation ne peut faire fi de l'autorité, ni de la tradition, et qu'elle doit cependant s'exercer dans un monde qui n'est pas structuré par l'autorité ni retenu par la tradition. Mais cela signifie qu'il n'appartient pas seulement aux professeurs et aux éducateurs, mais à chacun de nous, dans la mesure où nous vivons ensemble dans un seul monde avec nos enfants et avec les jeunes, d'adopter envers eux une attitude radicalement différente de celle que nous adoptons les uns envers les autres. Nous devons fermement séparer le domaine de l'éducation des autres domaines, et surtout celui de la vie politique et publique. Et c'est au seul domaine de l'éducation que nous devons appliquer une notion d'autorité et une attitude envers le passé qui lui conviennent, mais qui n'ont pas une valeur générale et ne doivent pas prétendre détenir une valeur générale dans le monde des adultes.

En pratique, il en résulte que premièrement, il faudrait bien comprendre que le rôle de l'école est d'apprendre aux enfants ce qu'est le monde, et non pas leur inculquer l'art de vivre. Étant donné que le monde est vieux, le fait d'apprendre est inévitablement tourné vers le passé, sans tenir compte de la proportion de notre vie qui sera consacrée au présent. Deuxièmement, la ligne qui sépare les enfants des adultes devrait signifier qu'on ne peut ni éduquer les adultes, ni traiter les enfants comme des grandes personnes. Mais il ne faudrait jamais laisser cette ligne devenir un mur qui isole les enfants de la communauté des adultes, comme s'ils ne vivaient pas dans le même monde et comme si l'enfance était une phase autonome dans la vie d'un homme, et comme si l'enfant était un état humain autonome, capable de vivre selon des lois propres. On ne peut pas établir de règle générale qui déterminerait dans chaque cas le moment où s'efface la ligne qui sépare l'enfance de l'âge adulte ; elle varie souvent en fonction de l'âge, de pays à pays, d'une civilisation à une autre, et aussi d'individu à individu. Mais à l'éducation, dans la mesure où elle se distingue du fait d'apprendre, on doit pouvoir assigner un terme. Dans notre civilisation, ce terme coïncide probablement avec l'obtention du premier diplôme supérieur (plutôt qu'avec le diplôme d'études secondaires) car la préparation à la vie professionnelle dans les universités ou les instituts techniques, bien qu'elle ait quelque chose à voir avec l'éducation, n'en est pas moins une sorte de spécialisation. L'éducation ne vise plus désormais à introduire le jeune dans le monde comme tout, mais plutôt dans un secteur limité bien particulier. On ne peut éduquer sans en même temps enseigner ; et l'éducation sans enseignement est vide et dégénère donc aisément en une rhétorique émotionnelle et morale. Mais on peut très facilement enseigner sans éduquer et on peut continuer à apprendre jusqu'à la fin de ses jours sans jamais s'éduquer pour autant. Mais tout cela n'est que détails que l'on doit vraiment abandonner aux experts et aux pédagogues.

Ce qui nous concerne tous et que nous ne pouvons esquiver sous prétexte de le confier à une science spécialisée – la pédagogie – c'est la relation entre adultes et enfants, ou pour le dire en termes encore plus généraux et plus exacts, notre attitude envers le fait de la natalité : le fait que par la naissance nous sommes tous entrés dans le monde et que ce monde est constamment renouvelé par la natalité. L'éducation est le point où se décide si nous aimons assez le monde pour en assumer la responsabilité, et de plus, le sauver de cette ruine qui serait inévitable sans ce renouvellement et sans cette arrivée de jeunes et de nouveaux venus. C'est également avec l'éducation que nous décidons si nous aimons assez nos enfants pour ne pas les rejeter de ce monde, ni les abandonner à eux-mêmes, ni leur enlever leur chance d'entreprendre quelque chose de neuf, quelque chose que nous n'avions pas prévu, mais les préparer d'avance à la tâche de renouveler un monde commun.

XXII

FOUCAULT

LA SOCIÉTÉ DISCIPLINAIRE

Foucault, *Surveiller et punir*, Gallimard, 1975, p. 148-149 et p. 167-171.

Dans *Surveiller et punir,* Michel Foucault (1926-1984) applique sa méthode archéologique à « une histoire corrélative de l'âme moderne et d'un nouveau pouvoir de juger » et cherche à « faire la généalogie de la morale moderne à partir d'une histoire politique des corps ». L'objectif de ce travail est de mettre en évidence la « généalogie de l'actuel complexe scientifico-judiciaire » et donc de cette « société de surveillance dont nous relevons toujours ».

Traditionnellement, la philosophie politique s'est efforcée de déterminer la nature, le sens voire l'origine du pouvoir ainsi que sa légitimité. Foucault semble pour sa part se contenter ici, très modestement, de le décrire à travers toute une série de pratiques et de stratégies précisément localisées et qui se coordonnent entre elles pour aboutir à la production de corps et d'esprits dociles. Le pouvoir ainsi entendu est immanent à des pratiques sociales où il s'inscrit. Marie-Claude Bartholy et Jean-Pierre Despin (*Le Passé humain*, Magnard, 1986, p. 14) ont bien vu le caractère très particulier de la notion de pouvoir qui est engagée ici : « […] le pouvoir n'est pas dans des institutions qui en seraient dépositaires (l'État, l'armée, etc.) ; c'est le nom qu'on prête à une situation stratégique complexe dans une société donnée. Le pouvoir est donc partout : il n'est pas transcendant, autrement dit il ne s'impose pas de l'extérieur à ceux qui le subissent ; il est immanent à toutes les pratiques sociales, autrement dit il est, par avance, dans la médecine, par exemple, ou dans l'enseignement, comme il était autrefois dans la magie ou la théologie ».

Surveiller et punir étudie d'abord le pouvoir de punir, et les analyses qu'on peut y lire de la mise en place du « pouvoir scientifico-judiciaire » sont bien connues. Au départ, le pouvoir s'empare du corps, le marque (littéralement), le blesse, le dépèce, l'expose à la vue de tous. Mais bientôt, assure Foucault, apparaissent les limites et les dangers de telles pratiques : d'abord parce que la nature tyrannique du pouvoir s'y montre trop explicitement, ensuite parce que les spectateurs en viennent à tenir comme légitime, y compris pour eux-mêmes, de « faire ruisseler le sang ». C'est alors que la prison et tout le système scientifico-judiciaire apparaissent et avec eux de nouvelles stratégies du pouvoir, de nouveaux mécanismes de contrôle et d'assujettissement, qui sont autant de nouvelles manières de produire des idées, de la morale. Inspirées en partie de la réorganisation des armées telle qu'elle se réalise à partir du XVIIe siècle, ces nouvelles modalités du pouvoir signent, selon Michel Foucault, l'avènement d'un modèle disciplinaire militaire et, plus largement, d'une conception militaire de la société qui se déploie comme contrôle des gestes et des mouvements, du temps et de l'espace. C'est ici que la pensée de Foucault rencontre la question de l'éducation.

Le texte qui suit est représentatif de la manière qu'il déploie dans *Surveiller et punir*, dont il est extrait : il y propose une micro-analyse du pouvoir pédagogique et examine le cas particulier de l'enseignement mutuel – on parle aussi de méthode lancastérienne, du nom de son principal fondateur, Joseph Lancaster (1771-1838). Rappelons brièvement en quoi cet enseignement a consisté.

Un très grand nombre d'élèves (typiquement entre 200 et 1000) sont regroupés dans une vaste salle et assis en rangées comprenant chacune une dizaine d'entre eux. La classe commence à dix heures et des moniteurs ayant reçu plus tôt, le même jour, l'enseignement d'un maître, le transmettent au petit groupe dont ils sont responsables à l'aide d'un matériel alors relativement original : tableau, affiches, tableau noir, ardoise. Cette activité est coordonnée par un seul enseignant et tout se déroule selon une discipline militaire, chaque acteur devant obéir au doigt et à l'œil à des signaux convenus – coups de sifflet, gestes et ainsi de suite. Ce dernier caractère contribua, avec l'argument économique, à la popularité de l'enseignement mutuel : l'élite industrielle y voit en effet une merveilleuse machine de dressage de ses futurs ouvriers et d'apprentissage de la docilité et de l'obéissance.

Cette manière de concevoir et de dispenser un enseignement élémentaire de masse se répandit d'abord rapidement, en Europe puis en Amérique du Nord et en Amérique latine – où Simon Bolivar fit à ses frais venir Lancaster au Pérou pour y implanter l'école mutuelle. En France, un millier d'écoles mutuelles sont ouvertes en quelques années, de 1815 à 1820. Les pouvoirs publics, des organisations philanthropiques, des institutions privées s'enthousiasment.

Mais le déclin de l'enseignement mutuel sera aussi rapide que son ascension et il sera bientôt abandonné au profit de l'enseignement simultané. Sur le plan pédagogique, on finit par convenir que l'enseignement mutuel réduit l'apprentissage à la répétition et à la mémorisation et le contenu des apprentissages à des séquences atomisées. Ailleurs – notamment en France sous la Restauration – on l'accuse bientôt d'introduire l'idée révolutionnaire dans l'enseignement en laissant le pouvoir du maître être partagé. Bien des aspects de la méthode lancastérienne sont néanmoins repris dans l'éducation nationale qui se met bientôt en place et cet épisode est un moment non négligeable de l'histoire de la pédagogie.

Peu à peu – mais surtout après 1762 – l'espace scolaire se déplie ; la classe scolaire devient homogène, elle n'est plus composée que d'éléments individuels qui viennent se disposer les uns à côté des autres sous le regard du maître. Le « rang », au XVIIIe siècle, commence à définir la grande forme de répartition des individus dans l'ordre scolaire : rangées d'élèves dans la classe, les couloirs, les cours ; rang attribué à chacun à propos de chaque tâche et de chaque épreuve ; rang qu'il obtient de semaine en semaine, de mois en mois, d'année en année ; alignement des classes d'âge les unes à la suite des autres ; succession des matières enseignées, des questions traitées selon un ordre de difficulté croissante. Et dans cet ensemble d'alignements obligatoires, chaque élève selon son âge, ses performances, sa conduite, occupe tantôt un rang, tantôt un autre ; il se déplace sans cesse sur ces séries de cases – les unes, idéales, marquant une hiérarchie du savoir ou des capacités, les autres devant traduire matériellement dans l'espace de la classe ou du collège cette répartition des valeurs ou des mérites. Mouvement perpétuel où les individus se substituent les uns aux autres, dans un espace que scandent des intervalles alignés.

L'organisation d'un espace sériel fut une des grandes mutations techniques de l'enseignement élémentaire. Il a permis de dépasser le système traditionnel (un élève travaillant quelques minutes avec le maître, pendant que demeure oisif et sans surveillance, le groupe confus de ceux qui attendent). En assignant des places individuelles, il a rendu possible le contrôle de chacun et le travail simultané de tous. Il a organisé une nouvelle économie du temps d'apprentissage. Il a fait fonctionner l'espace scolaire comme une machine à apprendre, mais aussi à surveiller, à hiérarchiser, à récompenser. J.-B. de La Salle rêvait d'une classe dont la distribution spatiale pourrait assurer à la fois toute une série de distinctions : selon le degré d'avancement des élèves, selon la valeur de chacun, selon leur plus ou moins bon caractère, selon leur plus ou moins grande application, selon leur propreté, et selon la fortune de leurs parents. Alors, la salle de classe formerait un grand tableau unique, à entrées multiples, sous le regard soigneusement « classificateur » du maître : « Il y aura dans toutes les classes des places assignées pour tous les écoliers de toutes les leçons, en sorte que tous ceux de la même leçon soient tous placés en un même endroit et toujours fixe. Les écoliers des plus hautes leçons seront placés dans les bancs les plus proches de la muraille, et les autres ensuite selon l'ordre des leçons en avançant vers le milieu de la classe... Chacun des élèves aura sa place réglée et aucun d'eux ne quittera ni ne changera la sienne que par l'ordre et le consentement de l'inspecteur des écoles. » Il faudra faire en sorte que « ceux dont les parents sont négligents et ont de la vermine soient séparés de ceux qui sont propres et qui n'en ont point ; qu'un écolier léger et éventé soit entre deux qui soient sages et posés, un libertin ou seul ou entre deux qui ont de la piété ».

[...]

Du XVIIe siècle à l'introduction, au début du XIXe, de la méthode de Lancaster, l'horlogerie complexe de l'école mutuelle se bâtira rouage après rouage : on a confié d'abord aux élèves les plus âgés des tâches de simple surveillance, puis de contrôle du travail, puis d'enseignement ; si bien qu'en fin de compte, tout le temps de tous les élèves s'est trouvé occupé soit à enseigner soit à être enseigné. L'école devient un appareil à apprendre où chaque élève, chaque niveau et chaque moment, si on les combine comme il faut, sont en permanence utilisés dans le processus général d'enseignement. Un des grands partisans de l'école mutuelle donne la mesure de ce progrès : « Dans une école de 360 enfants, le maître qui voudrait instruire chaque élève à son tour pendant une séance de trois heures ne pourrait donner à chacun qu'une demiminute. Par la nouvelle méthode, tous les 360 élèves écrivent, lisent ou comptent pendant deux heures et demie chacun. »

Cette combinaison soigneusement mesurée des forces exige un système précis de commandement. Toute l'activité de l'individu discipliné doit être scandée et soutenue par des injonctions dont l'efficace repose sur la brièveté et la clarté ; l'ordre n'a pas à être expliqué, ni même formulé ; il faut et il suffit qu'il déclenche le comportement voulu. Du maître de discipline à celui qui lui est soumis, le rapport est de signalisation : il s'agit non de comprendre l'injonction, mais de percevoir le signal, d'y réagir aussitôt, selon un code plus ou moins artificiel établi à l'avance. Placer les corps dans un petit monde de signaux à chacun desquels est attachée une réponse obligée et une seule : technique du dressage qui « exclue despotiquement en tout la moindre représentation, et le plus petit murmure » ; le soldat discipliné « commence à obéir quoi qu'on lui commande ; son obéissance est prompte et aveugle ; l'air d'indocilité, le moindre délai serait un crime ». Le dressage des écoliers doit se faire de la même façon : peu de mots, pas d'explication, à la limite un silence total qui ne serait interrompu que par des signaux – cloches, claquements de mains, gestes, simple regard du maître, ou encore ce petit appareil de bois dont se servaient les Frères des Écoles chrétiennes ; on l'appelait par excellence le « Signal » et il devait porter dans la brièveté machinale à la fois la technique du commandement et la morale de l'obéissance. « Le premier et principal usage du signal est d'attirer d'un seul coup tous les regards des écoliers sur le maître et de les rendre attentifs à ce qu'il veut leur faire connaître. Ainsi toutes les fois qu'il voudra attirer l'attention des enfants, et faire cesser tout exercice, il frappera un seul coup. Un bon écolier, toutes les fois qu'il entendra le bruit du signal s'imaginera entendre la voix du maître ou plutôt la voix de Dieu même qui l'appelle par son nom. Il entrera alors dans les sentiments du jeune Samuel disant avec lui dans le fond de son âme : Seigneur, me voici. » L'élève devra avoir appris le code des signaux et répondre automatiquement à chacun d'eux. « La prière étant faite, le maître frappera un coup de signal, et regardant l'enfant qu'il veut faire lire, il lui fera signe de commencer. Pour faire arrêter celui qui lit, il frappera un coup de signal... Pour faire signe à celui qui lit de se reprendre, quand il a mal prononcé une lettre, une syllabe ou un mot, il frappera deux coups successivement et coup sur coup. Si après avoir été repris, il ne recommence pas le mot qu'il a mal prononcé, parce qu'il en a lu plusieurs après celui-là, le maître frappera trois coups successivement l'un sur l'autre pour lui faire signe de rétrograder de quelques mots et continuera de faire ce signe, jusqu'à ce que l'écolier arrive à la syllabe ou au mot qu'il a mal dit. » L'école mutuelle fera encore surenchère sur ce contrôle des comportements par le système des signaux auxquels il faut réagir dans l'instant. Même les ordres verbaux doivent fonctionner comme des éléments de signalisation : « Entrez dans vos bancs. Au mot *Entrez*, les enfants posent avec bruit la main droite sur la table et en même temps passent la jambe dans le banc ; aux mots *dans vos bancs*, ils passent l'autre jambe et s'asseyent face à leurs ardoises... *Prenez-ardoises* au mot *prenez*, les enfants portent la main droite à la ficelle qui sert à suspendre l'ardoise au clou qui est devant eux, et par la gauche, ils saisissent l'ardoise par le milieu ; au mot *ardoises*, ils la détachent et la posent sur la table. »

En résumé, on peut dire que la discipline fabrique à partir des corps qu'elle contrôle quatre types d'individualité, ou plutôt une individualité qui est dotée de quatre caractères : elle est cellulaire (par le jeu de la répartition spatiale), elle est organique (par le codage des activités), elle est génétique (par le cumul du temps), elle est combinatoire (par la composition des forces). Et pour ce faire, elle met en œuvre quatre grandes techniques : elle construit des tableaux ; elle prescrit des manœuvres ; elle impose des exercices ; enfin, pour assurer la combinaison des forces, elle aménage des « tactiques ». La tactique, art de construire, avec les corps localisés, les activités codées et les aptitudes formées, des appareils où le produit des forces diverses se trouve majoré par leur combinaison calculée est sans doute la forme la plus élevée de la pratique disciplinaire.

[...] Le songe d'une société parfaite, les historiens des idées le prêtent volontiers aux philosophes et aux juristes du XVIIIe siècle ; mais il y a eu aussi un rêve militaire de la société ; sa référence fondamentale était non pas à l'état de nature, mais aux rouages soigneusement subordonnés d'une machine, non pas au contrat primitif, mais aux coercitions permanentes, non pas aux droits fondamentaux, mais aux dressages indéfiniment progressifs, non pas à la volonté générale, mais à la docilité automatique.

XXIII

HARRIS

Peters et la scolarisation

Harris, « Peters on Schooling », *Educational Philosophy and Theory*, 1977, trad. N. Baillargeon, p. 33-48.

Travaillant dans une perspective nettement inspirée d'une vision critique voire marxiste de la société, Kevin Harris propose ici une forte critique de certains aspects de la conception libérale de l'éducation, telle que Peters l'articule. Son argumentaire procède notamment de la remarque suivante : la conception libérale présuppose la valeur intrinsèque de ce qui est transmis. Harris pose donc la question de savoir qui décide de cette valeur. Or le propos de Peters, note-t-il, réfère à une communauté nébuleuse, et semble confus, voire contradictoire, dès lors qu'il se voudrait plus précis. Peters ne répond en fait pas de manière satisfaisante à cette question pourtant cruciale. Harris suggère quant à lui, comme on le découvrira, qu'une redéfinition de ce qu'est en réalité l'éducation et une reconnaissance des fins qu'elle ne peut manquer de réellement servir au sein de nos sociétés actuelles permet de sortir de cette aporie et fait en sorte « que beaucoup de choses tombent en place ».

Lorsque Peters tente, conformément à sa prémisse fondamentale selon laquelle l'essence de l'école est l'éducation, de lier scolarisation et éducation, il en résulte d'intéressantes conséquences. Selon Peters, l'éducation consiste, en partie, en la poursuite désintéressée de ce qui est valable ; il lui revenait donc de montrer que certaines activités sont valables en elles-mêmes et que leur valeur dérive de caractéristiques intrinsèques à ces activités et non en vertu de leur élection par les personnes qui les choisissent ou les prescrivent. […]

Peters affirme que « ce n'est pas le fait de le vouloir » qui fait que quelque chose est valable, mais bien « les caractéristiques de ce qui est voulu ». Il assure que quelque chose pourrait bien être valable même si personne ne le voulait […]. D'un autre côté, cependant, le simple fait d'établir que quelque chose est voulu « ne suffit pas à en faire quelque chose de valable ». […] Il semble donc que pour Peters la valeur réside dans les caractéristiques de l'objet. Cependant, en disant cela, Peters semble aussitôt qualifier ce qu'il affirme. C'est ainsi que juste avant de dire que « si quelque chose est valable, c'est valable », il a écrit que l'éducation « vise à initier les enfants à ce qui est pensé être valable » ; et, un peu plus loin, il précise que certaines sociétés peuvent accorder des valeurs différentes à la variable « être valable ».

Il y a à n'en pas douter une certaine confusion dans tout cela ; mais la question qui doit nous préoccuper le plus est celle-ci : l'éducation est-elle la poursuite désintéressée de (ou l'initiation à) ce qui est valable ou à ce que certains peuples et certaines sociétés considèrent valable ? Ce problème hante les pages de *Ethics and Education* […]. Peters [tend à dire] que la *raison d'être* des écoles (dont l'essence est l'éducation) est de « transmettre *ce qu'une communauté valorise* » et que la fonction de l'école est de « préserver et transmettre les valeurs fondamentales d'une société ». [Mais] Peters ne précise pas ce qu'est cette communauté. Parfois, Peters parle indistinctement de « communauté » et de « société » ; d'autres fois, il semble vouloir parler de localité ou de milieu local ; mais la notion capitale de communauté reste vague et confuse. Mais puisque Peters a choisi cette étrange manière de définir l'éducation – initiation à ce qu'une communauté juge valable – voyons ce qu'il en dit.

Les valeurs que l'éducation et la scolarisation sont supposées transmettre ne peuvent manifestement pas être celles de la *majorité* de la communauté [...] : Peters affirme en effet catégoriquement que la majorité « ne s'y intéresse pas ». La majorité recherche des plaisirs immédiats plutôt que les efforts et la sueur [...], elle ne vit que « pour consommer et *ne conçoit la valeur de quoi que ce soit* qu'en termes de plaisirs immédiats ou en termes d'instruments liés à la satisfaction de leurs besoins de consommateurs ». Or l'éducation telle que Peters la conçoit est initiation à des valeurs entièrement opposées à celles-là. Devrons-nous en ce cas chercher du côté de la minorité les valeurs qui seront établies pour l'ensemble de la communauté ? Cela semble être cohérent avec l'ensemble de ce que préconise Peters. [...] Les « valeurs de la communauté », en ce cas, pourraient alors être celles de quelques experts qui ont l'oreille attentive et la confiance des parlementaires (la classe dirigeante ?), lesquels, mieux que les parents, comprennent que les intérêts des individus et ceux de la communauté pâtiront si les enfants ne sont pas scolarisés et éduqués. Mais ces gens qui dirigent l'État se soucient-ils seulement d'éducation ? Il semble que non puisque [...], dit Peters, « ils n'allouent jamais les budgets suffisants pour [...] développer un système d'éducation juste et efficace, d'autres demandes budgétaires semblant *toujours* plus pressantes ».

Il semble donc que ni la majorité de la population ni ceux qui gouvernent pour elle ne se soucie vraiment d'éducation. [...] Ce qui est une situation bien étrange : [...] Peters adhère d'abord à la notion de « valeurs de la communauté » et a du mal à situer et la communauté et ses valeurs. Ensuite, il esquisse la position logiquement absurde selon laquelle des demandes autres que celles concernant les valeurs ultimes ont *toujours* semblé plus pressantes. Finalement, il se porte à la défense de son affirmation selon laquelle « l'essence de la scolarisation est l'éducation » et « l'éducation est l'initiation à ce qu'une communauté juge valable », mais dans un contexte où lui-même a montré que la « communauté » qui met en place des écoles ne se soucie guère d'éducation et ne place guère de valeur dans la poursuite de ce qui est valable.

[...] Peters commence son argumentaire en affirmant (et non en démontrant) que l'essence de l'école devrait être l'éducation. Imaginons que ce soit le cas et que les écoles soient extrêmement efficaces en cela et ne produisent que des personnes éduquées tout en gardant un œil sur leurs fonctions sociales instrumentales. Ces personnes devenues éduquées, comme le dit Peters, ne seraient plus les mêmes ; elles auraient progressé aussi loin qu'elles le pouvaient sur les mêmes voies d'exploration. Elles vivraient des formes de vie désirables, ce qui serait manifeste dans leurs conduites, dans leurs jugements, dans leurs engagements et dans leurs émotions ; elles comprendraient certains principes, leur savoir serait large et ne serait pas orienté exclusivement en fonction de fins utilitaires ou professionnelles ; elles se soucieraient des normes et d'avoir du monde une riche vision cognitive.

Ces personnes seraient une menace pour la société qui les aurait créées.

Cela tient à ce fait, noté par Peters, que dans une société démocratique industrielle moderne, « *un grand nombre* » de personnes doivent être formées pour accomplir des tâches routinières et instrumentales qui étaient accomplies par les esclaves et les métèques dans l'Athènes de l'Antiquité. Peters semble croire que si on avait de bonnes écoles, ces personnes pourraient simultanément être éduquées et formées et il nous donne les exemples de cuisiniers, d'ébénistes, de souffleurs de verre bien formés qui sont également des personnes éduquées bien qu'elles accomplissent des tâches qui pourraient n'être qu'instrumentales. Cependant, Peters ne prend pas l'exemple du débardeur, de l'opérateur du conducteur de chariot élévateur à fourche, de la personne qui travaille sur une chaîne de production dans une usine de biscuits ou pour *General Motors*, de la barmaid, de la femme de chambre, de l'employée de commerce, du conducteur d'autobus, du veilleur de nuit, de l'éboueur ou du balayeur de rues. Il est très difficile, dans ces emplois, de développer une vision du monde cognitive et riche, de découvrir en eux de la valeur intrinsèque et de prendre du plaisir à bien accomplir les tâches qu'ils impliquent, à le faire avec habileté, délicatesse et avec une compréhension des principes qui sont en jeu. Qui plus est, et ceci est plus important encore, aucune personne éduquée ne voudrait accomplir ces tâches ou les accomplir longtemps. [...]

Si une société requiert que de nombreuses personnes accomplissent des tâches instrumentales et routinières, alors il est de l'intérêt de cette société de s'assurer que de nombreuses personnes ne soient pas éduquées – du moins au sens où Peters définit être éduqué. Or c'est, en partie du moins, à travers des institutions que les sociétés protègent et promeuvent leur intérêt et l'école est une de ces institutions. [...] Tant et aussi longtemps qu'un système social requerra, pour assurer sa reproduction, qu'un grand nombre de personnes ne soient pas éduquées, il ne créera pas et n'encouragera pas d'institution vouée à assurer une éducation universelle ou quasi-universelle et ne créera ni n'encouragera donc pas d'école dont l'essence serait l'éducation.

Si on accepte cela, beaucoup de choses tombent en place. Nous avons d'abord une explication raisonnable du fait qu'après quatre générations de scolarisation obligatoire cette vaste majorité dont parle Peters « ne se soucie pas d'éducation » et ne conçoit la valeur de quoi que ce soit qu'à condition qu'il s'agisse « d'instruments liés à la satisfaction de leurs besoins de consommateurs ». On peut en outre expliquer pourquoi les écoles ne parviennent pas à éduquer et pourquoi, dans les couloirs du pouvoir, on s'intéresse beaucoup, en paroles, à l'éducation et à développer un système d'éducation efficace – mais que les coffres sont vides sitôt qu'il faut agir. On peut également expliquer pourquoi la coercition et/ou les récompenses et sanctions économiques sont, dans les écoles, de puissants instruments de contrôle social. On peut aussi expliquer pourquoi la « communauté » ne valorise pas réellement ces choses dont des gens comme Peters pensent qu'elles sont ce qui devrait être transmis dans les écoles, et cela permet en outre d'expliquer pourquoi les élèves ne s'identifient pas avec ce que Peters pense être les valeurs de l'école, étant donné que *ces* valeurs ne sont guère présentes dans les écoles. Et tout cela peut expliquer pourquoi les enseignants ont tant de mal à éduquer et pourquoi les écoles sont devenues, comme le dit Peters, des « orphelinats pour enfants qui ont des parents ».

XXIV

DEWEY

DÉMOCRATIE ET ÉDUCATION

Dewey, *Democracy and Education*,
chap. VII , sect. 1 et 2, The MacMillan
Company, 1916, trad. N. Baillargeon,
p. 94-96 et 100-102.

John Dewey conçoit la démocratie comme un mode de vie associatif. Celui-ci se caractérise, d'une part, par ce que les membres ont en commun, à savoir les intérêts qu'ils partagent ; d'autre part, par les relations de ses membres à d'autres associations. Plus ces deux caractéristiques sont importantes, plus un mode de vie pourra être dit démocratique, plus il sera capable d'évoluer organiquement et de faire face à des situations nouvelles – capable de croître serait-on tenté de dire. L'éducation est une préoccupation majeure et fondamentale pour un tel mode de vie associatif puisqu'elle forge les dispositions de chacun des membres. Ces dispositions sont actualisées par exemple lorsqu'un membre rapporte son action à celle des autres, lorsque les actions des autres sont prises en compte en tant qu'elles contribuent à donner signification et direction à la sienne. Ces dispositions, pense Dewey, sont nourries par les méthodes pédagogiques que ce mode de vie préconise et par leur déploiement dans l'espace social en un « effort délibéré pour les soutenir et en étendre la portée ».

« Le public articulé » qui en résulte et qui a cultivé, d'abord à l'école, des dispositions à la réflexion, à l'enquête et à la discussion, est le meilleur antidote à une société stratifiée, divisée et où diminueraient sans cesse ce partage d'intérêt et ces interactions qui caractérisent la démocratie véritable : il en résulterait une grave confusion « permettant à quelques-uns de s'approprier pour eux-mêmes les résultats du travail des autres, ces activités étant aveugles et dirigées de l'extérieur ».

[…] Les êtres humains s'associent de toutes sortes de manières et pour toutes sortes de raisons et par le mot société, on entend plusieurs choses. C'est ainsi qu'une personne peut appartenir à de nombreux groupes différents et qu'il pourra sembler que ces groupes n'ont rien en commun les uns avec les autres, si ce n'est qu'ils sont tous des modes de vie associative. Dans toute vaste organisation sociale, on retrouve de nombreux groupes mineurs : ce sont des subdivisions politiques, mais aussi associations industrielles, scientifiques et religieuses. Il y a encore des partis politiques, chacun visant des buts différents, des alliances, des cliques, des gangs, des corporations, des partenariats, des groupes fortement unis par des liens du sang et ainsi de suite, avec une infinie variété. Dans plusieurs États modernes – comme c'était déjà le cas dans certains États anciens – il existe une grande diversité de la population, une grande variété des langues, des religions, des codes moraux et des traditions. Envisagée de ce point de vue, une de nos unités politiques mineures, une de nos grandes villes par exemple, est bien plus un assemblage de sociétés réunies par des liens relâchés qu'une communauté d'action et de pensée inclusive et unifiée. […]

Les concepts de société et de communauté sont donc ambigus. Ils ont à la fois un sens normatif et panégyrique et un sens descriptif ; une signification *de jure* et une signification *de facto.* Dans la philosophie sociale, la première connotation est presque toujours dominante. La société, en vertu de sa nature même, est conçue comme une. On insiste alors sur les qualités qui sont typiquement associées à cette unité – l'existence d'une estimable communauté de fins, la fidélité au bien commun, la sympathie et la fraternité. Mais si nous portons notre attention aux faits que dénote le terme plutôt qu'à sa connotation, nous découvrons non plus l'unité, mais un pluralité de sociétés, bonnes ou mauvaises. On trouve alors des hommes réunis par une conspiration criminelle, des regroupements d'entreprises qui s'en prennent au public tout en prétendant le servir, des machines politiques unies par leur intérêt pour le pillage. Et si on fait valoir que de telles organisations ne sont pas des sociétés parce qu'elles ne satisfont pas aux conditions idéales qui définissent ce qu'est une société, la réponse sera d'abord de rappeler qu'on a alors donné de la société une définition à ce point idéale qu'elle n'a plus aucun référent dans les faits et n'est donc plus d'aucun secours ; puis, de souligner que chacune de ces organisations, nonobstant tout ce qui les oppose par ailleurs aux intérêts des autres groupes, possède quelque chose de ces louables qualités qui font l'unité de la « Société ». L'honneur est un sentiment répandu parmi les cambrioleurs et les membres d'une bande de voleurs ont un intérêt commun. Il existe un sentiment de fraternité au sein des gangs et les cliques se caractérisent par la très grande fidélité de leurs membres à leurs règles. À des observateurs extérieurs, une famille pourra sembler être caractérisée par l'isolement, la défiance et la jalousie, et pourtant être, pour ses membres, un modèle d'amitié et d'entraide. Toute éducation dispensée par un groupe tend à en socialiser les membres, mais la valeur et la qualité de la socialisation dépend des habitudes et des buts du groupe.

D'où, encore une fois, notre besoin d'un étalon permettant de mesurer la valeur d'un mode de vie sociale. Nous devons à ce sujet éviter deux extrêmes. Nous ne pouvons pas construire dans notre tête ce que nous pensons être une société idéale. Nous devons baser notre conception sur les sociétés qui existent, de manière à être certain que notre idéal est possible en pratique. Mais, d'un autre côté, comme nous venons de le voir, l'idéal ne peut se contenter de répéter les traits que nous découvrons dans les faits. Le problème consiste à dégager les traits désirables des formes de vie communautaire qui existent dans les faits et de les utiliser afin d'en critiquer les aspects indésirables et de suggérer des améliorations. Observons ceci : dans un groupe social quel qu'il soit, y compris une bande de voleurs, on trouvera des intérêts communs ainsi qu'une certaine quantité d'interactions et de relations de coopération avec les autres groupes. Notre standard sera déduit de ces deux traits. Quelle quantité et quelle variété d'intérêts sont consciemment partagés ? Jusqu'à quel point les relations avec les autres formes d'association sont-elles riches, et libres ? Si nous examinons de ce point de vue une bande criminelle, on découvrira alors que les liens qui unissent consciemment ses membres sont peu nombreux et se ramènent presque tous à un intérêt commun pour le pillage ; et qu'ils isolent le groupe des autres groupes en ce qui a trait au libre-échange des valeurs de la vie. L'éducation qu'une telle société dispensera sera donc partielle et déformée. Mais si, d'un autre coté, nous considérons la vie familiale type, on découvrira des intérêts matériels, intellectuels et esthétiques que partagent tous les membres, que le progrès d'un de ses membres a une valeur pour l'ensemble des autres membres – il est aisément communicable –, et encore que la famille n'est pas un tout isolé, qu'elle entre intimement en relation avec les milieux des affaires, avec les écoles, avec les organisations culturelles ainsi qu'avec d'autres groupes similaires, et qu'elle joue un rôle dans la vie politique dont elle reçoit en retour l'appui. En somme, de nombreux intérêts sont consciemment communiqués et partagés, et il existe des points de contact libres et variés avec d'autres modes d'association. […]

[Les] deux éléments de notre critère nous conduisent à l'idée de démocratie. Le premier implique en effet non seulement des intérêts communs nombreux et variés mais aussi que l'on accordera un rôle plus important aux intérêts mutuels dans la conduite de la vie sociale. Quant au deuxième, il implique tout à la fois des interactions plus libres entre les groupes sociaux […] et un changement dans les habitudes sociales – et leur continuel rajustement de manière à faire face aux nouvelles conditions engendrées par la variété des relations. Ces deux traits sont précisément ce qui caractérise la démocratie.

En ce qui concerne l'éducation, notons d'abord que la réalisation d'une forme de vie sociale dans laquelle les intérêts s'interpénètrent et où on accorde une grande importance au progrès – ou encore, au réajustement – implique qu'une communauté démocratique accordera à une éducation délibérée et systématique un intérêt plus grand que d'autres communautés n'ont besoin de le faire. L'attention que la démocratie porte à l'éducation est bien connue. On en donne parfois une explication superficielle en affirmant qu'un gouvernement reposant sur le suffrage populaire ne peut réussir que si ceux qui l'élisent et lui obéissent sont éduqués. Puisqu'une démocratie récuse le principe d'une autorité extérieure, elle en trouve un substitut dans la disposition volontaire et dans l'intérêt : et ceux-ci ne peuvent être créés que par l'éducation. Il y a cependant une explication plus profonde. Une démocratie, c'est plus qu'une forme de gouvernement : c'est d'abord une mode de vie associatif, des expériences communes partagées et communiquées. L'accroissement, dans l'espace, du nombre des individus qui participent à un intérêt fait que chacun doit rapporter sa propre action à celle des autres et prendre en compte les actions des autres en tant qu'elles contribuent à donner signification et direction à la sienne, tout cela revient à briser les barrières de classe, de race et de territoire national qui empêchaient les êtres humains de prendre toute la mesure de leur activité. Ces points de contacts plus nombreux et plus variés indiquent une plus grande diversité de stimuli auxquels doivent répondre les individus ; ils ont pour effet de valoriser la variation de leurs actions. Ils permettent la libération de forces qui ne peuvent être libérées si les incitations à l'action restent partielles – ce qu'elles sont au sein d'un groupe refermé sur lui-même et qui se ferme à certains intérêts.

L'élargissement de l'espace des activités partagées et la libération d'une plus grande variété de capacités personnelles sont des traits caractéristiques d'une démocratie. Mais ils ne sont bien entendu pas le produit d'une décision délibérée et d'un effort conscient. Ils sont au contraire le produit du développement de l'industrie et du commerce, des voyages, des migrations et des modes de communications rendus possibles par la maîtrise par la science des énergies naturelles. Mais sitôt qu'existent d'une part une plus grande individualisation, d'autre part une plus vaste communauté d'intérêts, il faut un effort délibéré pour les soutenir et en étendre la portée. À l'évidence, une société pour laquelle la stratification en classes sociales séparées serait fatale doit veiller à ce que les opportunités intellectuelles soient égales pour tous et aussi facilement accessibles à tous. Une société qui est divisée en classes ne doit accorder d'attention particulière qu'à l'éducation de ses dirigeants. Une société mobile, pleine de canaux par où circulent des changements qui surviennent partout, doit faire en sorte, par l'éducation, que ses membres soient formés à prendre des initiatives personnelles et capables de s'adapter. Faute de quoi, ils seront écrasés par les transformations dans lesquelles ils seraient pris sans en apercevoir ni la portée ni les relations. Le résultat serait une confusion permettant à quelques-uns de s'approprier pour eux-mêmes les résultats du travail des autres, ces activités étant aveugles et dirigées de l'extérieur.

XXV

BARROW ET MILBURN

LE CONCEPT D'ENDOCTRINEMENT

Barrow et Milburn, « Indoctrination », in *A Critical Dictionary of Educational Concepts. An Appraisal of Selected Ideas and Issues in Educational Theory and Practice*, Teachers College Press, Columbia University, 1990, trad. N. Baillargeon, p. 148-150.

Robin Barrow et Geoffrey Milburn sont des philosophes de l'éducation œuvrant au sein de la philosophie analytique, et dans le cadre élaboré notamment par R.S. Peters et P. Hirst. Dans le texte qui suit, ils en déploient justement les caractéristiques en poursuivant une recherche de clarification conceptuelle, menée avec les ressources du langage ordinaire, et permettant de préciser le sens d'un vocable de la plus haute importance pour la pensée et la pratique de l'éducation. Ici, en l'occurrence, il s'agit pour eux de spécifier à quelles conditions un enseignement pourra être dit être un endoctrinement.

Le souci de ne pas endoctriner est évidemment central dans toute conception de l'éducation ; mais il prend une vivacité et une acuité particulièrement grandes pour qui défend une conception libérale de l'éducation. Pour celle-ci, la transmission de savoirs doit émanciper celui qui les acquiert et assurer son autonomie. Or, l'endoctrinement est l'exact contraire de cet idéal, et il est en somme à l'éducation ce que la propagande est à la conversation démocratique.

Des travaux menés au sein de la tradition analytique ont fourni différents critères possibles de définition de l'endoctrinement : méthode, intention, contenu et conséquence.

Barrow et Milburn les examinent tour à tour avant d'en suggérer la synthèse.

Bien que le mot « endoctrinement » ait historiquement été utilisé comme synonyme d'« instruction », il a à présent des connotations nettement péjoratives. Endoctriner est une chose que nous voulons éviter en même temps qu'une accusation que nous lançons volontiers à ceux dont nous n'aimons pas les manières de faire. Mais comment convient-il de définir plus précisément l'endoctrinement et de le distinguer de l'éducation, de la socialisation, de l'influence et de la formation ? [...]

Les recherches menées sur le concept se sont centrées sur quatre critères. Certains pensent qu'endoctriner, c'est essentiellement enseigner ou transmettre de l'information d'une certaine façon (critère de la *méthode*) ; d'autres soutiennent qu'endoctriner est caractérisé par un certain dessein (critère de l'*intention*) ; d'autres encore soutiennent que ce qui est spécifique à l'endoctrinement, c'est le type d'information qui est transmis (critère du *contenu*) ; d'autres enfin pensent que le mot endoctriner est un mot-succès, comme « trouver », en ce sens que l'on ne peut endoctriner que si et seulement si on parvient à fermer l'esprit de quelqu'un sur une question (critère de la *conséquence*). On a également proposé diverses combinaisons de ces critères.

L'opinion selon laquelle il faut, pour endoctriner, avoir réussi à fermer l'esprit de quelqu'un d'autre est peu répandue ; mais on admet généralement qu'une caractéristique nécessaire d'une personne endoctrinée est bien le fait d'avoir un esprit fermé. On doit cependant distinguer le fait d'avoir un esprit fermé et celui d'avoir des convictions ou des croyances fermes en quelque chose. Un esprit fermé, cela renvoie moins à la force ou à la fermeté des croyances qu'à la manière dont on les conçoit et à leur statut. Ce qui caractérise un esprit fermé est qu'un tel esprit tient ses croyances pour irrécusables – et qu'il leur accorde donc le statut de vérités ne pouvant être mises en doute. Avoir un esprit fermé, c'est donc être dans un certain état psychologique et la personne qui est dans un tel état pourra déployer diverses techniques pour écarter tout ce qui mettrait en cause ses croyances. Il est important de pouvoir distinguer un esprit qui est fermé d'un esprit qui reste attaché à ses croyances par ignorance, par paresse, par stupidité, etc. L'esprit endoctriné maintient la justesse de ses vues face à et malgré toutes les questions et objections.

Mais s'il est vrai qu'être endoctriné signifie nécessairement avoir un esprit fermé, il n'est pas raisonnable de vouloir définir en ces termes le fait d'endoctriner. Car nous nous opposons avec raison à certaines méthodes d'enseignement parce qu'elles sont endoctrinaires qu'elles réussissent ou non à fermer les esprits. Partant de là, certains voudront soutenir que c'est l'intention de fermer l'esprit qui est le trait distinctif de l'endoctrinement. Un enseignant pourrait ainsi enseigner, par exemple, la théorie de Darwin, en voulant simplement exposer ce qui y est avancé et en suggérant qu'elle a une certaine plausibilité. Dans un tel cas, l'enseignant n'endoctrinerait pas, même si ses élèves en venaient à considérer que la théorie darwinienne est incontestablement juste. D'un autre côté, selon cette manière de voir, une enseignante endoctrinerait si son intention était de persuader les élèves que la théorie est incontestablement vraie, quels que soient les effets de son enseignement.

Un des problèmes auquel conduit cette position est qu'il arrive que l'intention de l'enseignante soit précisément de fermer l'esprit sur une question donnée (parce qu'il s'agit d'une question à propos de laquelle il n'y a pas lieu de douter) : or, nous ne souhaitons pas condamner un tel enseignement en l'assimilant à de l'endoctrinement. Par exemple, étant donné que deux plus deux font quatre, que certains effets se produisent si vous mélangez certaines substances chimiques, que certains faits concernant la Seconde Guerre mondiale sont établis etc., on attend des enseignants qu'ils transmettent ces informations et en pénètrent les esprits de leurs élèves. Ces observations invitent à considérer les deux autres critères. On pourra d'abord dire qu'il existe différents types de contenus, et que s'il est acceptable de fermer l'esprit sur certains d'entre eux, ce n'est pas le cas pour certains autres. On pourra par ailleurs suggérer que l'idée de fermer l'esprit demande à être explicitée en précisant la méthode par laquelle l'information est transmise.

On a soutenu que lorsqu'il est possible de démontrer clairement et en des termes publiquement acceptables l'information qui est transmise, il est légitime de vouloir faire en sorte que les élèves soient pénétrés de cette information et y adhèrent. Il n'y a rien de mal à vouloir faire en sorte que les élèves adhèrent avec conviction à l'idée que deux plus deux font quatre ou à l'idée que certains effets se produisent si vous mélangez certaines substances chimiques : un tel enseignement n'est pas de l'endoctrinement. Mais lorsque l'information n'est pas susceptible d'être prouvée de manière publiquement acceptable, comme on peut le dire de certaines assertions historiques et comme c'est incontestablement le cas de certaines assertions religieuses, esthétiques ou morales, alors il ne convient pas de fermer l'esprit sur certaines croyances particulières. Dès lors, amener un individu à croire inconditionnellement en Dieu serait endoctriner. (Pour le dire plus formellement, cela revient à dire qu'endoctriner suppose qu'on induise une adhésion à des propositions indémontrables. D'autres iraient plus loin et suggéreraient un lien étymologique entre « endoctriner » et « doctrine » qui indiquerait que ce ne sont que des propositions qui appartiennent à un système doctrinaire qui peuvent faire l'objet d'un endoctrinement.)

Un des problèmes auquel conduit cette façon de voir – selon laquelle endoctriner est simplement affaire de communication d'un certain contenu – est qu'il est difficile de dire clairement où commence et où finit ce type de contenu. Certains argueront que les propositions des sciences naturelles, souvent données comme le paradigme même de la vérité objective, ne sont pas aussi univoquement et sûrement connues qu'on le pense communément ; d'un autre côté, certains soutiendront que des assertions concernant par exemple l'art ou la morale, peuvent être rationnellement démontrées. Ces considérations peuvent amener des commentateurs à arguer que ce qui compte c'est la méthode par laquelle des informations sont transmises. Du moment que l'on indique les raisons pour lesquelles on peut soutenir la vérité d'une proposition et qu'on reconnaît que sa vérité ne peut être fondée que sur le raisonnement et lui seul – lequel peut s'avérer déficient, erroné ou invalide –, on enseigne de manière acceptable. Mais sitôt que l'on a recours à des techniques ou à des méthodes non rationnelles de persuasion (il peut s'agir de l'hypnotisme, de la torture, du charisme, de l'appel à l'autorité etc.), alors on endoctrine.

On ne peut cependant raisonnablement penser que le critère de la méthode puisse, à lui seul, permettre de définir l'endoctrinement. Si c'était le cas, nous serions coupables d'endoctriner chaque fois que nous empêcherions un enfant de mettre les mains sur un poêle brûlant ou de traverser une rue où circulent de nombreuses voitures. Mais ce critère semble cependant bien une *condition nécessaire* de l'endoctrinement. Notre position serait donc la suivante : endoctriner, c'est utiliser des moyens non rationnels dans le but d'établir une adhésion inconditionnelle quant à la vérité de certaines assertions indémontrables, et cela avec l'intention que les personnes à qui l'on s'adresse s'y tiennent fermement.

XXVI

MICHÉA

L'ENSEIGNEMENT DE L'IGNORANCE

Michéa, *L'Enseignement de l'ignorance et ses conditions modernes*, Climats, 2006, p. 39-50.

Essayiste français contemporain, Jean-Claude Michéa revendique le double héritage de George Orwell, à la redécouverte duquel il a contribué à travers ses analyses du concept de *common decency*, et de l'historien américain Christopher Lasch, dont il a introduit la pensée en France. Ces deux auteurs nourrissent sa critique de la « civilisation libérale » et capitaliste en tant que système déshumanisant. À ce titre, sa conception de l'éducation, développée de manière polémique dans *L'Enseignement de l'ignorance*, mais également dans *Orwell éducateur*, brosse le tableau de la faillite actuelle de l'école. Celle-ci ne résulte pas d'une « crise » conjoncturelle, mais plus profondément de l'accomplissement de la logique néolibérale visant à substituer la gestion désincarnée d'une entreprise à l'organisation d'une société authentiquement humaine. L'enseignement est devenu, selon lui, le vecteur des seules compétences nécessaires à la production d'individus interchangeables, performants, souples, et surtout, pour ce faire, parfaitement dénués d'esprit critique et de culture véritable. Michéa souligne avec véhémence la barbarie latente dans cette évolution et, en s'opposant ce faisant aux vues de la « droite » comme de la « gauche », propose une position nouvelle, d'inspiration sociale-conservatrice, dans le débat sur l'éducation.

Le mouvement qui, depuis trente ans, transforme l'École dans un sens toujours identique, peut maintenant être saisi dans sa triste vérité historique. Sous la double invocation d'une « démocratisation de l'enseignement » (ici un mensonge absolu) et de la « nécessaire adaptation au monde moderne » (ici une demi-vérité), ce qui se met effectivement en place, à travers toutes ces réformes également mauvaises, c'est *l'École du Capitalisme total*, c'est-à-dire l'une des bases logistiques décisives à partir desquelles les plus grandes firmes transnationales – une fois achevé, dans ses grandes lignes, le processus de leur restructuration – pourront conduire avec toute l'efficacité voulue *la guerre économique mondiale du XXI*[e] *siècle.* [...]

Tout d'abord, il est évident qu'un tel système devra conserver un secteur d'excellence, destiné à former, au plus haut niveau, les différentes élites scientifiques, techniciennes et managériales qui seront de plus en plus nécessaires à mesure que la guerre économique mondiale deviendra plus dure et plus impitoyable.

Ces *pôles d'excellence* – aux conditions d'accès forcément très sélectives – devront continuer à transmettre de façon sérieuse (c'est-à-dire probablement, quant à l'essentiel, sur le modèle de l'école classique) non seulement des savoirs sophistiqués et créatifs, mais également (quelles que soient, ici ou là, les réticences positivistes de tel ou tel défenseur du système) ce minimum de culture et d'esprit critique sans lequel l'acquisition et la maîtrise effective de ces savoirs n'ont aucun sens ni, surtout, aucune utilité véritable.

Pour les compétences techniques moyennes – celles dont la Commission européenne estime qu'elles ont « une demi-vie de dix ans, le capital intellectuel se dépréciant de 7 % par an, tout en s'accompagnant d'une réduction correspondante de l'efficacité de la main-d'œuvre » – le problème est assez différent. Il s'agit, en somme, de *savoirs jetables* – aussi jetables que les humains qui en sont le support provisoire – dans la mesure où, s'appuyant sur des compétences plus routinières, et adaptés à un contexte technologique précis, ils cessent d'être opérationnels sitôt que ce contexte est lui-même dépassé. Or, depuis la révolution informatique, ce sont là des propriétés qui, d'un point de vue capitaliste, ne présentent plus que des avantages. Un savoir utilitaire et de nature essentiellement algorithmique – c'est-à-dire qui ne fait pas appel de façon décisive à l'autonomie et à la créativité de ceux qui l'utilisent – est en effet un savoir qui, à la limite, peut désormais être appris *seul*, c'est-à-dire *chez soi, sur un ordinateur et avec le didacticiel correspondant.* En généralisant, pour les compétences intermédiaires, la pratique de l'*enseignement multimédia à distance*, la classe dominante pourra donc faire d'une pierre deux coups. D'un côté, les grandes firmes (Olivetti, Philips, Siemens, Ericsson etc.) seront appelées à « vendre leurs produits sur le marché de l'enseignement continu que régissent les lois de l'offre et de la demande ». De l'autre, des dizaines de milliers d'enseignants (et on sait que leur financement représente la part principale des dépenses de l'Éducation nationale) deviendront parfaitement inutiles et pourront donc être licenciés, ce qui permettra aux États d'investir la masse salariale économisée dans des opérations plus profitables pour les grandes firmes internationales.

Restent enfin, bien sûr, *les plus nombreux* ; ceux qui sont destinés par le système à demeurer inemployés (ou à être employés de façon précaire et *flexible*, par exemple dans les différents *emplois McDo*) en partie parce que, selon les termes choisis de l'OCDE, « ils ne constitueront jamais un marché rentable » et que leur « exclusion de la société s'accentuera à mesure que d'autres vont continuer à progresser ». [...] Il est clair, en effet, que la transmission coûteuse de savoirs réels – et, *a fortiori*, critiques –, tout comme l'apprentissage des comportements civiques élémentaires ou même, tout simplement, l'encouragement à la droiture et à l'honnêteté, n'offrent ici *aucun intérêt pour le système*, et peuvent même représenter, dans certaines circonstances politiques, une menace pour sa sécurité. *C'est évidemment pour cette école du grand nombre que l'ignorance devra être enseignée de toutes les façons concevables.* Or c'est là une activité qui ne va pas de soi, et pour laquelle les enseignants traditionnels ont jusqu'ici, malgré certains progrès, été assez mal formés. L'enseignement de l'ignorance impliquera donc nécessairement qu'on *rééduque* ces derniers, c'est-à-dire qu'on les oblige à « *travailler autrement* », sous le despotisme éclairé d'une armée puissante et bien organisée d'experts en « sciences de l'éducation ». [...]

Naturellement, les objectifs ainsi assignés à ce qui restera de l'École publique supposent, à plus ou moins long terme, une double transformation décisive. D'une part celle des enseignants, qui devront abandonner leur statut actuel de *sujets supposés savoir* afin d'endosser celui d'animateurs de différentes *activités d'éveil* ou *transversales*, de *sorties pédagogiques* ou de *forums* de discussion (conçus, cela va de soi, sur le modèle des *talk-shows* télévisés) ; animateurs qui seront préposés, par ailleurs, afin d'en rentabiliser l'usage, à diverses tâches matérielles ou d'accompagnement psychologique. D'autre part, celle de l'École *en lieu de vie*, démocratique et joyeux, à la fois garderie citoyenne – dont l'animation des fêtes (anniversaire de l'abolition de l'esclavage, naissance de Victor Hugo, *Halloween*...) pourra avec profit être confiée aux associations de parents les plus désireuses de *s'impliquer* – et espace *libéralement* ouvert à tous les représentants de la cité (militants associatifs, militaires en retraite, chefs d'entreprise, jongleurs ou cracheurs de feu, etc.) comme à toutes les marchandises technologiques ou culturelles que les grandes firmes, devenues désormais partenaires explicites de « l'acte éducatif », jugeront excellent de vendre aux différents participants. Je pense qu'on aura également l'idée de placer, à l'entrée de *ce grand parc d'attractions scolaire*, quelques dispositifs électroniques très simples, chargés de détecter l'éventuelle présence d'objets métalliques.

XXVII

NODDINGS

La sollicitude

Noddings, *Philosophy of Education, Dimensions of Philosophy Series*, Westview Press, 1998, trad. N. Baillargeon, p. 190-192.

D'abord enseignante en mathématiques au primaire, puis au secondaire, Nel Noddings (1929) a poursuivi des études en philosophie et est devenue une des plus importantes philosophes contemporaines de l'éducation. Ses premiers travaux ont porté sur l'enseignement des mathématiques, mais peu à peu, l'éthique et l'éducation morale ont fini par occuper la première place parmi ses centres d'intérêt. Dans *Caring. A Feminine Approach to Ethics and Moral Education* (University of California Press, Berkeley, 1984), elle a justement proposé une nouvelle approche de l'éthique, inscrite dans la perspective féministe qui n'a cessé d'être la sienne.

Elle y argue que les systèmes éthiques traditionnels – tout particulièrement les systèmes cognitivistes que sont l'utilitarisme et les morales déontologiques – ne parviennent ni à rendre compte du fondement de la moralité ni à comprendre la vie morale des femmes. Si elle ne rejette aucunement toute référence à l'examen des conséquences possibles d'une action ou toute délibération rationnelle, Noddings n'en pense pas moins que l'origine de la moralité est à chercher ailleurs et plus précisément dans l'expérience originelle de ce qu'elle appelle la sollicitude (*caring*). La relation de la mère à l'enfant en offre le modèle archétypal et laisse à chacun de nous, en principe au moins, le souvenir d'avoir été l'objet d'une telle sollicitude.

Analysant cette relation, Noddings en propose une riche et fine phénoménologie. Elle la décrit en termes de réceptivité, de rapprochement et d'imprégnation. Elle met encore en évidence la réciprocité qui la caractérise et qui interdit dès lors, selon elle, de penser l'éthique dans les termes limitatifs de l'utilitarisme et des morales déontologiques, qui voudraient ramener la vie morale à des considérations élaborées par un sujet isolé, calculateur et raisonneur.

C'est à partir du foyer de cette expérience de la sollicitude que l'éthique proposée par Noddings reprend l'analyse des concepts et des problèmes des éthiques traditionnelles (la justice, l'égalité et ainsi de suite) lesquels, on le devine, sont profondément transformés par ce nouveau point de départ.

On mesurera l'ampleur de cette transformation et ce qu'elle implique pour l'éducation dans le texte qui suit, où Noddings présente les principales orientations que l'éthique de la sollicitude implique pour l'éducation morale.

L'éducation morale, du point de vue de la sollicitude, comporte quatre éléments : la modélisation ; le dialogue ; la pratique ; et la confirmation.

La *modélisation* est importante pour toutes les conceptions de l'éducation morale, mais pour l'éthique de la sollicitude, comme pour l'éducation du caractère, elle est tout particulièrement importante. Contrairement aux théoriciens du développement cognitif, nous ne sommes pas d'abord préoccupés par le raisonnement moral – même si nous ne négligeons pas complètement le raisonnement. Ce qui nous intéresse avant tout, c'est la croissance de nos élèves en tant que sujets qui donnent ou reçoivent de la sollicitude. Nous devons donc montrer, par notre comportement, ce que signifie être capable de sollicitude. Nous ne nous contentons pas de leur dire qu'ils doivent faire preuve de sollicitude ou de leur faire lire des textes sur le sujet, mais nous leur démontrons notre sollicitude dans nos relations avec eux.

En plus de montrer à nos élèves ce que signifie faire preuve de sollicitude, nous entrons avec eux en *dialogue* sur le sujet. En un sens, le dialogue est une part tellement importante de la sollicitude que nous ne pourrions la modeler sans nous y engager. Cependant, il est également important de parler de la sollicitude, parce que manifester de la sollicitude peut se faire de manières très diverses. Les élèves ont bien souvent besoin d'aide pour interpréter le comportement des adultes. Se peut-il qu'une enseignante sévère fasse preuve de sollicitude ? Et un enseignant permissif ? Comment décide-t-on de ces questions ?

On peut encourager les élèves à analyser des types de comportements et les réactions qu'ils suscitent. Si, au nom de l'équité, une enseignante traite tous les élèves exactement de la même manière, ceux-ci sentent-ils qu'ils sont traités avec sollicitude ? En quel sens l'équité est-elle compatible avec la sollicitude ? Beaucoup d'élèves, aujourd'hui, assimilent coercition et sollicitude. Ils pensent qu'une enseignante qui a pour eux de la sollicitude va leur demander de faire certaines choses. Des théoriciens de la tradition critique ainsi que des penseurs de la sollicitude redoutent qu'une telle manière de penser induira une dépendance permanente envers un patron fort ou un leader. Une des fonctions du dialogue, en ce sens, est de nous aider nous et nos élèves à réfléchir de manière critique à notre pratique. Il est une occasion de nous demander pourquoi et avec quelle conséquences nous faisons certaines des choses que nous faisons.

Le dialogue est requis par la phénoménologie de la sollicitude. Lorsque nous faisons preuve de sollicitude, nous accueillons l'autre de manière ouverte et authentique. [Cette réceptivité] est une forme non sélective d'attention qui permet à l'autre d'établir un cadre de référence et de nous inviter à y pénétrer. Tandis que le dialogue se poursuit, nous prenons part à une construction mutuelle d'un cadre de référence – mais c'est une tâche délicate et qui demande une totale réceptivité, de la réflexion, de l'ouverture, de l'évaluation, de la révision et de nouvelles explorations.

Le dialogue est [...] un moyen par lequel nous évaluons les effets de nos efforts de sollicitude. À travers lui, nous en apprenons plus sur les autres et ce savoir nous est indispensable pour exercer notre sollicitude, puisque nos efforts bénéficient des feedbacks que nous recevons de ceux et de celles à qui elle s'adresse.

Finalement, le dialogue permet la croissance de ceux et celles à qui la sollicitude est offerte. Toutes sortes de questions, d'informations, de points de vue et d'attitudes sont communiqués par le dialogue. Des enseignantes qui le pratiquent avec leurs élèves peuvent les inviter à prendre part à « l'éternelle conversation ». Les théoriciennes de l'éthique de la sollicitude sont sur ce plan en accord avec Socrate pour dire qu'une éducation digne de ce nom doit permettre aux élèves d'examiner leurs propres vies et d'explorer les grandes questions que les êtres humains se sont toujours posées. Avec une nuance cependant : les théoriciennes de l'éthique de la sollicitude ne *contraignent* pas les élèves à se frotter aux questions dites éternelles. Nous *proposons* plutôt cette conversation et permettons aux élèves de co-diriger l'investigation. Nous ne déclarerons pas que la vie qui n'est pas examinée ne vaut pas la peine d'être vécue, mais soulèverons plutôt des questions : La vie qui n'est pas examinée *vaut-elle* d'être vécue ? Peut-on répondre à cette question pour les autres ? Qu'en est-il de la nôtre ?

La *pratique* est également vitale en éducation morale. Les expériences dans lesquelles nous nous immergeons tendent à produire une mentalité. Certes, bien des choses qu'on dit à propos des mentalités ne sont que des clichés, mais une part reste vraie et utile. C'est ainsi que ceux qui forment des chefs d'entreprise, des leaders militaires ou des avocats pensent souvent qu'ils transmettent bien plus qu'un simple contenu : ils forment également des esprits qui ont une certaine mentalité. Si nous voulons former des gens qui feront preuve de sollicitude, il convient donc de permettre aux élèves de pratiquer cette sollicitude et de réfléchir sur cette pratique.

Il arrive que la pratique de la sollicitude se traduise en la demande spécifique d'accomplir un service communautaire. Une telle expérience peut contribuer à accroître la compétence en sollicitude, mais il faut pour cela qu'elle ne soit pas vécue de manière routinière. Les enfants doivent être accompagnés d'adultes qui leur montrent comment faire preuve de sollicitude, leur parlent des difficultés et des gratifications de ce travail et leur font la preuve, par leur travail, de l'importance de la sollicitude.

Les prescriptions pédagogiques actuelles mettent une grande emphase sur l'apprentissage coopératif et cette forme d'apprentissage peut être mise à contribution pour promouvoir les compétences en sollicitude [à condition que] les enseignantes expliquent clairement aux élèves qu'un des buts premiers du travail coopératif est l'entraide – se comprendre, partager, se soutenir mutuellement. Le but n'est pas toujours ou du moins pas d'abord l'apprentissage académique.

La quatrième composante, la *confirmation*, distingue l'éthique de la sollicitude des autres approches de l'éducation morale. Martin Buber a décrit la confirmation comme un geste d'affirmation et d'encouragement de ce qu'il y a de meilleur en autrui. Lorsque nous confirmons quelqu'un, nous identifions un soi meilleur et encourageons son développement. Pour faire cela, nous devons raisonnablement bien connaître l'autre : autrement, nous ne pourrions pas voir ce vers quoi il tend, quel idéal il ou elle tend à actualiser. Il n'y a ici aucune place pour les formules et les slogans. Nous ne postulons pas un idéal unique que tous devraient chercher à atteindre. Nous reconnaissons plutôt qu'il y a, en chaque personne que nous rencontrons, quelque chose d'admirable, ou du moins d'acceptable qui cherche à émerger. Le but ou l'attribut doit être tenu pour valable et par la personne qui cherche à l'atteindre et par nous. […]

Confiance et continuité sont des conditions de la confirmation. La continuité est requise parce que nous devons connaître autrui. La confiance est requise pour que celui qui manifeste de la sollicitude soit crédible […]. Pour ces raisons, j'ai suggéré que les enseignantes et les élèves restent ensemble, par consentement mutuel, durant plusieurs années. Une vie morale guidée par une éthique de la sollicitude doit chercher à établir, maintenir et enrichir des relations de sollicitude.

XXVIII

HIRSCH

CAPITAL INTELLECTUEL ET SAVOIR PRÉALABLE

Hirsch, *The Schools We Need and Why We Don't have Them*, Double Day, 1996, trad. N. Baillargeon, p. 19-47.

E. D. Hirsch Jr. (1928) conçoit l'éducation comme transmission systématique d'un capital culturel. Trois idées convergent pour soutenir une telle conception.

La première est politique : la possession de ce capital est cruciale dans toutes les dimensions de la vie ; sa transmission à tous un devoir, et sa possession un droit civique. Un deuxième argument en faveur de cette thèse est établi par la recherche empirique. Celle-ci montre, assure Hirsch, la supériorité des méthodes d'apprentissage centrées sur le professeur et sur la transmission directe d'un curriculum clairement explicité, sur celles centrées sur l'élève et préconisant la découverte.

Enfin, il s'avère que le savoir préalable est primordial dans l'acquisition de nouveaux savoirs. Hirsch évoque souvent à ce propos le fameux nombre magique des sciences cognitives, soit sept plus ou moins deux. Notre appréhension du monde est en effet limitée par les capacités de notre mémoire de travail, laquelle ne peut contenir que ce faible nombre d'éléments. Pour surmonter ces limitations – puisqu'à l'évidence elles sont surmontées –, les données sont agrégées (*chunking*), de sorte qu'un grand nombre d'éléments peut être ramené à une seule donnée. Or, ce qui permet de telles agrégations, c'est précisément le savoir préalable. Bref, cela semblera un formidable paradoxe, mais le fait est qu'il faut du savoir pour apprendre et ce n'est que parce qu'on sait déjà beaucoup qu'on peut apprendre. En établissant cela, la psychologie cognitive a en quelque sorte confirmé ce que soupçonnait Platon. Ce point est capital. Et lorsque nos habiletés cognitives supérieures (créativité, compréhension, etc.) peuvent se mettre en œuvre, c'est parce que des savoirs préalables sont possédés, ont permis de surmonter les limitations de notre mémoire de travail et se sont pour ainsi dire libérés. De plus, tout indique que ces habiletés sont spécifiques à un domaine du savoir : ce qui signifie qu'elles ne seront transférables que dans la mesure où elles seraient pertinentes dans le domaine où on veut les transposer.

Considérons à ce propos la célèbre expérience menée dans les années 1960 par A. D. van De Groot, qui était lui-même joueur d'échecs et s'intéressait à l'expertise dans ce domaine. On montre à des joueurs d'échecs, durant un bref moment (entre cinq et dix secondes), un échiquier comprenant vingt-cinq pièces du jeu placées selon une configuration de partie possible. On leur demande ensuite de reconstituer de mémoire ce qu'ils ont vu.

Il se trouve que les différents taux de succès à cet exercice sont parfaitement corrélés avec le statut du joueur. Ainsi les grands maîtres ne se trompent pour ainsi dire jamais dans leur reconstitution de la partie ; les joueurs un peu moins bien classés font quelques erreurs ; et les novices ne placent correctement que quelques pièces.

On pourrait penser que les grands maîtres ont des facultés intellectuelles extraordinaires – et que c'est ce qui fait d'eux de grands maîtres. Mais il n'en est rien. La mémoire de travail des grands maîtres, en particulier, est la même que la nôtre. Ils ont cependant accès à un très riche répertoire de savoirs – et connaissent un très grand nombre de positions possibles des pièces durant une partie – qui leur permet de mémoriser une partie donnée en un bref coup d'œil. Et les novices ne replacent correctement… qu'entre cinq et neuf pièces.

De Groot a ensuite montré à ses sujets des positions aléatoires de pièces, c'est-à-dire des positions ne constituant pas une configuration possible d'une partie : comme on pouvait s'y attendre, les grands maîtres eux-mêmes ne plaçaient alors correctement qu'entre cinq et neuf pièces. Ce type d'expérience a été à maintes reprises reproduit et dans de nombreux domaines (médecine, physique, musique etc.), mais toujours avec le même résultat.

Hirsch conclut qu'un curriculum commun riche, séquencé et transmettant le capital culturel reconnu comme indispensable à chacun (il en a fait l'inventaire pour les États-Unis avec des experts de tous les domaines), doit donc être transmis de manière systématique et progressive par ces méthodes pédagogiques d'instruction efficaces et éprouvées que la recherche permet d'identifier. Dans le texte qui suit, il expose certaines de ces idées et soutient qu'elles sont particulièrement à l'avantage des enfants des milieux où le capital préalable n'existe guère et qui souffriraient donc plus que les autres de pédagogies de la découverte et du projet, centrées sur l'enfant.

La sociologie nous apprend que le capital intellectuel, autrement dit la connaissance, entre en jeu dans presque toutes les sphères de la société moderne et conditionne l'appartenance de classe, le succès ou l'échec scolaire et jusqu'à la santé psychologique et physique. En ce sens, le chercheur français Pierre Bourdieu a montré que ceux qui possèdent une vaste quantité de « capital culturel » tendent à acquérir bien plus de richesse matérielle, de prestige et de capacités que ceux qui, au départ, ne disposent que d'une faible quantité de cette précieuse ressource.

De la même manière qu'il faut du capital pour faire du capital, il faut des connaissances pour faire des connaissances. Ces enfants qui possèdent du capital intellectuel en entrant à l'école possèdent l'échafaudage et le « Velcro » mentaux qui leur permettent d'appréhender ce qui s'y déroule et sont en mesure de transformer la nouvelle connaissance ainsi acquise en autres Velcro permettant d'acquérir de nouvelles connaissances. Mais ces enfants qui arrivent à l'école sans posséder l'expérience et le vocabulaire permettant de l'appréhender ne l'appréhendent pas et ils ou elles ne comprennent pas. Ils sont à la traîne et sont sans cesse de plus en plus distancés ; les humiliations qu'ils connaissent réduisent leur énergie et leur capacité à apprendre. […]

Cependant, et malgré toutes les dénégations qu'on a pu avancer, nous savons qu'il est possible de remédier durant les années précédant la scolarité et le début du primaire aux carences de connaissances initiales des enfants de sorte que leurs apprentissages subséquents peuvent être réalisés à un rythme qui garantirait une société instruite et plus juste. […] L'idée de capital intellectuel présente [en outre] un réel intérêt pratique en ceci qu'elle est en mesure de donner sens et orientation tant à la théorie qu'à la pratique de l'éducation. […]

Hélas, depuis des décennies, aux États-Unis, le monde de l'éducation est dominé par une métaphore bien différente de celle de capital intellectuel. La théorie de l'éducation américaine soutient en effet qu'il faut plutôt donner aux enfants des outils susceptibles d'être universellement appliqués et qui leur permettront ensuite de continuer à apprendre et à s'adapter. Il n'est pas nécessaire, croit-on, de préciser le contenu particulier par lequel ces outils seront forgés. Si elle s'avérait fondée, l'hypothèse qu'il existe de telles habiletés susceptibles d'être universellement appliquées et qui sont indépendantes du contenu dans lequel elles ont été formées serait une idée extrêmement attirante pour des éducateurs. En ce cas, et ce serait fort opportun, le contenu particulier qu'un enfant apprend n'aurait pas une grande importance. Ce qui importerait surtout est que l'enfant acquière « l'appétit de connaître » ainsi que ces « habiletés à penser de manière critique » qui lui seront plus tard nécessaires pour accéder au savoir dont il aura besoin et l'utiliser – bref : ces pinces et ces clés qui lui permettront toujours d'ouvrir boutique, fût-ce sur une île déserte. Mais quand on prend le temps d'examiner attentivement cette métaphore et sa signification littérale, on découvre que ses prétentions grandement exagérées ont été puissamment contredites par la recherche et, six décennies plus tard, nous savons désormais qu'elle est invalide.

La métaphore de l'outil, en induisant une certaine indifférence quant aux savoirs spécifiques qui sont enseignés, a eu sur le plan social des conséquences dramatiques. Il n'est d'ailleurs sans doute pas exagéré de soutenir que les répercussions de cette méprise théorique ont fait avorter toutes les belles promesses de l'intégration scolaire et du mouvement en faveur des droits civiques. [...]

La recherche en psychologie a montré que la capacité à apprendre quelque chose de nouveau dépend de la capacité à lui faire de la place au sein de ce qui est déjà connu. Quand l'automobile est apparue, on l'a appelée un fiacre sans chevaux, assimilant ainsi le nouveau à de l'ancien. Quand un professeur dit à ses élèves que les électrons orbitent autour du noyau de l'atome comme les planètes autour du Soleil, l'analogie n'est éclairante que pour qui connaît le système solaire et pas pour les autres. On peut penser aux connaissances antérieures comme à un réservoir de possibles analogies qui favorisent l'assimilation d'idées nouvelles. Dans tous les domaines, si les experts apprennent plus rapidement que les novices, c'est précisément que leurs riches réserves de connaissances antérieures sont facilement accessibles et leur donnent une grande diversité de manières d'appréhender les idées nouvelles. Et cette fonction facilitatrice du savoir antérieur joue à toutes les étapes des apprentissages. [...]

C'est une injustice flagrante que ce que les enfants américains pourront apprendre à l'école puisse être déterminé par ce que leur domicile leur a déjà donné. Cependant, [...] il ne faudrait pas en conclure que les enfants favorisés reçoivent en bout de piste une éducation satisfaisante. Tel n'est pas le cas. L'école publique d'une démocratie doit permettre le plein épanouissement du potentiel de tous les élèves. Une carence de capital intellectuel chez un enfant ne constitue pas une donnée immuable que nos écoles ne pourraient changer, mais un défi qu'elles peuvent surmonter en corrigeant leurs incohérences académiques. Le monde tout entier ne connaît qu'une manière de concilier avec succès en éducation excellence et équité : enseigner des habiletés précises et un riche contenu pertinent d'une manière éprouvée, et cela à chacune des années d'études, depuis la maternelle jusqu'à la fin du secondaire.

VADE-MECUM

BÉHAVIORISME ET ENSEIGNEMENT PROGRAMMÉ

L'empirisme classique et son épistémologie associationniste se prolongent au XXe siècle en une psychologie béhavioriste, qui aura un fort impact tant sur la pédagogie – par la conception de l'apprentissage qui y est avancée –, que sur la philosophie.

Le programme de la psychologie béhavioriste est d'abord proposé en 1913 par J. B. Watson, qui redéfinit cette discipline comme l'étude des comportements observables, cette restriction étant posée comme une nécessaire condition de sa scientificité. J. B. Watson (1878-1958) réclame en outre l'abandon de toute référence à ces inobservables que sont l'esprit ou la conscience et, plus généralement, le renoncement à tous ces vocables mentalistes de l'ancienne psychologie (volontiers introspective) et du sens commun.

En philosophie, ce sont les promesses d'éviter le redoutable problème de la nature de l'esprit ou de la conscience et de sa relation à la matière que son monisme fait miroiter qui seront influentes : seuls existeraient en effet des comportements ou des dispositions à se comporter.

Comment ces comportements seront-ils étudiés ? Le béhaviorisme naissant répond à cette question en s'inspirant des travaux d'un médecin et physiologiste russe, Ivan Pavlov (1849-1936) et en s'efforçant de lier stimuli et réponses : il s'agit du conditionnement dit classique ou répondant.

B. F. Skinner (1904-1990) propose ensuite une autre forme, distincte, de conditionnement, le conditionnement opérant, par lequel l'expérimentateur agit sur les conséquences que ses comportements ont pour l'organisme. Il invente pour ses travaux ce qu'on nomme aujourd'hui la « boîte de Skinner », qui est pour l'essentiel un environnement aux variables contrôlées que l'expérimentateur peut manipuler à son gré. Le concept de renforcement occupe une place centrale dans ce système : on entend par là une conséquence qui accroît la probabilité d'apparition d'un comportement ; à l'opposé, une conséquence qui en diminue la probabilité est appelée punition.

Deux principes centraux régulent l'utilisation des conséquences dans le conditionnement opérant. Le premier, dit de l'immédiateté des conséquences, affirme que les conséquences qui suivent les réponses de près dans le temps ont plus d'impact sur le comportement que celles présentées avec un plus long délai temporel. Le deuxième principe, dit de contingence du renforcement, exprime l'idée que la conséquence ne doit être produite que si et seulement si le comportement à renforcer apparaît.

Les problèmes de l'école tiennent, selon Skinner, d'une part à la confusion de ses objectifs, d'autre part à ce qu'elle met en œuvre pour les atteindre des moyens inefficaces parce que non fondés sur une analyse scientifique de l'apprentissage. Ne pouvant indiquer précisément les comportements qu'elle souhaite voir acquis par l'élève, ce qui constituerait une définition claire parce que non mentaliste de ses objectifs, et ne sachant préciser quand, comment et pourquoi renforcer, l'école est condamnée à formuler des objectifs vagues (éveiller, intéresser, faire comprendre, etc.), qu'elle tente d'atteindre par des renforcements qui s'ignorent, mal appliqués et le plus souvent rebutants. Cette analyse invite à traduire le problème de l'enseignement en termes béhavioristes. S'agissant, par exemple, de « l'enseignement de l'arithmétique au début de l'école primaire », la tâche de l'école est de « doter l'enfant d'une multitude de réponses, de comportements bien définis ». Ces réponses consistent « à prononcer ou à écrire certains mots, certains chiffres, certains signes ».

Comment en vient-on à installer ce répertoire complexe (identifier des nombres, résoudre des problèmes, etc.) dans l'école traditionnelle ? Selon Skinner, à l'aide de contrôles rebutants : les punitions, menaces etc., générateurs d'ennui, d'anxiété et d'agressivité. Qui plus est, Skinner remarque que les contingences de renforcement utilisées ne respectent pas, le plus souvent, le principe fondamental de l'immédiateté des conséquences, sans lequel le renforcement n'a que peu d'effet sur la réponse.

Le problème central de l'éducation consiste à partir de l'étude du comportement d'un organisme et de notre connaissance de celui-ci pour finalement le contrôler et installer de nouveaux comportements. Il faut donc, au préalable, déterminer les comportements qu'on désire installer et répertorier les renforcements dont on dispose et les conduites déjà existantes et utilisables. Il faut ensuite amorcer un programme d'apprentissage progressif utilisant ces renforcements pour acheminer, le plus efficacement possible et par approximations successives, à la forme finale de comportement souhaité. Pour y parvenir, Skinner suggère de recourir à un enseignement programmé, susceptible d'être dispensé par une machine à enseigner. Ayant défini en termes de comportements ce que l'on souhaite que l'organisme apprenne et d'où il part pour y arriver, on présente les contenus sous une forme soigneusement organisée de telle sorte que chaque problème dépende de la solution du précédent, pour finalement construire un répertoire complexe, où la réponse souhaitée est immédiatement renforcée. Une telle pratique est jugée avantageuse puisqu'elle est supposée assurer la rigueur de l'enseignement, son individualisation et son automatisation.

Les premières critiques de la psychologie béhavioriste seront formulées par les théoriciens de la Gestalt ou psychologie de la forme : ils montrent qu'une perception est bien plus qu'une somme de stimuli et que l'esprit organise en un tout qui est plus que la somme des parties ce qui est perçu. Peu après se fait aussi sentir l'influence des idées de Piaget et celles des sciences cognitives, qui annoncent le retour de la conscience comme objet d'études légitime. Parmi les nombreuses critiques adressées au béhaviorisme, une place à part doit être faite à celles qu'avance Chomsky qui, pour beaucoup, ont sonné le glas du mouvement. Dans *Verbal Behavior*, publié en 1957, Skinner prétendait en effet étendre au langage son analyse des comportements : Chomsky montre l'impossibilité d'expliquer par l'imitation et renforcement l'apprentissage d'une langue.

Le béhaviorisme philosophique entre en déclin vers la même période, notamment parce que le programme de traduction de tout état mental en comportement ou disposition à se comporter est apparu irréalisable et ne pouvant éviter de mettre en œuvre ce dont il prétend se passer – pour traduire X, on demande par exemple d'*imaginer* ce qu'il pourrait signifier.

Sur le plan pédagogique, le bilan, quoique polémique, est sans doute plus nuancé. Sitôt qu'on abandonne le refus du mentalisme préconisé par les béhavioristes, certains font valoir que le mouvement a apporté un heureux souci de rigueur dans la définition des objectifs de l'éducation et une systématisation des apprentissages et des étapes qu'il convient de progressivement franchir, qui sont jugés salutaires.

BONS D'ÉDUCATION, CAPITAL HUMAIN ET MARCHANDISATION DE L'ÉDUCATION

S'il est vrai que l'économie, d'Adam Smith à John Maynard Keynes, a parfois pris l'éducation comme objet de réflexion, c'est essentiellement durant la deuxième moitié du XXe siècle qu'est née une discipline économique spécifiquement consacrée à cet objet. Cette « économie de l'éducation », dans la forme où elle a été développée notamment au sein de l'influente École de Chicago, a connu en quelques décennies un essor tout à fait considérable, et a contribué à transformer en profondeur l'idée même d'éducation tout en remettant radicalement en question l'idée d'une offre principalement étatique d'éducation.

Deux voies ont particulièrement été explorées et toutes deux soulèvent d'importants enjeux philosophiques : la première est l'idée de « bons d'éducation », mise en avant par Milton Friedman ; la deuxième est la théorie du capital humain, qui a reçu sa formulation la plus connue de Gary Becker.

Cette dernière marque une transformation de l'idée d'éducation, désormais conçue pour l'individu et pour la collectivité sur le modèle d'un capital et donc comme un investissement dont la rentabilité doit être prévisible pour qu'il soit justifié. Il devient dès lors possible de mesurer cette rentabilité et d'orienter en fonction de ces mesures les politiques éducatives et, entre autres, de prôner diverses formes d'adaptation aux impératifs économiques, par exemple par le développement de compétences et des « apprentissages tout au long de la vie ». L'inquiétude que suscitent ces approches tient bien entendu à ce qu'elles tendent vers la négation de l'idée même de transmission de savoirs désintéressés et qu'elles soumettent toute éducation, voire formation, à des impératifs économiques.

Cette commercialisation de l'éducation concerne également l'offre d'éducation et les bons d'éducation imaginés par Friedman vont en ce sens. Celui-ci prône l'octroi aux familles de bons pouvant être dépensés par elles où elles le souhaitent sur un marché où des entreprises scolaires sont en concurrence pour les obtenir. Une telle pratique est censée, selon ses promoteurs, réinstaller une indispensable dynamique de marché concurrentiel dans un système bureaucratique sclérosé et rendre aux parents la liberté de choix dont celui-ci les a privés.

D'autres voies ont été et sont encore explorées pour aller dans cette direction, par exemple : une plus ou moins grande privatisation des écoles, la création d'écoles à chartes, l'institution d'un système de rémunération au mérite des enseignants, la sous-traitance à des entreprises privées de divers services offerts par l'école, l'accroissement des frais de scolarité, ainsi que la reformulation des curricula selon des besoins de l'économie, voire d'entreprises particulières.

Les critiques de ces pratiques font valoir que leur double fonction, d'adaptation fonctionnelle à des exigences de l'économie toujours saisies en extériorité et de manière a-critique, et d'endoctrinement à l'idéologie dominante, sont un profond travestissement de l'idée même d'éducation. Ils soulignent en outre qu'en œuvrant à la destruction du service public, elles accroissent les inégalités tout en donnant l'illusion d'un accroissement d'une liberté de choix dont tous bénéficieraient.

COMPÉTENCES ET APPROCHE PAR COMPÉTENCES (APC)

Autour de l'idée de compétence, une sorte de nouvelle doxa pédagogique s'est peu ou prou imposée au cours des deux ou trois dernières décennies, dans un grand nombre de pays tant du Nord que du Sud, où elle a inspiré de nombreuses réformes et politiques éducationnelles.

Cette doxa met en avant l'idée que le but de l'éducation étant de développer des compétences, l'enseignement doit être pensé à nouveaux frais en ce sens, les curricula devant quant à eux être reformulés selon une Approche par compétences (APC).

Au sein de la tradition analytique de philosophie de l'éducation, où elles ont été attentivement examinées, ces idées ont suscité le plus profond scepticisme. Celui-ci s'est nourri d'une part de l'indétermination du concept et de ses extensions jugées abusives, d'autre part du caractère nébuleux des finalités assignées à l'éducation dans le cadre de l'APC, enfin des promesses faites par ses zélateurs et jugées nettement excessives en elles-mêmes et plus encore au vu des méthodes pédagogiques préconisées.

L'indétermination du concept est notoire et, par-delà certaines généralités faussement évidentes (ainsi de la compétence comme capacité à efficacement mobiliser des ressources, cognitives et autres, pour résoudre un problème ou réaliser un projet), il en existe, de l'aveu même des théoriciens de l'APC, une pléiade de définitions désolante et portant à confusion.

Cette confusion tient notamment au type de lien qu'une compétence est censée entretenir avec les connaissances – béhavioristes et constructivistes offrant ici des interprétations opposées, voire contradictoires –, mais aussi au rapport entre une compétence, entendue comme l'idéal-type d'un savoir-faire toujours perfectible, et les compétences singulières dont elle témoigne. Elle tient aussi au fait que le concept de compétence a été utilisé pour désigner une vaste étendue d'habiletés et d'aptitudes motrices, intellectuelles, émotionnelles, créatives et qu'il est douteux qu'un même concept puisse recouvrir des savoirs et des savoir-faire aussi variés.

Toutefois, et même s'il était possible de donner une interprétation suffisamment claire du concept de compétence susceptible de justifier de manière convaincante d'assigner comme finalité à l'éducation leur développement, il ne s'ensuivrait pas qu'un enseignement *pour* les compétences doive en passer *par* les compétences. En fait, la recherche empirique crédible, aussi bien que les travaux des sciences cognitives, tendent à valider cette intuition que c'est d'abord par l'acquisition de connaissances que se développent ensuite les compétences, selon un parcours qui va du simple au complexe. Le fait de plonger les élèves dans des tâches complexes en vue de développer leurs compétences serait alors une démarche largement contre-productive, tout particulièrement dans l'apprentissage des savoirs élémentaires et fondamentaux.

Notons encore que la question de l'évaluation des compétences (typiquement posée en termes de bilan des compétences) a été un autre terrain particulièrement miné pour les partisans de l'APC, qui n'ont guère réussi à montrer de manière convaincante comment celle-ci pouvait se réaliser.

Les sciences cognitives apportent en outre des arguments précieux et décisifs contre l'idée qu'il existerait des compétences générales transférables (ou transversales, comme on les nomme au Québec), chère à plusieurs théoriciens de l'APC. Elles montrent notamment qu'il n'existe pas de règles d'inférence indépendantes d'un domaine de connaissances, et que l'expertise est toujours spécifique à un tel domaine, ces connaissances étant indispensables à la mise en œuvre de toutes les capacités cognitives de haut niveau. S'agissant plus spécifiquement de la capacité à penser de manière critique, McPeck, on l'a vu, en a été un des plus percutants critiques, tout comme E. D. Hirsch, qui y voit une nouvelle forme de ce sophisme formaliste qu'il n'a cessé de dénoncer dans les pédagogies progressistes.

En philosophie, l'opposition à l'idée qu'il existerait de telles compétences transférables a pu prendre appui sur le concept de « formes de savoir » développé par P. Hirst ; mais elle remonte en fait au moins à Platon, qui objectait déjà aux sophistes et à leur prétention à enseigner des techniques permettant de traiter de n'importe quel sujet, de la nécessité de connaître le sujet dont on parle pour en traiter intelligemment.

Platon, on le sait, liait son argumentaire épistémologique à une critique politique de l'enseignement sophistique, dénoncé pour promouvoir une adaptation fonctionnelle aux institutions sociales qui rend impossible toute distance critique – morale, politique ou épistémologique – à leur endroit.

On ne s'en étonnera pas : c'est aussi sur ce nouveau front, idéologique et politique, que se sont déployées des critiques nouvelles et substantielles de l'APC.

Issue du monde des affaires et de l'industrie, liée à une vision instrumentaliste de l'éducation promue par les États et au sein d'institutions comme l'OCDE, l'APC nourrirait une vision « économicocentriste » et taylorienne de l'éducation, dont le concept même, au demeurant, tendrait à s'effacer, du moins en certaines sphères où se développent les politiques publiques, au profit de celui de ce « capital humain » qu'il s'agirait désormais de produire et de faire fructifier.

Nico Hirt a en ce sens soutenu que du point de vue des États et des corporations, l'APC marquerait cette redéfinition souhaitable de l'éducation, destinée à en infléchir les moyens et les fins dans le contexte d'une économie néolibérale mondialisée et d'un marché du travail caractérisé par une grande instabilité et par une forte dualisation – cette économie réclamant à la fois des personnes ayant de fortes qualifications et des travailleurs aux compétence minimales pouvant accomplir des tâches simples et répétitives – tout ceux-là devant se montrer capables de cette flexibilité permettant « d'apprendre tout au long de la vie ».

De Kohlberg à l'éthique du *care*

Les travaux de Lawrence Kohlberg (1927-1987) s'inscrivent dans la continuité de ceux de Piaget et sont aussi fortement marqués par une orientation kantienne. Ils ont longtemps influencé voire dominé l'enseignement moral dans de nombreux pays, avant de subir des critiques nombreuses et décisives.

Pour ses travaux, Kohlberg a imaginé des « dilemmes moraux » et interrogé ses sujets (enfants, adolescents, adultes) à leur propos. Ce qui l'intéressait, plus que les réponses données, c'étaient les justifications mises en avant par ses sujets pour décider si une action était juste ou non.

Le dilemme de Heinz est un des plus connus de ces dilemmes. Le voici : « Il y avait en Europe une femme atteinte d'un cancer incurable et qui était sur le point de mourir. Or, il existait un médicament que les médecins estimaient susceptible de la sauver. C'était une sorte de radium qu'un pharmacien de la même ville avait récemment découvert. Le médicament était cher à fabriquer et le pharmacien en demandait dix fois le prix de vente : il lui en coûtait 200 dollars pour le radium et il demandait 2000 dollars pour une petite dose de médicament. Heinz [le mari de cette femme] était allé voir tous les gens qu'il connaissait afin de leur emprunter de l'argent pour l'achat du médicament : mais il n'avait réussi à réunir que 1000 dollars, soit la moitié du prix exigé. Il était donc allé dire au pharmacien que sa femme était en train de mourir et lui avait demandé de lui vendre le médicament moins cher ou encore de lui permettre de le payer plus tard. Mais le pharmacien avait répondu : “Non. J'ai découvert ce médicament et je veux gagner de l'argent avec lui.” Alors Heinz, désespéré, décida d'entrer par effraction dans le magasin afin de voler le médicament pour sa femme. Que pensez-vous de cette décision ? »

Enfin, Kohlberg a soutenu qu'il existait des stades du développement moral, faisant progressivement passer de l'hétéronomie à l'autonomie morale selon une séquence invariable, universelle et irréversible que tous, cependant, ne parcourent pas en entier. Kohlberg soutient encore qu'à chaque stade survient une réorganisation de l'équipement cognitif des sujets et que ceux-ci voient le nouveau stade atteint comme étant supérieur au précédent.

Il existerait selon Kohlberg six stades, divisés également en trois types de moralité.

La moralité pré-conventionnelle comprend le stade un, celui de l'égoïsme (de deux ou trois ans, jusqu'à cinq ou six ans, environ), puis le stade deux, celui de l'instrumentalisme, entre cinq et sept ou huit ans environ.

La moralité dite conventionnelle suit. Elle comprend le stade trois, celui du conventionnalisme, de sept à douze ans environ, et le stade quatre, celui du contractualisme, de dix à quinze ans environ.

La moralité post-conventionnelle apparaît ensuite. Elle est celle de l'autonomie et de la recherche de principes indépendants des groupes et même de mon éventuelle appartenance à un groupe. Elle comprend le stade cinq (celui du conséquentialisme), qui survient vers quinze ou seize ans (mais il arrive aussi qu'il commence plus tôt). Le stade six est orienté par et vers des principes éthiques universels, que l'individu reconnaît et vit comme autant d'exigences intérieures et qui, en cas de conflit avec les lois ou les normes socialement convenues, auront préséance sur elles.

Kohlberg pensait décrire là une séquence invariable, universelle et irréversible : nous commencerions tous, enfant, au stade pré-conventionnel ; puis nous franchirions les stades, qui sont progressivement qualitativement supérieurs les uns aux autres dans l'ordre où il les a exposés, pour, dans la grande majorité des cas, aboutir au stade conventionnel, où se trouveraient la plupart des adultes. Selon Kohlberg, le stade postconventionnel n'est atteint que par une minorité de gens (de l'ordre d'une personne sur quatre ou sur cinq de la population adulte).

À compter des années 1980, de très nombreuses critiques vont peu à peu éroder ce bel édifice. Celles de son assistante Carol Gilligan (1936) ouvrent la voie à l'élaboration de ces éthiques du *care* qui sont aujourd'hui très influentes, notamment dans le domaine de l'éducation.

Gilligan remarquera que les échantillons de Kohlberg étaient majoritairement constitués de garçons et que le système de notation retenu était biaisé en faveur de réponses faisant intervenir des principes et contre des réponses se situant plutôt sur un plan « relationnel ». Gilligan pouvait ainsi expliquer une étonnante conclusion de Kohlberg, qui pensait avoir constaté qu'en moyenne les filles parviennent à des stades de développement moral inférieurs à ceux des garçons.

Kohlberg a pris ces critiques au sérieux et revu ses échelles et ses échantillons. Cela fait, les garçons et les filles arrivaient en moyenne aux mêmes stades. Gilligan, elle, a tiré une tout autre conclusion de ses observations. Selon elle, les femmes ont, typiquement, une autre manière de penser l'éthique, d'en parler (le célèbre livre qu'elle écrira à ce sujet s'appelle d'ailleurs *Une voix différente*, Champs-Flammarion, 2009), et de la pratiquer, une manière moins axée sur les conséquences ou les principes, que sur ce qu'elle nommera le *care*.

DROITS DES ENFANTS, DROITS DES PARENTS

Il est banal de le dire : les citoyens des sociétés libérales sont présumés détenir un certain nombre de droits que l'État se doit, de son côté, de faire respecter.

Mais si l'attribution de ces droits à des adultes ne pose généralement pas de graves problèmes, les questions demandant de dire s'ils doivent – ou du moins si certains d'entre eux doivent – être étendus aux enfants, de justifier cette extension et de préciser ce qui s'ensuit en termes de devoirs et de responsabilités, tant pour les parents que pour l'État, ces questions sont complexes et restent débattues. Elles se présentent avec une acuité toute particulière en ce qui concerne l'autorité et la responsabilité d'éduquer et présentent donc un immense intérêt pour la philosophie de l'éducation.

John Locke fait ici figure de pionnier. Il avance en effet que, bien que les enfants soient nés libres, leurs capacités rationnelles ne sont pas encore développées et ne le seront que progressivement, par l'expérience. Les enfants ont cependant manifestement un intérêt au développement de ces facultés, qui leur permettra de prendre part, en tant qu'adulte, à la société où ils vivront : ils ont donc un droit à l'éducation qui favorisera ce développement. Mais les capacités rationnelles limitées des enfants leur interdisent d'exercer ce droit : il s'ensuit, pense Locke, que les parents ont le devoir de le faire à leur place. Ce sont donc les parents qui exercent pour eux les droits de leurs enfants.

Les idées de Locke tranchaient, par ce raisonnement et la conclusion à laquelle il conduit, avec celles de certains penseurs de son temps, qui soutenaient qu'il était moralement permis aux parents d'agir avec leurs enfants comme bon leur plaisait. Locke ouvrait ainsi le débat sur les responsabilités et autorités respectives des enfants, des parents et de la société (et donc de l'État) dans l'objectif de faire des enfants, notamment par l'éducation, des adultes prenant part à la vie collective.

La question de la nature des droits est cruciale pour décider si les enfants en possèdent et lesquels, le cas échéant. Après Locke, c'est dans cette direction que la réflexion s'est poursuivie.

Les partisans de la thèse des droits-liberté, selon laquelle les droits dépendent de la capacité à choisir librement et n'existent que là où elle est présente, ont articulé une conception des droits de l'enfant proche d'une part de l'argumentaire de Locke : on dira donc que les enfants, du moins ceux qui sont en bas âge, puisqu'ils sont incapables de choisir librement en raison de leur manque d'autonomie, de rationalité, d'information, de force physique ou de sens moral, ne sauraient avoir de droits au sens strict.

C'est du côté d'une théorie qui fonde les droits sur les intérêts, elle aussi partiellement esquissée par Locke, qu'on trouve une autre conception des droits de l'enfant, plus riche et plus féconde. Selon cette théorie, la possession d'un droit, pour un être, est fondée sur le fait que le bien-être ou l'intérêt de cet être permet d'exiger que ce droit soit respecté par autrui. Cet être peut bien entendu être un humain adulte, un enfant ou même un animal. Quels pourraient être les intérêts de l'enfant qui définissent et délimitent leurs droits ?

Joel Feinberg, dans *Freedom and Fulfillment*, a proposé des distinctions conceptuelles qui sont précieuses pour délimiter ce très vaste territoire.

Il distingue d'abord des droits qu'on accordera de manière non problématique aussi bien aux adultes qu'aux enfants, comme ceux de ne pas être frappé ou volé, et ceci en raison de leur intérêt à l'intégrité physique ou à la propriété.

D'autres droits sont cependant spécifiques aux enfants – et à certaines catégories particulières d'adultes : malades, comateux ou handicapés, par exemple. Il convient, pense Feinberg, de distinguer ici d'une part des droits qui dérivent de la dépendance des enfants (et de ces adultes) envers autrui pour l'obtention des biens nécessaires à la vie, comme la nourriture ou le logement, et d'autre part ces droits qu'il appelle droits en fiducie, parce que d'autres, typiquement les parents, en sont les dépositaires en attendant que leur véritables propriétaires, devenus adultes ou sains, puissent pleinement en jouir.

Or, note Feinberg, des décisions peuvent être prises par les fiduciaires et des gestes être posés par eux, qui empêcheront l'exercice de certains de ces droits, fermant ainsi aux enfants concernés un nombre plus ou moins grand de possibilités, et les privant par là du droit à un avenir ouvert.

Si cette analyse est juste, les droits des enfants pourraient commodément être divisés en trois types, selon le type d'intérêt qu'ils protègent. Certains droits protègent l'intérêt des enfants à obtenir ces biens caractéristiques de l'enfance, d'autres, qu'ils partagent avec les adultes, protègent leur intérêt au bien-être, tandis que les troisièmes protègent leur intérêt à avoir un avenir ouvert.

Cette caractérisation des droits de l'enfant pourrait bien être une perspective féconde pour penser les relations complexes entre les intérêts de l'enfant et les autorités (celle des parents et celle de l'État) qui peuvent, avec un certain degré de légitimité, prétendre s'exercer sur l'éducation qui lui est dispensée. Bob Reich, qui propose cette perspective dans divers travaux, conclut que l'intérêt des parents à choisir une école pour leur enfant peut coexister harmonieusement avec l'intérêt de l'État à voir acquise une instruction civique, et avec l'intérêt de l'enfant à acquérir son autonomie et à avoir un avenir ouvert.

Notons enfin que la question du droit des parents se pose avec une acuité renouvelée eu égard à la pratique de l'éducation à domicile. Les adversaires de cette pratique – ou ceux qui souhaitent l'encadrer fermement – rappellent que les parents, même avec les meilleures intentions, ne sont pas toujours ou automatiquement les meilleurs interprètes et défenseurs des intérêts de leurs enfants ; que, par ailleurs, le droit des enfants à un avenir ouvert suppose qu'ils soient, à tout le moins dans une certaine mesure, exposés à des modes de vie, à des valeurs et à des conceptions d'une vie bonne différents de ceux au sein desquels ils sont nés et sont élevés. Enfin, que l'État, en tant qu'il représente la collectivité, a lui aussi un intérêt et partant une responsabilité spécifique dans l'éducation des enfants : que ceux-ci acquièrent une éducation politique conforme aux droits et responsabilités reconnus au sein de la communauté politique dans laquelle ils sont nés.

ÉCOLE ET REPRODUCTION

Contre Platon, qui souhaitait mettre l'éducation au service de la reproduction méritocratique de la société et de la sélection et de la préparation de ses dirigeants, la modernité n'a cessé de proclamer son aspiration à une réelle égalité des chances, dans la réalisation de laquelle l'éducation est appelée à jouer un rôle central.

La définition précise de cette égalité et de ce de qui permettrait d'en évaluer les progrès s'est avérée une tâche très complexe ; la sincérité, voire la possibilité même de l'adhésion collective à cette finalité a été sérieusement remise en question ; et la persistance des inégalités sociales et scolaires a été et reste un thème autour duquel se nouent des débats aussi passionnés qu'incessants.

La philosophie de l'éducation a contribué à ces débats en aidant à en clarifier les concepts et les enjeux et en montrant comment diverses présuppositions (méthodologiques ou conceptuelles) contribuent à rendre plausibles ou non certaines réponses. C'est le cas, on l'a vu, à propos du concept d'égalité lui-même ainsi que des conceptions holistes ou individualistes de la société sur lesquelles reposent diverses traditions sociologiques.

Dans la même perspective, on montrera qu'une conception fonctionnaliste de la société, qui anime notamment la sociologie positiviste durkheimienne, tend à concevoir l'éducation comme un moyen de la reproduction harmonieuse de la société par elle-même, tandis qu'une conception critique de la société, par exemple celle qui inspire le matérialisme marxiste, tend à y voir un outil de reproduction de la dualité sociale et de l'idéologie qui la perpétue.

Outre ce travail d'identification des présuppositions des paradigmes des sciences sociales prenant l'éducation comme objet d'étude, la philosophie de l'éducation continue son travail de clarification conceptuelle sur toutes ces questions. Un exemple l'illustrera. James Fishkin, dans un article paru dans *Social Philosophy and Policy* en 1978, a en effet proposé un trilemme qui porte désormais son nom et qui ambitionne de montrer certaines des difficultés auxquelles se heurterait inévitablement toute velléité de résolution de la question de l'égalité des chances dans le cadre usuel du libéralisme.

Ce trilemme de Fishkin est obtenu en admettant, outre la variété des habiletés individuelles et des situations familiales, les trois *desiderata* suivants que le libéralisme aspire à satisfaire conjointement :

L'égalité des chances pour tous les citoyens, d'abord, que Fishkin définit comme la situation où les perspectives des enfants d'accéder aux positions offertes par la société ne varient pas de manière systématique et significative selon leurs arbitraires conditions de naissance.

L'attribution des positions au mérite et au terme d'une juste compétition, ensuite, situation qui prévaut lorsqu'est assurée une substantielle justice procédurale dans l'évaluation des qualifications.

L'autonomie de la famille, enfin, laquelle est préservée par la reconnaissance que l'on ne doit pas intervenir de manière coercitive dans les relations consensuelles qui existent au sein des familles et qui gouvernent le développement des enfants – à moins que ce ne soit pour garantir à ces derniers la possession des préalables indispensables à leur participation adulte à la vie sociale.

Le trilemme résulterait de l'impossibilité de simultanément satisfaire plus de deux des termes de la triade – égalité des chances, mérite et autonomie de la famille – tels qu'ils ont été définis. C'est ainsi que la réalisation de l'égalité des chances et la préservation de l'autonomie de la famille ne sont conjointement possibles que dans le renoncement à la méritocratie ; que le maintien de l'idéal méritocratique et la préservation de l'autonomie de la famille supposent le renoncement à la pleine réalisation de l'égalité des chances ; et que ce n'est qu'au prix du renoncement à l'autonomie de la famille (voire, comme l'avait pressenti Platon dans *La République*, de son abolition) que l'égalité des chances et l'idéal méritocratique peuvent conjointement et plausiblement être visés.

ÉPISTÉMOLOGIE ET PSYCHOLOGIE GÉNÉTIQUES

L'œuvre de Jean Piaget (1896-1980) aborde des domaines aussi variés que la biologie, les mathématiques, la psychologie, la philosophie, l'épistémologie et la sociologie. Le principe d'unité de cette œuvre se trouve dans cette « épistémologie génétique » que Piaget conçoit. Son ambition est de trancher expérimentalement et scientifiquement les problèmes de l'origine et de l'accroissement des connaissances.

Piaget travailla au début de sa carrière au laboratoire d'Alfred Binet (1857-1911), qui est l'inventeur avec Théodore Simon du célèbre test et de la première échelle de développement intellectuel. Biologiste de formation, passionné d'épistémologie, Piaget découvre avec fascination que des raisonnements fort simples (par exemple inclusion d'une partie dans un tout ou enchaînement des relations) présentent pour les enfants normaux et jusqu'à onze ans environ des difficultés insoupçonnées de l'adulte.

Il conclut à ce moment qu'il lui faudra, pour réaliser son ambitieux programme épistémologique, consacrer quelques années à des travaux de psychologie préliminaires qui mettront en évidence les étapes du développement et de la structuration de l'intelligence depuis la naissance jusqu'à l'âge adulte. Ces travaux préliminaires, qui occuperont Piaget sa vie durant, fondent la psychologie génétique. Celle-ci décrit la genèse des structures de l'intelligence chez le sujet. Elle est une des deux composantes de l'épistémologie génétique, qui comprend en outre l'étude historico-critique des sciences, qui retrace l'origine et l'accroissement des connaissances scientifiques. C'est par la psychologie génétique que Piaget occupe toujours une place importante en psychologie et dans la théorie de l'éducation – l'épistémologie génétique ayant moins bien subi l'épreuve du temps. La célèbre confrontation avec Noam Chomsky, à Royaumont en 1975, fera date et montrera la fragilité des positions épistémologiques de Piaget, en particulier son incapacité à penser correctement le langage.

Piaget suggère que l'intelligence est une fonction adaptative, mettant indissociablement en relation sujet et objet, et dont le développement se déploie selon des stades universels, franchis dans un ordre nécessaire et linéaire. Il en résulte, tant en épistémologie qu'en psychologie, une position constructiviste, inspirée à la fois de la psychologie évolutionniste et du criticisme kantien – mais d'un Kant dont les catégories se développeraient peu à peu dans l'interaction du sujet avec le monde et par intériorisation, coordination et décentration progressives des actions devenant de plus en plus abstraites, jusqu'à constituer une combinatoire pouvant s'appliquer à des objets ou facteurs physiques mais aussi à des idées et propositions.

Les stades identifiés sont les suivants : le stade sensori-moteur, de la naissance à deux ans environ ; le stade pré-opératoire, de deux à sept ans environ ; le stade opératoire concret, de sept à onze ou douze ans environ ; le stade formel ensuite.

Les principaux concepts forgés par Piaget sont les suivants : le schème, d'abord, qui désigne des structures d'action et des opérations ; l'assimilation, qui désigne l'incorporation d'éléments de l'environnement à ces structures préalables que sont les schèmes ; l'accommodation, qui est la modification de ces structures préalables du sujet et qui plie l'organisme aux contraintes successives du milieu.

Le couple assimilation/accommodation permet de décrire et de comprendre le développement cognitif à partir de l'idée d'une interaction et d'une indissociabilité du sujet et de l'objet, relation d'adaptation tendant vers l'équilibre.

La psychologie génétique, on l'a dit, est la part la plus vivante et féconde de l'héritage piagétien. Mais elle aussi a reçu diverses critiques, d'importance variable.

Sa méthodologie (des entretiens non directifs) est notamment jugée peu rigoureuse au vu des normes actuelles ; soumise à elles, la théorie semble simplifier outrageusement les données, qui sont plus complexes qu'on aurait pu le penser ; Piaget, enfin, aurait sous-estimé les capacités des enfants et, surtout, négligé le rôle et l'importance des facteurs sociaux.

L'éducation est un thème dérivé chez Piaget, mais un sujet pour lequel il montra toujours un grand intérêt, tant dans ses écrits, que dans son activité professionnelle – au Bureau international d'éducation, à l'Institut Jean-Jacques-Rousseau et à l'UNESCO, notamment.

Pour l'essentiel, Piaget reprend et promeut les thèses de l'Éducation nouvelle genevoise et ses méthodes actives – il était proche de Pierre Bovet et d'Édouard Claparède – auxquelles il apporte la caution de la psychologie génétique : il prône donc la libre activité de l'enfant, demande à l'enseignant de créer des situations permettant aux élèves d'inventer et de résoudre des problèmes et souligne l'importance de la coopération. Ces recommandations sont sujettes aux mêmes éloges et aux mêmes critiques qui ont pu être faites à des pédagogies s'inspirant de tels préceptes.

Les philosophes de l'éducation rappelleront quant à eux l'importance de distinguer entre priorité logique et antériorité biologique dans la description du développement des structures cognitives de l'enfant, et feront valoir les périls qu'il y a pour l'éducateur à négliger cette distinction.

D'autres encore rappelleront les risques qu'il y a à minorer des contenus qui peuvent s'ensuivre d'une éducation qui tendrait à se concevoir comme auxiliaire de ce développement cognitif de l'enfant décrit par la psychologie cognitive et qui est de toute façon, de son aveu même, inexorable. Car après tout, comme le dira Alain, devant l'injonction de connaître Pierre pour lui enseigner la musique, il convient de se rappeler que c'est bien en lui enseignant la musique que l'on saura s'il est musicien.

La philosophie pour enfants

La philosophie pour enfants, souvent appelée P4C – *Philosophy for Children* –, est une théorie et une pratique pédagogiques développées aux États-Unis par Matthew Lipman (1922-2010) et qui ambitionne de développer la pensée critique des enfants en introduisant la philosophie dans le curriculum scolaire, et ce depuis la maternelle jusqu'à la fin du secondaire. Gareth Matthews (1929) est un autre célèbre promoteur de ces idées et de ces pratiques, qu'il déploie cependant en des directions quelque peu différentes de Lipman.

La philosophie pour enfants connaît quelque succès, notamment dans les pays anglo-saxons, mais aussi dans les pays francophones et au Québec.

Une telle proposition voit d'emblée se lever contre elle une longue tradition qui remonte au moins à Platon et selon laquelle les enfants, du moins jusqu'à un certain âge souvent fixé au début de l'adolescence, ne sont pas en mesure de commencer à pratiquer la philosophie, notamment en raison du degré d'abstraction qu'elle demande, de la complexité des questions qu'elle aborde et des connaissances nombreuses et variées qu'il est nécessaire de maîtriser pour les discuter véritablement.

Certes, John Locke, qui se fondait peut-être sur sa propre expérience de précepteur, a soutenu qu'il était possible et souhaitable de raisonner avec les enfants. Il assurait en effet que ceux-ci raisonnent dès qu'ils parlent, même si c'est moins sûrement que les adultes, et qu'ils apprécient qu'on les traite en créatures rationnelles. Locke recommandait donc de raisonner avec eux, mais il ajoutait que cela devait se faire en tenant compte de leurs capacités : pour cette raison, selon lui, des longs discours et des raisonnements philosophiques étaient à proscrire et ne sauraient être, pour les enfants, qu'une source de confusion.

La position de Jean-Jacques Rousseau, on le sait, est plus radicale puisque ce ne sont pas seulement les discours abstraits et la philosophie qu'il juge néfastes pour les enfants, mais bien le fait de raisonner avec eux. C'est que la raison n'est pas encore développée chez les enfants et qu'elle ne le sera pleinement que plus tard, quand l'éducation sera avancée : en user, c'est vouloir commencer par la fin et « vouloir faire l'instrument de l'ouvrage ». « Pour moi, écrit Rousseau, je ne vois rien de plus sot que ces enfants avec qui l'on a tant raisonné. » De plus, sur le plan de la moralité, les enfants étant insensibles à des considérations et argumentaires invoquant les devoirs, le bien, le mal, raisonner avec eux conduit à joindre « à cette prétendue persuasion la force et les menaces, ou, qui pis est, la flatterie et les promesses ». Suivre la nature est ici encore le précepte que Rousseau préconise. Or ce qu'elle enseigne lui semble clair : « Employez la force avec les enfants et la raison avec les hommes ; tel est l'ordre naturel. »

L'argumentaire de Rousseau, ou plus exactement ce qu'il dit du développement dans le temps de la rationalité qui ne parvient à maturité qu'à son heure, pourrait avoir reçu de la psychologie génétique sa plus importante confirmation. Piaget conclut en effet que ce n'est qu'à l'orée de l'adolescence, typiquement autour de douze ans et donc à l'entrée au secondaire, que les enfants accèdent au stade formel et, on peut le penser, possèdent ces capacités intellectuelles que demande la pratique de la philosophie.

Lipman, comme les partisans de l'enseignement de la philosophie pour les enfants, pense que l'expérience démontre au contraire que les enfants sont spontanément capables de soulever des questions philosophiques et qu'ils sont aussi parfaitement capables de les discuter, surtout si cela est fait dans un cadre qui facilite de telles discussions. Professeur de philosophie à l'université, il s'est en outre désolé du peu d'aptitude à l'argumentation et à la pensée critique de ses étudiants : il en est ainsi venu à la conclusion que l'introduction de la pensée critique dès le début du cursus scolaire était le correctif nécessaire.

Lipman a donc fondé en 1974 l'*Institute for the Advancement of Philosophy for Children* (IAPC) et publié cette même année son premier roman philosophique destiné à l'enseignement de la philosophie aux enfants : *Harry Stottlemeier's Discovery.* La revue *Thinking : The Journal of Philosophy for Children* est publiée par l'IPAC. Deux autres revues sont également consacrées à la philosophie pour enfants : *Critical and Creative Thinking*, et *Analytical Teaching.*

Ce que procure la pensée critique, assure Lipman, c'est un bon jugement. Elle y parvient en induisant des habitudes de pensée qui (1) facilitent le jugement (2) parce qu'elles ont recours à des critères, sont (3) auto-correctrices et (4) sensibles au contexte dans lequel la pensée s'exerce.

La méthode pédagogique imaginée par Lipman demande de transformer la classe en ce qu'il appelle une « communauté de recherche ». Celle-ci, réunie en table ronde, va, à partir d'un stimulus – ce peut être un objet pour les plus petits, un passage d'un texte tiré d'un des romans que Lipman a écrits pour les grands –, décider de la question qu'elle abordera et en discuter. Cette discussion est soumise à des règles qui demandent par exemple qu'on écoute autrui, qu'on ne se moque de personne, qu'on laisse chacun finir ses phrases et qu'on prenne sérieusement en compte ce que tout participant à la communauté de recherche avance. L'enseignant est pour cette communauté un facilitateur : il pourra, au besoin, lui fournir des informations, intervenir pour encourager certains participants à prendre la parole ou pour que la démarche reste équitable et juste pour tous.

Les partisans de la pratique de la philosophie pour enfants pensent qu'en plus de contribuer à faire d'eux des penseurs critiques et créatifs, elle les rend plus en mesure d'apprendre dans tous les autres sujets qu'ils abordent à l'école, les rend plus empathiques et développe leur capacités à communiquer et à écouter. En un mot, elle les rendrait plus raisonnables et leur apprendrait à penser non seulement par eux-mêmes mais aussi avec les autres, toutes vertus citoyennes de première importance dans une démocratie délibérative digne de ce nom.

Les adversaires de cette pratique restent sceptiques devant ces prétentions et soutiennent, avec par exemple McPeck, que la pensée critique et la créativité sont toujours spécifiques à un domaine donné : la philosophie pour enfants serait alors un autre exemple de ce déplorable formalisme qui signe le recul des contenus disciplinaires dans l'enseignement. D'autres remarquent pour leur part que tout cela prend parfois les allures d'une vaste entreprise commerciale de vente de matériel et de formation qui gruge sans justification convaincante sur un temps de classe et des ressources déjà très limités.

Que faut-il en penser ? Les données de recherche empirique crédibles et impartiales ne permettent hélas pas, pour le moment, d'en décider avec beaucoup d'assurance.

Pluralisme, multiculturalisme et communautarisme

Les sociétés libérales sont notamment caractérisées par un principe de neutralité qui motive leur refus de favoriser une conception de la vie bonne au détriment d'une autre. Pour maintenir cette neutralité face à l'inévitable diversité des conceptions de la vie bonne qui ne pourront manquer d'être poursuivies par ses citoyens, ces sociétés mettent en place un ensemble de mesures strictement procédurales et n'incorporant ni ne favorisant aucun modèle. Le pluralisme est donc un fait inévitable des sociétés libérales et cette manière, neutre et procédurale, d'y faire face, a longtemps été jugée la seule qui soit compatible avec une politique véritablement libérale.

Le concept de multiculturalisme désigne une famille de politiques publiques mises en place depuis une trentaine d'années au sein des démocraties libérales – notamment mais non exclusivement dans les pays anglo-saxons – et dont l'adoption se comprend au mieux comme le résultat d'un considérable bouleversement du modèle classique de prise en charge de la diversité. La position multiculturaliste est apparue dans le cadre d'un débat fameux opposant les libéraux – qui adoptent typiquement comme paradigme le libéralisme tel qu'il a été proposé par John Rawls, dans sa fameuse *Théorie de la justice* (1971) – et divers auteurs qu'on rassemble sous le vocable de communautariens (ou communautaristes). Ce débat, comme on va le voir, a contraint à poser d'une manière nouvelle la question de l'accommodement raisonnable de la diversité.

Le point de départ de Rawls, on le sait, ce sont ces individus abstraits, privés de tout attribut autres que cognitifs et rationnels, qu'il a placés derrière un voile d'ignorance et qui sont censés y adopter les deux principes de justice défendus dans la *Théorie de la justice.*

La position communautariste nie qu'un tel point de départ soit théoriquement possible et suggère qu'en occultant des dimensions importantes de la vie humaine et du politique, ce point de départ se révèle aussi trompeur qu'indésirable.

C'est que l'analyse du monde social et politique ne peut en aucun cas commencer avec des individus envisagés comme des atomes isolés, rationnels et autosuffisants, car ceux-ci ne sauraient exister. Son point de départ se trouve plutôt dans des individus appartenant nécessairement à des groupes, à des institutions, à des traditions culturelles et donc, en un mot, à des communautés. À ce titre, tous les individus sont donc d'emblée imprégnés des modes de vie, des valeurs, des traditions qui caractérisent ces communautés et qui, seuls, peuvent permettre de dessiner un horizon de sens à partir duquel ces gens pensent, agissent et choisissent. L'individu de Rawls est donc une fiction trompeuse qui donne à penser la société et le politique à partir d'un individu soustrait à toute appartenance. Charles Taylor (1931), Alasdair McIntyre (1929) et Michael Walzer (1937) comptent parmi les théoriciens communautaristes les plus influents.

Cette perspective invite à penser que des institutions publiques ou des politiques qui ne reconnaîtraient pas ces cultures, leur importance et leur rôle dans la constitution de l'identité des individus – ou pire, qui les dénigreraient – porterait par là gravement atteinte à leur dignité, en même temps qu'elles fouleraient aux pieds les idéaux libéraux de justice et d'égalité de traitement.

Il reviendra à Charles Taylor, dans un ouvrage marquant et justement intitulé *Multiculturalisme : Différence et démocratie* (Champs-Flammarion, 1994), de donner la formulation la plus forte et la plus cohérente de ce qu'impliquent ces idées pour des politiques publiques. Taylor suggère que si des politiques de dignité universelle ont en effet pu mener le combat en faveur de formes de non-discrimination aveugles aux différences et distinctions entre les citoyens, le communautarisme montre que la non-discrimination demande désormais souvent que ces distinctions servent de base à des traitements différentiels et donc invitent à la mise en place de politiques de la différence.

Ces analyses, qui sont aujourd'hui plus que jamais au cœur de débats académiques mais aussi politiques, parfois virulents, sont aussi, comme on le rappelle dans l'introduction de cet ouvrage, aussi polémiques que potentiellement lourdes d'implications pour l'éducation.

POSSIBILITÉ ET ORIENTATIONS DE L'ÉDUCATION MORALE

Avant même d'envisager comment il conviendrait de procéder en matière d'éducation morale, il faut affronter la question de principe troublante et radicale originellement posée par Socrate : un tel enseignement est-il seulement possible ?

La reprise par Gilbert Ryle (1972) de certains arguments attribués à Socrate pour répondre par la négative à cette question est bien connue. En substance, Ryle rappelle que l'idée d'enseignement supposerait celles d'expertise, d'institutionnalisation de cette expertise ainsi que celles de savoirs et d'habiletés : or rien de tout cela ne semble, de manière plausible, pouvoir être affirmé à propos de l'éducation morale. On ne trouve en effet nulle part et on n'a aucune raison de penser pouvoir trouver où que ce soit des experts *ès* vertus – des professeurs de courage ou de bonté, par exemple – ou des institutions où on les retrouverait. De même, l'idée d'un éventuel savoir moral se heurte au fait qu'il ne semble guère plausible d'invoquer à son propos la possibilité de l'oubli, comme on le ferait volontiers de tout autre savoir. On peut certes oublier comment calculer la surface d'un hexagone, mais on ne pourrait arguer qu'en telle ou telle circonstance on a simplement *oublié* d'être juste. Enfin, l'existence d'habiletés morales semble peu plausible, notamment parce qu'alors que les autres habiletés peuvent servir à des fins morales ou immorales, on ne saurait logiquement invoquer cette possibilité à propos des habiletés morales.

Des arguments allant en ce sens n'ont cessé d'être invoqués et constituent le noyau dur vers lequel convergent aujourd'hui encore diverses analyses pour conclure à l'impossibilité et/ou à l'indésirabilité de la prise en charge par l'école de l'éducation morale.

Un argument épistémologique soutient que l'école existe pour transmettre des savoirs objectifs et vérifiables et rappelle qu'il n'existe aucun savoir de cet ordre en matière de moralité. Un argumentaire individualiste argue que c'est au détriment du libre développement de l'individu que s'exerce l'éducation morale. Des arguments empiriques sont aussi parfois invoqués pour rappeler que l'école ne transmet et ne reproduit que certains aspects de la structure sociale, politique, économique et idéologique de la société qui l'abrite et que cette assimilation n'est évidemment en aucun cas de l'éducation morale. Des recherches empiriques crédibles montreraient encore le peu d'impact de l'école sur la compréhension et le comportement moraux des sujets.

A contrario de ce scepticisme radical, diverses traditions et écoles de pensée tiennent pour possible, souhaitable, voire incontournable l'éducation morale, qui ne saurait se confondre avec la socialisation, l'éducation religieuse ou, cela va de soi, l'endoctrinement. Le cas de Platon peut commodément être rappelé ici pour commencer, puisqu'il illustre justement cette idée que non seulement l'éducation morale est possible, mais que toute éducation est au fond éducation morale, et que toute éducation correctement entendue converge vers une fin qui est d'ordre moral : la contemplation de l'Un-Bien.

Au cours des années soixante et soixante-dix du XXe siècle, un sentiment de perte de crédibilité de certains repères traditionnels en matière de moralité a amené une forte demande pour des programmes d'éducation morale. Divers programmes ont alors été conçus et proposés par des philosophes, chacun se fondant sur l'adoption de positions éthiques particulières. L'instrumentalisme deweyen et les deux principales formes du rationalisme éthique (l'utilitarisme et le kantisme) ont alors chacun inspiré des programmes d'éducation morale.

Les programmes de clarification des valeurs adoptent ainsi une approche inspirée, en partie au moins, des idées éthiques de l'instrumentalisme de Dewey. Refusant de séparer la valorisation morale des autres formes de valorisation, ces programmes mettent l'accent d'une part sur le processus de la valorisation (plutôt que sur son contenu), et d'autre part sur l'action où elle s'incarne. Des accusations de subjectivisme et de relativisme moral lui ont été fatales.

La perspective rationaliste a quant à elle été défendue dans les travaux de Lawrence Kohlberg (1927-1987) où il recommandait de faire de l'école une « juste communauté ». Cette perspective a aussi reçu sa part de critiques, avant d'inspirer les recherches menées dans le cadre féministe de l'éthique du *care* (voir *supra* : « De Kohlberg à l'éthique du *care* »).

Soulignons que les dernières décennies ont été marquées, dans la littérature et dans la pratique, par un retour à l'éthique de la vertu et donc par l'idée d'un développement par la pratique de vertus morales, qui sont autant de dispositions à agir et qui font qu'on est (ou non) un certain type de personne.

La philosophie pour enfants apparaît aujourd'hui à certains une voie prometteuse pour pratiquer l'éducation morale à l'école, tandis que d'autres pensent qu'il conviendrait plus modestement de prôner une forme réflexive de socialisation à travers diverses modalités d'éducation à la citoyenneté.

LA QUERELLE DU CANON

La querelle du canon, dont les péripéties les plus visibles du grand public se sont déroulées durant les années 1980 et 1990 aux États-Unis, est un épisode récent d'un débat récurrent en éducation – même s'il revêt des formes différentes selon les pays et les moments historiques concernés.

Longtemps, dans l'éducation pré-universitaire étatsunienne, ce débat a opposé diverses conceptions progressistes de l'éducation, dont Dewey a fourni la formulation la plus exemplaire et la plus articulée, à des conceptions libérales de l'éducation, parmi lesquelles il faut noter ce « pérennialisme », défendu notamment par Mortimer Adler (1902-2001) et Robert Hutchins (1899-1977). Leur vision de l'éducation est incarnée dans leur fameuse collection *Great Books of the Western World*, publiée pour la première fois en 1952 par l'*Encyclopædia Britannica*.

Ce pérennialisme entend, comme l'entend *mutatis mutandis* toute éducation libérale, fonder l'éducation sur la transmission de la « haute culture » et d'un corpus d'œuvres présumé réunir ce que le poète et essayiste Matthew Arnold (1822-1888) désignait comme « le pinacle de ce qui a été pensé et été dit ». Et c'est en référence à ces valeurs présumées pérennes et incarnées dans les grandes œuvres littéraires, philosophiques, scientifiques, politiques, économiques, historiques et éthiques que le mouvement doit son nom.

Ce conflit entre libéraux-pérennialistes et progressistes s'est transposé à l'université américaine où elle a pris la forme de la querelle du canon. Le conflit se joue à de multiples niveaux. Il concerne tout à la fois les finalités de l'éducation, ses méthodes, les contenus à privilégier, ainsi que la question de savoir à qui revient l'autorité d'en décider. Notons que c'est surtout à propos de l'enseignement universitaire des humanités que ces questions ont été débattues – les sciences et les mathématiques n'ayant que fort peu été concernées par cette affaire.

Les adversaires du canon prennent notamment appui sur diverses analyses sociologiques, marxistes, féministes, structuralistes, déconstructionnistes et antiracistes qui, toutes, invitent à le considérer comme un ensemble plus ou moins arbitraire et ne reflétant au fond que les structures de pouvoir de la civilisation qui l'adopte – et en particulier, selon la formule convenue, le point de vue de quelques « Européens décédés de sexe masculin ». Ils en demandent donc, au minimum, l'élargissement – à d'autres cultures, œuvres, traditions, références, genre, auteurs, lesquels, de toute nécessité, devront en certains cas remplacer des éléments du canon usuel.

Les défenseurs du canon, parmi lesquels Allan Bloom, dont l'ouvrage *The Closing of the American Mind* (1987) fit date dans ce débat, et le philosophe John Searle (1932), ont argué que le canon n'a jamais été fixe et que son ouverture même est son mode d'être propre puisqu'il induit des habitudes de pensée critique, y compris à son propre endroit.

Ils ont aussi soutenu que, faute de critères permettant de hiérarchiser les contenus à enseigner, l'éducation sombrerait dans le plus complet et déplorable relativisme, déniant en outre par le fait même, aux étudiants qui en seraient privés, les vertus émancipatrices des perspectives critiques qu'il permet de déployer. L'autorité, en éducation, serait donc ultimement celle de cette perspective critique acquise au contact de ce qui l'incarne de manière exemplaire.

La querelle du canon, à laquelle, pour la complexifier encore, s'est greffée celle sur la rectitude politique, s'est apaisée à la fin du siècle. Mais l'incorporation au cursus de nombreuses universités étatsuniennes de perspectives et d'œuvres féministes, d'œuvres d'auteurs et de cultures jusque-là négligés, et d'éléments de la culture populaire témoigne, entre autres, d'une nouvelle sensibilité dans le développement de laquelle cet épisode récent de l'histoire de l'éducation a joué un rôle non négligeable.

BIBLIOGRAPHIE

OUVRAGES DE RÉFÉRENCE

CHAMBLISS J.-J. (ed.), *Philosophy of Education. An Encyclopedia*, Garland Publishing, New York, 1996.

CHAMPY P. et ETÉVÉ C. (dir. de rédaction), *Dictionnaire encyclopédique de l'éducation et de la formation*, Nathan, Paris, 1994.

CURREN R. (ed.), *A Companion to the Philosophy of Education*, Blackwell Publishing, 2003.

HANNOUN H., *Anthologie des penseurs de l'éducation*, PUF, Paris, 1995.

HIRST P. H. et WHITE P. (ed.), *Philosophy of Education. Major Themes in the Analytic Tradition.* Vol. I : « Philosophy and Education ». Vol. II : « Education and Human Being ». Vol. III : « Society and Education ». Vol. IV : « Problems of Educational Content and Practices », Routledge, Londres, New York, 2000.

LEGENDRE R. (éd.), *Dictionnaire actuel de l'éducation*, Guérin-Eska, Montréal et Paris, 1993.

On trouvera dans la collection « Pédagogues et pédagogies », (PUF) des monographies consacrées aux principaux pédagogues et philosophes de l'éducation. Ces ouvrages comprennent en outre des extraits choisis des auteurs étudiés.

ŒUVRES CLASSIQUES NON CITÉES DANS L'ANTHOLOGIE

ALAIN, *Pédagogie enfantine*, PUF, Paris, 1963.
–, *Propos sur l'éducation*, PUF, Paris, 1969.
ARISTOTE, *Les Politiques*, trad. Pierre Pellegrin, GF-Flammarion, Paris, 1993.
–, *Éthique à Nicomaque*, trad. Pierre Pellegrin, Nathan, Paris, 1995.
AUGUSTIN, *De magistro*, Desclée de Brouwer, Paris, 1941.
CICÉRON, *De l'orateur*, texte établi par Henri Bornecque et traduit par Edmond Courbeau et Henri Bornecque, Les Belles Lettres, Paris, 1956.
CLAPARÈDE É., *L'Éducation fonctionnelle*, Delachaux et Niestlé, Neuchâtel et Paris, 1931.
COMÉNIUS, *La Grande Didactique*, Klincksieck, Paris, 1992.
–, *Pages choisies*, Unesco, 1957, Paris (Préface de Jean Piaget).
COUSINET R., *L'Éducation nouvelle*, Delachaux & Niestlé, Neuchâtel et Paris, 1950.
THOMAS D'AQUIN, *De magistro*, Vrin, Paris, 1983.
DECROLY O., *La Fonction de globalisation et l'enseignement*, Lamertin, Bruxelles, 1929 (rééd. Liège, Desoer, 1965.)
DEWEY J., *Mon credo pédagogique,* trad. Ou Tsui Chen, Vrin, Paris, 1931 (rééd. 1958).
– *Expérience et éducation*, trad. M.-A. Carroi, Bourrelier, Paris, 1947 (nouv. éd. Armand Colin).
DURKHEIM É., *L'Évolution pédagogique en France*, « Bibliothèque Scientifique Internationale », PUF, Paris, 1969.
– *L'Éducation morale*, PUF, Paris, 1974.
– *Éducation et sociologie*, PUF, « Quadrige », Paris, 1985.
ÉRASME, *Colloques*, Éditions d'Aujourd'hui, 4 volumes, Paris, 1983.
FERRIÈRE A., *L'École active*, 2 vol., éditions Forum, Neuchâtel et Genève, 1922 (nouvelle éd. 1946.)
FREIRE P., *Pédagogie des opprimés*, Maspéro « Petite collection », Paris, 1983.
FREINET C., *Les Œuvres pédagogiques*, 2 tomes, Seuil, Paris, 1994.
FROEBEL F., *L'Éducation de l'homme*, trad. de l'allemand par la baronne de Chrombrugghe, Hachette, Paris, 1861.

HELVÉTIUS, *De l'homme,* Fayard, Paris, 1989
–, *De l'esprit*, Fayard, Paris, 1988.
HERBART J. F., *Principales œuvres pédagogiques,* trad. Auguste Pinloche, Travaux et mémoires des Facultés de Lille, Lille, 1894.
HUMBOLDT, W. VON, *Sur l'organisation interne et externe des établissements scientifiques supérieurs à Berlin*, trad. André Laks dans *Philosophies de l'université*, Payot, Paris, 1979, p. 321-324.
ISOCRATE, *Discours*, 4 volumes, trad. G. Mathieu et E. Brémond, Les Belles Lettres, Paris, 1929-1962.
LOCKE J., *Quelques pensées sur l'éducation*, Vrin, Paris, 1966.
QUINTILIEN, *Institution oratoire*, Livres I à XII, trad. et éd. Jean Cousin, Les Belles Lettres, Paris, 1975-1980.
LUTHER M. (1524), *Aux magistrats de toutes les villes allemandes pour les inviter à ouvrir et à entretenir des écoles chrétiennes*, in *Œuvres,* t. IV, Labor et Fides, Genève, 1960.
MARX K. et ENGELS F., *Critique de l'éducation et de l'enseignement*, Maspéro, Paris, 1976.
MONTESSORI M., *Pédagogie scientifique. La maison des enfants*, Desclée de Brouwer, Paris, 1992.
–, *L'Enfant*, Desclée de Brouwer, Paris, 1935.
PESTALOZZI J. H., *Comment Gertrude instruit ses enfants*, Castella, Albeuve, 1985.
PIAGET J., *Psychologie et pédagogie*, Denoël, Paris, 1969.
–, *Où va l'éducation?*, Denoël, Paris, 1972.
PLATON, *Les Lois*, GF-Flammarion, Paris, 2006.
–, *Théétète,* GF-Flammarion, Paris, 1995.
RABELAIS F., *Œuvres complètes*, La Pléiade, Gallimard, Paris, 1985.
Ratio Studiorum. Plan raisonné et institution des études dans la Compagnie de Jésus, Édition bilingue latin-français, présentée par Adrien Demoustier et Dominique Julia, Belin, 1997.
RUSSELL, B., *On Education especially in Early Childhood*, George Allen and Unwin, Londres, 1985.
SPENCER H., *De l'éducation intellectuelle, physique et morale*, Marabout Université, Paris, 1974.
STIRNER M., *Le Faux Principe de notre éducation. L'Anticritique.* Introduction, trad. et notes Henri Arvon, « Bibliothèque sociale bilingue », Aubier Montaigne, Paris, 1974.

ŒUVRES CONTEMPORAINES

ARCHAMBAULT R. (ed.), *Dewey on Education. Appraisals*, Random House, New York, 1966.

BARROW R., *Giving Teaching Back to Teachers. A Critical Introduction to Curriculum Theory*, The Altesse Press, Ontario, 1984.

–, et WOODS R., *An Introduction to Philosophy of Education*, Routledge, Londres, New York, 1988.

BARRY., *Culture and Equality*, Harvard University Press, Cambridge, Massachussetts, 2001.

BARTHOLY M.-C. et DESPIN J.-P., *La Gestion de l'ignorance*, PUF, « Politique d'aujourd'hui », Paris, 1993.

BLAIS M.-C., GAUCHET M. et OTTAVI D., *Pour une philosophie politique de l'éducation*, Bayard, Paris, 2002.

BOURDIEU P. et PASSERON J.-C., *Les Héritiers. Les Étudiants et la culture*, Minuit, Paris, 1964 (nouvelle édition augmentée, 1966).

BOURDIEU P., *Homo academicus*, Minuit, Paris, 1984.

–, *La Noblesse d'État. Grandes écoles et esprit de corps*, Minuit, Paris, 1989.

CANIVEZ P., *Éduquer le citoyen* ?, Hatier, « Philosopher au présent », Paris, 1990.

CARR D., *Making Sense of Education. An Introduction to the Philosophy of Education and Teaching*, Routledge Falmer, Londres, New York, 2003.

CHAZAN B., *Contemporary Approaches to Moral Education. Analysing Alternative Theories*, Teachers College Press, New York, 1985.

DEARDEN R., HIRST P. H. et PETERS S., *Education and the Development of Reason*, Routledge, Londres, 1972.

FABRE M., *Penser la formation*, Paris, PUF, 1994.

FRIEDMAN M., « What's wrong with our schools ? », dans LEUBE K. R. (ed), *The Essential Friedman*, Hoover Institute Press, Stanford University, CA, 1987.

HALSTEAD J. M. et MCLAUGHLIN T. H. (eds.), *Education in Morality*, Routledge International Studies in the Philosophy of Education, Routledge, Londres, New York, 1999.

HANS-DROUIN A.-M., *L'Éducation, une question philosophique*, Anthropos, Paris, 1998.

HOUSSAYE J. (éd.), *Éducation et philosophie*, ESF, Paris, 1999.

KAMBOUCHNER D., *Une école contre l'autre*, PUF, « Questions Actuelles », Paris, 1999.
KAHN P., OUZOULIAS A. et THIERRY P. (éds.), *L'Éducation, approches philosophiques*, Paris, PUF, 1990.
KERLAN A., *L'École à venir*, Paris, ESF, 1998.
–, « À quoi pensent les pédagogues ? La pensée pédagogique au miroir du philosophe », *Revue française de pédagogie*, n° 137, octobre-novembre-décembre 2001, INRP, Paris.
–, *Philosophie pour l'éducation. Le compagnonnage philosophique en éducation et en formation*, ESF, « Pratiques et enjeux pédagogiques », Paris, 2003.
LE GOFF J.-P., *La Barbarie douce. La modernisation aveugle des entreprises et de l'école*, La Découverte, Paris, 1999.
MEIRIEU P., *L'École mode d'emploi*, ESF, Paris, 1985.
–, *L'École ou la guerre civile*, Plon, Paris, 1997.
MORANDI F., *Philosophie de l'éducation*, Nathan Université, Paris, 2000.
NODDINGS N., *Philosophy of Education*, Dimensions of Philosophy Series, Westview Press Perseus Books, New York, 1998.
RAWLS J., *Libéralisme politique*, trad. Catherine Audard, PUF, Paris, 1995.
REBOUL O., *La Philosophie de l'éducation*, PUF, « Que-sais-je ? », Paris, 1989.
–, *L'Endoctrinement*, PUF, Paris, 1977.
–, *Qu'est-ce qu'apprendre ?*, PUF, « L'Éducateur », Paris, 1980.
ROGERS, Carl, *Liberté pour apprendre,* Dunod, Paris, 1971.
SERRES M., *Le Tiers instruit*, Gallimard, « Folio », Paris, 1991.
SIEGEL H., *Educating Reason : Rationality, Critical Thinking and Education*, Routledge, New York, 1988.
SKINNER B. F. *La Révolution scientifique de l'enseignement*, Margada, « Psychologie et sciences humaines », Bruxelles, 1969.
SOËTARD M., *Qu'est-ce que la pédagogie ? Le pédagogue au risque de la philosophie*, Paris, ESF, 2001.
TAYLOR C., *Multiculturalisme*, Champs-Flammarion, 1994.
TERRAIL J.-P., *De l'inégalité scolaire*, La Dispute, Paris, 2002.
–, *École. L'enjeu démocratique*, La Dispute, Paris, 2004.
WINCH C., *The Philosophy of Human Learning*, Routledge International Studies in the Philosophy of Education, Routledge, Londres, New York, 1999.

Quelques périodiques

Le *Journal of Philosophy of Education* est publié par la *Philosophy Education Society of Great Britain*. Site Internet : http://www.philosophy-of-education.org/

Educational Philosophy and Theory est publié depuis par la *Philosophy of Education Society of Australasia*. Site Internet : http://www.blackwell-synergy.com/rd.asp?code=EPAT&goto=journal

Theory and Research in Education est publiée depuis mars 2003 et accessible en ligne : http://tre.sagepub.com/

La *Revue française de pédagogie* publie souvent des articles qui intéresseront les philosophes de l'éducation.

Mise en page par Meta-systems
59100 Roubaix

N° d'édition : L.01EHPN000483.N001
Dépôt légal : août 2011
Imprimé en Espagne par Novoprint (Barcelone)